Beck'sche Schwarze Reihe
Band 177

Herrn Prof. Lukács
mit herzlichem Gruß
Ub
Hans Schrot
für 22.11.83

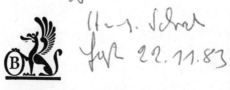

Manfred Knapp, Werner Link,
Hans-Jürgen Schröder, Klaus Schwabe

Die USA und Deutschland 1918–1975

Deutsch-amerikanische Beziehungen zwischen
Rivalität und Partnerschaft

VERLAG C.H.BECK MÜNCHEN

CIP-Kurztitelaufnahme der Deutschen Bibliothek

Die USA und Deutschland 1918–1975; dt.-amerikan.
Beziehungen zwischen Rivalität u. Partnerschaft/
Manfred Knapp . . . – 1. Aufl. – München: Beck, 1978.
   (Beck'sche Schwarze Reihe; Bd. 177)
   ISBN 3 406 06777 8
NE: Knapp, Manfred [Mitarb.]

ISBN 3 406 06777 8

Einbandentwurf von Rudolf Huber-Wilkoff, München
Umschlagbild: Studentendemonstration in West-Berlin am 23.11.1963
(USIS: IU: Photos)
© C. H. Beck'sche Verlagsbuchhandlung (Oscar Beck), München 1978
Gesamtherstellung: C. H. Beck'sche Buchdruckerei, Nördlingen
Printed in Germany

Inhalt

Vorbemerkung 9

Klaus Schwabe

Die USA, Deutschland und der Ausgang des Ersten Weltkrieges

1. Amerika – Gegner oder Schutzmacht der deutschen Republik? 11
2. Woodrow Wilson, der Waffenstillstand vom 11. November 1918 und das Schicksal der Monarchie in Deutschland . . 14
3. Amerika und die Novemberrevolution 23
4. Deutsche und amerikanische Friedensstrategien am Vorabend der Pariser Konferenz 26
5. Die kurzfristige Sicherstellung des Friedensschlusses 31
6. Mittelfristige Friedenssicherung: Die USA und die Deutschlandfrage auf der Pariser Konferenz 39
7. Die deutsche Friedensstrategie in Versailles 47
8. Versailles als deutsch-amerikanische Konfrontation 49
9. Die USA, das republikanische Deutschland und das Scheitern liberaler Friedenshoffnungen 55

Werner Link

Die Beziehungen zwischen der Weimarer Republik und den USA

1. Die Einschätzungen der Ausgangssituation 62

2. Die amerikanische Vermittlung in der Reparationsfrage 66
3. Die politische Zusammenarbeit in der Stabilisierungsphase 76
4. Wirtschaftliche Kooperation und Konkurrenz 83
4.1. Kooperative Verständigungsversuche 86
4.2. Die amerikanische Konkurrenz in Deutschland 92
5. Das Ergebnis der Kooperation 97
6. Erfolg und Scheitern der Politik des friedlichen Wandels 102

Hans-Jürgen Schröder

Das Dritte Reich und die USA

1. Die amerikanische Reaktion auf die Machtergreifung Hitlers 107
2. Die vorsichtige Amerikapolitik nach der Machtergreifung 109
3. Der bilaterale Gegensatz in den Handelsbeziehungen 119
4. Economic Appeasement: Das amerikanische Konzept zur
   Eindämmung der nationalsozialistischen Expansion 125
5. Der ideologisch-politische Gegensatz 131
6. Vom deutschen Angriff auf Polen bis zum Kriegseintritt der
   USA 134
7. Die deutsch-amerikanische Rivalität in Lateinamerika 137
8. Der Ausschluß der USA vom deutschen ,,Informal Empire" in Südosteuropa 145
9. Das Scheitern der amerikanischen Eindämmungsstrategie 150

Manfred Knapp

Politische und wirtschaftliche Interdependenzen im Verhältnis
USA – (Bundesrepublik) Deutschland 1945–1975

1. Wandlungsprozesse in den deutsch-amerikanischen Nachkriegsbeziehungen 153

2. Zum Problem der Analyse komplexer Interdependenzen zwischen hochentwickelten Industriestaaten 157

3. Politische Interdependenzen 161

3.1. Im Fundamentalbereich 163

3.2. Bei der Systemsicherung nach außen 166

3.3. Bei der Organisation des westeuropäisch-atlantischen Systems 170

3.4. Im Global-System, insbesondere im Verhältnis zur Peripherie 176

4. Wirtschaftliche Interdependenzen 180

4.1. Handelsbeziehungen 187

4.2. Kapitalbewegungen – Direktinvestitionen – Multinationale Unternehmen 192

4.3. Monetäre Beziehungen – Zahlungsbilanz – Devisenausgleich 198

5. Interdependenz der Interdependenzen – ,,Delta-Interdependenzen" – Zusammenfassung 211

Anmerkungen 220

Literaturhinweise 247

Die Autoren 254

Vorbemerkung

Die amerikanisch-deutschen Beziehungen haben die Geschichte unseres Jahrhunderts in politischer und wirtschaftlicher Hinsicht entscheidend geprägt: Deutschland wurde in zwei Weltkriegen Hauptgegner der USA. In beiden Fällen war das militärische Eingreifen der Vereinigten Staaten kriegsentscheidend und schuf die Voraussetzung für das nachfolgende politische Engagement in Europa. Die Integration Deutschlands in eine liberale und dauerhafte Friedensordnung ist nach dem Ersten und nach dem Zweiten Weltkrieg eines der Hauptprobleme der amerikanischen Außenpolitik gewesen. Als Streitobjekt wirkte sich darüber hinaus die Deutschlandfrage auf das Verhältnis zwischen USA und UdSSR nachhaltig aus. Die Vereinigten Staaten waren nach dem Ersten und nach dem Zweiten Weltkrieg als Ordnungs- und Stabilisierungsfaktor in Mitteleuropa tätig. Sie haben dabei einen maßgebenden Beitrag zur politischen und wirtschaftlichen Entwicklung Deutschlands und zur Stellung der Weimarer Republik bzw. der Bundesrepublik im internationalen System geleistet. In einem zwei Generationen umfassenden Zeitraum entwickelten sich auf diese Weise wiederkehrende Muster aus Wettbewerb und Kooperation, aus Rivalität und Partnerschaft in den deutsch-amerikanischen Beziehungen, die sowohl historisch als auch politisch erhebliche Relevanz besitzen.

Es überrascht deshalb um so mehr, daß eine zusammenfassende Darstellung und Analyse dieser Entwicklung bisher noch fehlt. Die vier Autoren, die sich zu dem hier vorgelegten Überblick zusammengetan haben, möchten diese Lücke schließen helfen. Die Verfasser der ersten drei Beiträge greifen dabei jeweils auf eigene, z. T. seit längerer Zeit vergriffene oder schwer zugängliche Einzeluntersuchungen zurück, deren Ergebnisse sie in komprimierter Form auf diesem Wege einem größeren Leserkreis zugänglich machen wollen. Bei dieser Zielsetzung haben sie bewußt davon abgesehen, auf die neueste Literatur ausführlicher einzugehen. Einen gewissen Ersatz dafür soll das Literaturverzeichnis bieten.

Anders als die ersten drei Beiträge stellt der vierte eine neue Studie über den Komplex der deutsch-amerikanischen Beziehungen nach dem Zweiten Weltkrieg dar; deshalb konnte er auf einen umfangreicheren Anmerkungsapparat nicht verzichten.

Die Verfasser waren bemüht, die deutsch-amerikanischen Beziehungen vom Ende des Ersten Weltkrieges bis zur Gegenwart in ihrer ganzen Reichweite darzustellen, wobei lediglich die Kriegsjahre 1941 bis 1945 als Sonderproblem ausgeklammert blieben.

Für den Inhalt jedes der vier hier vereinten Beiträge ist der jeweilige Autor allein verantwortlich. Die in den einzelnen Untersuchungen zum Ausdruck kommenden unterschiedlichen Fragestellungen und methodischen Verfahren sind bewußt nicht aneinander angeglichen worden. Die Verfasser halten dies für einen Vorzug; denn auf diese Weise informiert dieser Sammelband nicht nur über die einzelnen Phasen der deutsch-amerikanischen Beziehungen – teils mehr aus der Nahsicht, teils in umfassenderer Überschau –, sondern vermittelt auch einen Einblick in verschiedene Ansätze, mit denen Historiker und Politologen diesen Gegenstand zu analysieren suchen.

Die Verfasser

Klaus Schwabe

Die USA, Deutschland und der Ausgang
des Ersten Weltkrieges

1. Amerika – Gegner oder Schutzmacht der deutschen Republik?

Das Jahr 1917 gilt mit Recht als der große Epocheneinschnitt des 20. Jahrhunderts: In jenem Jahr wurde nicht nur das Sowjetsystem in Rußland errichtet, sondern traten auch die Vereinigten Staaten mit ihrer Kriegserklärung an das Deutsche Reich in den Kreis der in Europa engagierten Großmächte ein. Deutschland hatte an diesen epochemachenden Ereignissen einen beträchtlichen Anteil: Die USA hatte es durch den Übergang zu einer unbeschränkten U-Boot-Kriegführung praktisch in den Krieg und damit zur Übernahme der Rolle einer Weltmacht gezwungen. Bei der zunehmenden militärischen und wirtschaftlichen Schwäche der Entente wurde Amerika mehr und mehr zum Rückgrat der Gegner der Mittelmächte, die Deutschland anführte, der Weltkrieg mehr und mehr zu einer deutsch-amerikanischen Auseinandersetzung. Dies galt auch für den ideologischen Bereich. Der amerikanische Präsident Wilson verstand sich als Sprachrohr der Gegner Deutschlands, das er als Vertreter monopolistischen und unverantwortlichen Machtstrebens verurteilte. Die deutsche Seite faßte diesen Konflikt vielleicht nicht so prinzipiell auf, war sich aber der Tatsache wohl bewußt, daß das Amerika Wilsons die Alliierten moralisch aufrecht erhielt.

Wilson hatte mit den am 8. Januar 1918 verkündeten Vierzehn Punkten als Leitlinie für einen künftigen Frieden dem amerikanischen Führungsanspruch Ausdruck verliehen. Nicht so sehr an die deutsche Regierung als vielmehr an die europäische Linke und das Rußland Lenins gerichtet, enthielten diese, als Ergebnis einer „neuen Diplomatie", das Programm eines liberalen Friedens. Ein

11

solcher Friede sollte sich, wie Wilson erklärte, an ethnischen Prinzipien orientieren, wenn es um territoriale Veränderungen ging: Den Völkern der Habsburger Monarchie sollte wenigstens die Autonomie zugestanden, Kolonialpolitik auch mit Rücksicht auf die Interessen der Eingeborenen betrieben werden; in Europa unterjochte Völker wie die Belgier und die Polen sollten ihre staatliche Selbständigkeit wieder erhalten, Elsaß-Lothringen sollte an Frankreich zurückfallen. Wenige Wochen später hat sich Wilson auch ausdrücklich zum Selbstbestimmungsrecht der Völker bekannt. Wirtschaftlich sollte nach dem Kriege die ganze Welt den Grundsatz des freien Handels auf freien Meeren befolgen, sollten an die Stelle drückender Kriegsschuldenlasten der Besiegten begrenzte Wiedergutmachungszahlungen zum Wiederaufbau der kriegszerstörten Teile Frankreichs und Belgiens treten. Seine Krönung hätte dieser ausgehandelte, nicht diktierte Frieden in einem Völkerbund gefunden, der nach den damaligen Vorstellungen Wilsons auch Deutschland als Mitglied umfaßt hätte. Dieses hätte bei einem solchen Frieden gewiß territoriale und finanzielle Opfer bringen müssen, aber doch nur in begrenztem Umfange! Freilich mußte es eine Voraussetzung erfüllen: Es mußte, anstelle der bislang dominierenden Autokraten, die gewählten Vertreter des Volkes zu Sprechern der Nation auch in der Außenpolitik machen. Nur das deutsche Volk durfte Partner des von Wilson erstrebten versöhnenden Völkerfriedens werden.

Am 3. Oktober 1918 ersuchte die deutsche Reichsleitung um Waffenstillstand und Frieden auf der Basis eben dieser Vierzehn Punkte. Wollte sie damit eine gemeinsame ideologische Basis mit ihrem Hauptgegner gewinnen? Sechs Wochen später war Deutschland Republik, und die Führer dieses neuen Deutschland meinten, damit auch die inneren Voraussetzungen für einen Frieden nach den Ideen Wilsons geschaffen zu haben. Sie sahen sich getäuscht: Ein gutes halbes Jahr später angesichts des Versailler Friedens, glaubten sie sich von Wilson, der seine Prinzipien verraten habe, im Stich gelassen. Eine tiefe Entfremdung zwischen dem Amerika Wilsons und der jungen deutschen Republik trat ein. Die deutsche Außenpolitik, die sich an Wilson orientiert hatte, geriet in Mißkredit.

Die deutsch-amerikanischen Beziehungen in der Endphase des

Ersten Weltkrieges bieten so ein recht komplexes Bild, und es verwundert nicht, daß sie zu gegensätzlichen Deutungen Anlaß gaben.[1] Auf der einen Seite steht die These von dem „Verrat" Wilsons. Sie ist dem Präsidenten auch von linksliberaler Seite innerhalb und außerhalb Deutschlands entgegengehalten worden, wurde dann aber bald eine Standardvorstellung der nationalistischen Rechten. Dieser Sicht Wilsons als eines nur zeitweilig getarnten Feindes der Deutschen steht eine andere Auffassung gegenüber, die umgekehrt von einer Komplizenschaft zwischen dem Amerika Wilsons und der deutschen Republik ausgeht. Die gemeinsame Basis dieser Zusammenarbeit habe das Interesse an einer Bekämpfung des Bolschewismus innerhalb und unter Umständen sogar außerhalb Deutschlands gebildet.

Der folgende Überblick über die amerikanisch-deutschen Beziehungen der Jahre 1918/1919 – das heißt eines Zeitraumes, in dem für die weltpolitische Entwicklung in den Folgejahren in vieler Hinsicht die Weichen gestellt worden sind, – soll beide Hypothesen überprüfen. Dabei erhebt sich eine ganze Reihe von Fragen: Ist Wilson in der Konfrontation mit den Interessen seiner Verbündeten und seiner Gegner seinen Anfang 1918 verkündeten Prinzipien treu geblieben? War er bereit, die Machtmittel der USA einzusetzen, um die Europäer zur Annahme eines Friedens, wenn nötig, zu zwingen, der seiner Konzeption entsprach? Hat er die Anwendung seiner Friedensgrundsätze gegenüber dem militärisch ohnmächtigen einstigen Hauptgegner Deutschland bei seinen Verbündeten durchgesetzt bzw. durchsetzen können? Sollten diese Fragen bejaht werden können, bleibt zu klären, aus welchen Motiven heraus sich Wilson um Prinzipientreue gegenüber Deutschland bemüht hat. War es die Sorge um das Überleben der soeben dort etablierten demokratischen Staatsform? Oder war es reiner Anti-Bolschewismus, m. a. W. eine Politik, die sich um Schonung des Gegners bemühte, um ihn als Barriere gegen das Vordringen des Bolschewismus zu erhalten?

Mindest ebensoviele Fragen wirft das Verhalten der deutschen Seite auf. Welche Motive oder auch Hintergedanken haben die deutschen Regierungen von Max von Baden bis zu Scheidemann zu ihrem Bekenntnis zu dem Wilsonschen Friedensprogramm bewogen? Hatten diese deutschen Politiker ihr politisches Leitbild überhaupt richtig verstanden? Konnten sie dies in einer Zeit, in der ein direkter Kontakt mit dem amerikanischen Präsidenten nur über geheime und halboffizielle Kanäle möglich gewesen ist? Schätzten sie die inneren und äußeren Voraussetzungen der Machtstellung Amerikas am Ende des Ersten Weltkrieges richtig ein, wenn sie ihre politischen Entscheidungen von den vermeintlich zu erwartenden Reaktionen der USA abhängig machten? War das kaiserliche und besonders das republikanische Deutschland gewillt, sich vorbehaltlos auf den Boden des Wilsonschen Friedensprogrammes zu stellen? Gab es – schwierigste Frage – eine Alternative zu der deutschen Friedensstrategie, die sich bis zur Vorlage des Versailler Friedens weitgehend an den Prinzipien eines Wilson-Friedens orientierte?

Diese Fragen lassen sich für beide Seiten erschöpfend nur beantworten, wenn man das außenpolitische Verhalten Deutschlands und der USA nicht nur im Zusammenhang mit machtpolitischem Kalkül und ideologischen Überlegungen, sondern auch im Kontext wirtschaftlicher Gegebenheiten und innenpolitischer Notwendigkeiten sieht. Der folgende Überblick wird auch diesen Aspekten seine besondere Aufmerksamkeit schenken müssen.

2. Woodrow Wilson, der Waffenstillstand vom 11. November 1918 und das Schicksal der Monarchie in Deutschland

Die Bitte um Vermittlung eines Waffenstillstandes und eines Friedensschlusses, welche die deutsche Regierung am 3. Oktober 1918 an den amerikanischen Präsidenten abgehen ließ, kam nicht von ungefähr. Seit Wilsons Vierzehn-Punkte-Rede waren auf mehreren Ebenen inoffizielle Verbindungen zwischen der deutschen und der amerikanischen Seite geknüpft worden. Der amerikanische Geheimdienst verfügte über Kontakte zur USPD. Politiker der Reichstagsmehrheit (SPD, Fortschritt und Zentrum) hatten teils persönlich, teils über Mittelsmänner das Gespräch mit den Amerikanern aufgenommen. Eine Schlüsselrolle spielte dabei der in Genf

lebende, zeitweilig von Washington autorisierte inoffizielle amerikanische „Agent" George Herron – eine etwas bizzare Gestalt:
Extheologieprofessor, persönlich wohlhabend, Vertreter eines ra-
dikalen christlichen Sozialismus und als solcher in Verbindung mit
Angehörigen der europäischen Linken. Wilson war sein politisches
Idol geworden, dessen Botschaft, so wie er sie verstand, er auch an
seine deutschen Zuhörer weiterleitete.

Geheime Friedensfühler wurden schließlich auch von der Regierung Hertling über das Auswärtige Amt zu amerikanischen Mittelsmännern im neutralen Ausland, besonders in der Schweiz, ausge-
streckt. Ein konkreter Erfolg war all diesen Sondierungen nicht
beschieden. Die deutschen und die amerikanischen Kriegszielvor-
stellungen erwiesen sich als unvereinbar. Die deutsche Seite zeigte
sich nicht zu einer bedingungslosen Wiederherstellung Belgiens
und schon gar nicht zu einem Verzicht auf Elsaß-Lothringen bereit.
Den seit dem Zusammenbruch des Zarenreiches gewonnenen Einfluß in Osteuropa wollte es ebenfalls nicht preisgeben, obwohl
Wilson gerade hierin eine besondere Gefahr für den künftigen Frieden erblickte.

In einem gewissen Zwielicht standen diese Sondierungen, was
die Wilsonschen Forderungen für eine innere Erneuerung Deutschlands anlangte. Der deutschen Seite konnte nicht entgehen, daß es
hier nicht nur um ein gewissermaßen ideologisches Ziel Wilsons
ging, der die Demokratie als einzig friedensgarantierende Staatsform betrachtete, sondern daß hier auch kriegstaktische Erwägungen mit hinein spielten: Wilson wollte Reichstagsmehrheit und
USPD gegen die politische und vor allem militärische Führung des
Reiches ausspielen und damit die innere Front seines Hauptgegners
aufrollen. Herron ging soweit zu erklären, daß die USA letzten
Endes auf eine Revolution in Deutschland als sicherstes Mittel zur
siegreichen Beendigung des Krieges hofften.

Trotz den Bedenken, die eine solche Taktik auf deutscher Seite
erregen mußte, ließen weder das Auswärtige Amt noch die Reichstagsmehrheit den Kontakt zur amerikanischen Seite hin abreißen;
denn, so erklärte das Auswärtige Amt gegenüber der Obersten
Heeresleitung: Es „sollte nicht übersehen werden, daß wir ...

schwerlich je in der Lage sein werden, Amerika den Frieden zu diktieren. Andererseits ist immerhin die Möglichkeit nicht ausgeschlossen, daß Amerika, gerade weil es nicht um seine Existenz kämpft, schließlich am ersten zum Frieden geneigt sein und in diesem Sinne auf die Entente einwirken wird".[2]

Es war nur die logische Konsequenz dieser Haltung, daß die Reichsleitung sich, nachdem die OHL militärisch den Bankrott erklärt hatte, in aller Öffentlichkeit an den amerikanischen Präsidenten – und *nur* an ihn – wandte. Einer der energischsten Befürworter dieser neuen deutschen Friedenspolitik war denn auch der Staatssekretär des Äußeren v. Hintze, der allein im offenen Appell an Amerika als Führungsmacht bei der Wiederherstellung des Friedens eine letzte Chance für eine politische Beendigung des Krieges sah. Er verstand es, die neue Regierung des Prinzen Max von Baden ganz für das von ihm empfohlene Vorgehen zu gewinnen. Der damit begonnene deutsch-amerikanische Notenwechsel gewann in der Anbahnung des Friedens eine Schlüsselstellung. Zum zweiten Male nach der U-Boot-Kontroverse erlangte der Dialog zwischen Deutschland und den USA weltpolitische Bedeutung.

Wie sollten die Friedensbedingungen aussehen, die der neuen Reichsleitung als Ergebnis einer amerikanischen Vermittlung auf der Basis der Vierzehn Punkte zu diesem Zeitpunkt vor Augen standen? Es gab, nicht zuletzt unter dem Eindruck der militärischen Panikmeldungen der OHL, eine Reihe von Politikern, die nach dem öffentlichen Eingeständnis der militärischen Schwäche der Mittelmächte das Schlimmste befürchteten – die Forderung nach Gebietsabtretungen im Westen und Osten des Reiches (dort u. U. einschließlich Danzigs) und das Verlangen nach einer Abdankung des Kaisers. Doch behielt ein derart extremer Pessimismus nicht die Oberhand. Erzberger hoffte z. B. schon Mitte Oktober wieder, daß Deutschland auch nach einem Waffenstillstand genügend militärische Mittel in der Hand bleiben würden, um ihm einen bewaffneten Widerstand gegen überzogene Forderungen der Gegner zu ermöglichen. Seine Fürsprache war es nicht zuletzt, welche die neue deutsche Führung davon überzeugte, daß Deutschland in seinen an Wilson gerichteten Noten auch die Entente auf das amerikanische

Friedensprogramm festzulegen versuchen müsse. Daß Deutschland auf einen erheblichen Teil seiner bisherigen Kriegszielwünsche verzichten müsse, war klar. Der Konsens in der Reichsleitung ging in Richtung auf eine Aufgabe aller westlichen Kriegsziele (die Freigabe Belgiens verstand sich jetzt von selbst) und die Bereitschaft, auch die Zukunft Elsaß-Lothringens zum Gegenstand der Friedenskonferenz zu machen. Dagegen bestand weiter die Hoffnung, den im letzten Kriegsjahr in Osteuropa gewonnenen Einfluß – auch bei einer Praktizierung des Selbstbestimmungsrechtes – aufrechterhalten zu können. Auf dem Gebiete der Wirtschaft sah man vielfach – so im Verlangen nach der „Freiheit der Meere" und einer nichtdiskriminatorischen Handelspolitik – Übereinstimmungen zwischen den deutschen und den amerikanischen Interessen. Die innenpolitischen Forderungen Wilsons schließlich hoffte man mit der Übernahme der politischen Verantwortung durch einen Vertrauensmann der Reichstagsmehrheit zufriedengestellt zu haben.

Wie reagierte der amerikanische Präsident auf die paradoxe Situation, in die ihn die deutsche Friedensnote vom 3. Oktober 1918 hatte geraten lassen – daß nämlich ausgerechnet der Hauptkriegsgegner in aller Öffentlichkeit sich auf den Boden seines Friedensprogrammes gestellt hatte, noch ehe dies, unter Verzicht auf alle Vorbehalte, seine eigenen Verbündeten getan hatten? In Konsequenz seiner bisher verfolgten Politik hätte er an sich das deutsche Ersuchen sofort ablehnen müssen. War er doch, spätestens seit Deutschland im März 1918 mit dem Frieden von Brest sein Großmachtstreben erneut demonstriert hatte, entschlossen, sich auf keinerlei Friedenssondierungen der Mittelmächte einzulassen – auf jeden Fall solange nicht, wie die Mittelmächte nicht sich zu einem Rückzug aus Osteuropa bereit erklärt hatten. Die rapide sich verschlechternde Lage der Gegner bestärkte ihn nur in seiner Entschlossenheit, zumal jedes Friedensvorgespräch bei einem Bekanntwerden die Moral der gegen die Deutschen kämpfenden Truppe gefährdet hätte. Loyalität gegenüber den europäischen Assoziierten hätte jetzt vor jeder Beantwortung der deutschen Note eine Konsultation mit den Entente-Regierungen erfordert. Und nicht zuletzt befand sich Amerika mitten im Wahlkampf für die am 5. 11. 1918 fälligen Halbzeitwahlen; der Hurrahpatriotismus mit dem Ruf nach einem Marsch nach Berlin hatte seinen Höhepunkt erreicht.

Wilson ordnete sich dem Primat der Außenpolitik unter, wenn er alle diese Faktoren zunächst zurückstellte. Entscheidend war für ihn, daß der deutsche Gegner mit seinem Ersuchen ihm die Führung in der Anbahnung des Friedens anvertraut, daß er ihm eine Schlüsselstellung zugespielt hatte, und zwar auch aus militärischen Gründen: Noch hatten die Alliierten den Sieg nicht errungen, noch waren sie von der Hilfe der USA abhängig, noch konnten sie gar nicht anders, als den politischen Willen des militärisch stärksten Verbündeten respektieren. Es war ,,Amerikas Stunde'',[3] eine nicht wiederkehrende Chance, die sich Wilson auch deshalb nicht entgehen lassen wollte, weil er seinen Einfluß bei der europäischen – auch deutschen! – Linken aufs Spiel setzte, wenn er die deutsche Friedensnote einfach ungeprüft zurückwies. Er mußte auch den Mittelmächten den Hoffnungsschimmer eines von ihm vermittelten Friedens lassen, um die deutschen Militärs nicht in die Lage zu versetzen, das Schreckgespenst einer Totalniederlage an die Wand zu malen und so das deutsche Volk zu einem letzten Aufgebot zu mobilisieren. Ein verzweifelter letzter deutscher Widerstand hätte, wie man glaubte, den Sieg, den amerikanische Militärs frühestens für Ende 1918 voraussagten, sehr wohl hinauszögern können.

Ohne in London oder Paris zurückzufragen, beantwortete Wilson die deutsche Note deshalb nicht völlig ablehnend. Gewiß – eine sofortige Annahme erschien nicht möglich, innenpolitisch nicht und auch kriegspsychologisch-taktisch nicht, weil noch nicht klar war, wer in Berlin hinter der deutschen Note stand: die Militärs, deren Ansehen Wilson mit einer Annahme des deutschen Ersuchens am Ende noch gestärkt hätte, oder die Mehrheitsparteien, deren Einfluß bei einem Prestigegewinn der Militärs nur abgenommen hätte. Wilson gab der Reichsleitung deshalb eine ausweichende Antwort, die aus Rückfragen bestand. Diese sollten die Ehrlichkeit des deutschen Bekenntnisses zu den Vierzehn Punkten und des inneren Systemwechsels im Reich testen.

Die weiteren Einzelheiten des nachfolgenden deutsch-amerikanischen Notenwechsels zu erörtern, ist hier nicht der Ort. Es genügt zu wissen, daß Wilson seine Haltung in seinen beiden weiteren Noten Zug um Zug verschärfte. War dies Taktik oder hatte er seine politische Zielsetzung verändert?

Es waren mehrere Gründe, die Wilson veranlaßten, seine Tonart gegenüber der deutschen Regierung zu verschärfen: Zum einen verstärkten Geheiminformationen aus Deutschland bei ihm und seinen Ratgebern den Verdacht, daß die Regierung Max von Baden im Grunde doch nur eine Gallionsfigur des nach wie vor an der Macht befindlichen Militärregimes sei, das mit seiner Hilfe bloß einer militärischen Niederlage zu entgehen hoffte. Bestimmender für Wilsons Politik war indessen die Haltung der europäischen Verbündeten. Diese waren nicht bereit, sich in der Waffenstillstandsfrage den Ansichten des Präsidenten unterzuordnen. Hatte dieser in seiner ersten Note lediglich die Räumung der von den Deutschen besetzten Gebiete verlangt, so bestand er, alliierten Vorstellungen entsprechend, schon in seiner zweiten Note (vom 14. 10.) auf Garantien, welche die Fortdauer der augenblicklichen militärischen Überlegenheit der Verbündeten auch nach dem Waffenstillstand sicherstellen müßten. Einer vollständigen Entwaffnung Deutschlands wollte er damit nicht das Wort reden. Im Gegenteil! Bis zum Ende der Waffenstillstandsverhandlungen verwandte er sich für maßvolle Bedingungen. Dieser Wunsch führte in den Kern seiner Friedenskonzeption. Gewiß wünschte er den eigenen Sieg über die Mittelmächte; es bedrängte ihn aber auch die Sorge vor ,,zuviel" militärischer ,,Sicherheit" für seine europäischen Verbündeten. Ein solches ,,Zuviel an Sicherheit" hätte nämlich deren Abhängigkeit von den USA verringert und damit das Gewicht Amerikas bei den Friedensverhandlungen vermindert. Es lag, wie gleich noch zu zeigen, nicht an Wilson, wenn sich diese Konzeption gegen die alliierte Seite dann doch nicht durchsetzen ließ.[4]

Wenigstens dem Anschein nach mußte Wilson schließlich seine Haltung gegenüber dem Gegner verhärten, um den Erfordernissen des amerikanischen Wahlkampfes gerecht zu werden. Dort hatte er sich mit seinem vorsichtigen Entgegenkommen bereits den Protest hyperpatriotischer Republikaner auf den Hals gezogen, der seiner

Partei bei den Wahlen Stimmen zu kosten drohte, und es war gewiß kein Zufall gewesen, daß seine schärfste Note an die Reichsleitung mit seinem Appell an das amerikanische Volk, am 5. 11. doch die demokratische Partei zu wählen, zeitlich fast zusammenfiel. Diese Note – es war seine dritte, vom 23. 10. 1918 – gipfelte in dem Satz: „Wenn" Amerika „es jetzt mit den militärischen Herrschern und den monarchischen Autokraten zu tun haben muß . . ., dann muß es die Kapitulation anstelle von Friedensverhandlungen verlangen . . .".[5] Das klang wie die Forderung nach einer Abdankung des Kaisers und ist so auch in Deutschland verstanden worden. Über Mittelsmänner ließ sich die amerikanische Regierung genau über den Fortgang der deutschen Verfassungsreformen berichten und gab der Reichsleitung zu verstehen, daß Informationen, nach denen die USA auf einer Abdankung des Kaisers nicht bestünden, falsch seien.[6] Es läßt sich bis heute nicht eindeutig nachweisen, daß diese von dem amerikanischen Außenminister Lansing unterzeichnete Instruktion dem Präsidenten selbst vorgelegen hat oder nicht. Auf jeden Fall widerspricht sie allem, was wir sonst von den Beratungen wissen, welche die Formulierung der dritten Wilson-Note begleiteten. In ihnen sprach sich Wilson eher gegen die Forderung nach einer Abdankung des Kaisers und auf jeden Fall gegen eine revolutionäre Aufwiegelung des deutschen Volkes aus. Erkannte er doch, daß Amerika mit einem solchen Verlangen in einen Widerspruch zu dem Selbstbestimmungsrecht der Völker geraten würde. Ein weiterer Grund für seine maßvolle Haltung gewann gegen Ende Oktober von Tag zu Tag an Gewicht: die Befürchtung, in Deutschland könnte nach russischem Vorbild jede Regierungsautorität zerfallen und damit das Feld für ein Vordringen des Bolschewismus frei sein.

Es waren also wahl- und bündnistaktische Überlegungen, die Wilson zu einer verschärften Formulierung seiner Bedingungen für die Annahme des deutschen Friedensersuchens veranlaßten. Seine Friedenskonzeption hatte sich in ihrem Wesenskern hingegen nicht verändert, und er war gewiß auch bereit, einem nach britischem Vorbild maßvoll reformierten deutschen Reich den erbetenen Waffenstillstand und Frieden zu vermitteln.

Wenn es noch eines Beweises für diese seine Grundabsicht bedurft hätte, die er nur hinter einer starken Sprache verbarg, so war es die letzte und entscheidende Note, welche die amerikanische Regierung der Reichsleitung übermittelte, die sog. „Lansing-Note" vom 5. 11. 1918. In dieser sagte die amerikanische Regierung im Namen der Verbündeten der kaiserlichen deutschen Regierung die Aufnahme von Waffenstillstandsverhandlungen (und nicht etwa von Kapitulationsverhandlungen!) zu und stellte in Übereinstimmung mit den Verbündeten einen Friedensschluß auf der Basis der Vierzehn Punkte (wenn auch mit zwei gleich zu behandelnden Vorbehalten) in Aussicht. Amerika stellte also die Legitimität der Regierung Max von Baden nicht in Frage!

Die Absendung der Lansing-Note, die nach außen hin den Höhepunkt von Wilsons Einfluß als Friedensvermittler darstellte, war dennoch von zwei Rückschlägen für den Präsidenten begleitet, die das Fundament seiner Friedenskonzeption ins Wanken brachten. Auf der einen Seite liefen die Waffenstillstandsbedingungen, die sein Vertreter Oberst House mit der Entente in Paris ausgehandelt hatte, auf eine weitgehende Entwaffnung Deutschlands hinaus. Übermittlungsschwierigkeiten zwischen Wilson und House hatten dazu ebenso beigetragen wie die Taktik von Wilsons Emissär. Dieser gab in den militärischen Fragen den Wünschen der Entente auf ganzer Linie nach, um als Gegenleistung die Anerkennung der Vierzehn Punkte als Grundlage der Friedensbedingungen durch die europäischen Alliierten zu erwirken. Auch dies gelang ihm nicht ganz: Die Briten wollten die Vierzehn Punkte nur mit den beiden Vorbehalten akzeptieren, daß sie sich in der Frage der Freiheit der Meere vorweg in keiner Weise festlegen lassen wollten und daß die Verpflichtung Deutschlands zur Wiedergutmachung alle zu Lande, zu Wasser und aus der Luft durch die Alliierten erlittenen zivilen Schäden umfassen müsse. Damit war auch Großbritannien Reparationsgläubiger geworden. Die Bedeutung dieser Vorbehalte enthüllte sich erst während der Friedensverhandlungen. Im Moment waren die ganz auf die Wünsche der alliierten Militärs abgestimmten Waffenstillstandsbedingungen entscheidend. Sie ließen Wilson nicht die Möglichkeit, ein reduziertes deutsches Militärpotential bei den Verhandlungen mit der Entente in die Waagschale zu werfen.

Doch nicht nur machtpolitisch war eine Voraussetzung des Wilsonschen Kalküls fortgefallen. Am Tage des Abganges der „Lansing-Note" fügten die amerikanischen Wähler der Partei Wilsons eine empfindliche Niederlage zu. Wilson konnte seine Friedenskonzeption fortan nur mit der Zustimmung eines gewichtigen Teils der republikanischen Opposition realisieren. Macht- und innenpolitisch trat Wilson seinen Verbündeten in den Friedensverhandlungen aus einer geschwächten Position entgegen. Indem er die in Paris ausgearbeiteten Waffenstillstandsbedingungen sich zu eigen machte, demonstrierte er auch nach außen seine Solidarität mit seinen Verbündeten und distanzierte sich damit von allen deutschen Hoffnungen auf ein deutsch-amerikanisches Zusammenspiel in der Ausarbeitung eines Wilson-Friedens.

Er tat dies in einem Moment, als sein moralischer Einfluß in Deutschland seinen Höhepunkt erreicht hatte. Dort war die zunächst gemeinsam initiierte Friedenspolitik doch Gegenstand heftiger Kontroversen geworden. Die OHL sah sich um ihre Hoffnung, durch eine von Wilson vermittelte Waffenruhe die militärische Lage Deutschlands zu stabilisieren, betrogen. Sie rief deshalb nach einem letzten Aufgebot, ohne indessen die Reichsleitung dafür sofort begeistern zu können. Diese wollte erst konkrete Informationen besitzen, die bewiesen, daß auch Wilson sich der Absicht der Entente, Deutschland militärisch zu „vernichten", angeschlossen hatte, ehe sie sich dem Willen der OHL fügte. Wie wir sahen, war Wilson klug genug, das von der OHL erwartete Stichwort – die eindeutige Forderung nach bedingungsloser Kapitulation – nicht auszugeben. Stattdessen forderte er die Entmachtung der herrschenden Autokratenkaste. Die Führer der hinter der Regierung Max von Baden stehenden Parteien verstanden in der Regel dieses Verlangen in der Weise, daß sie auf günstigere Waffenstillstands- und Friedensbedingungen mithilfe Wilsons rechnen zu können glaubten, wenn sie auf dessen auf die deutsche Innenpolitik bezogene Wünsche eingingen. Ja, sie hofften sogar, daß demokratische Tatsachen in Deutschland die Stellung Wilsons gegenüber der Entente verstärken würden.

Die Frage blieb, wieweit Wilsons Forderungen gingen. Bestand er auf der Abdankung Wilhelms II.? Seit Eingang der dritten US-Note (vom 23. 10.) beschäftigte dieses Problem zunehmend die Reichsleitung und, seit den letzten Oktobertagen, auch die deutsche Presse. Das Auswärtige Amt bemühte sich um eine Klärung der Absichten Wilsons durch Mittelsmänner. Die Auskünfte waren nicht einheitlich; doch überwogen die Stimmen, die Wilsons dritte Note in dem Sinne einer Abdankungsforderung deuteten. Am 31. Oktober kam der Staatssekretär des Äußeren Solf zu dem Schluß, daß die Abdankung des Kaisers als Voraussetzung für den Erfolg der deutschen Friedenspolitik unerläßlich sei. Presse und Parteien der Linken waren inzwischen zu derselben Auffassung gelangt.[7] Wilson hatte – vielleicht gegen seine innerste Absicht – in Deutschland ein Klima geschaffen, in dem die Möglichkeit eines Systemwechsels von der Monarchie zur Republik immer mehr in der Luft lag. Die Ereignisse, die dann zum Ausbruch der Novemberrevolution führten – „Admiralsrebellion" und Matrosenrevolte – standen mit der amerikanischen Friedensstrategie nicht mehr in unmittelbarem Zusammenhang. Sie lieferten dann aber den Anlaß zu einem noch direkteren Eingreifen der USA in die innere Entwicklung Deutschlands.

3. Amerika und die Novemberrevolution

Die amerikanische Regierung sah in den Unruhen (von denen sie erst am 7. 11. zum ersten Male erfuhr) und dem schließlichen Zusammenbruch der Monarchie in Deutschland von vornherein nicht die Erfüllung eigener Wünsche, sondern zu allererst eine Gefahr für den Fortbestand der staatlichen Ordnung überhaupt und einen ersten Schritt in Richtung zu einer Übernahme der politischen Macht durch den Bolschewismus nach russischem Vorbild. Die Hauptfrage, die Washington deshalb bewegte, richtete sich auf die Möglichkeiten, eine solche Entwicklung in Deutschland und dessen ehemaligem Einflußbereich zu verhindern. Schon im Sommer 1918 waren Wilson und seine Ratgeber, – an erster Stelle hier sein Ernährungskommissar Herbert Hoover – zu der Überzeugung gelangt, daß der Bolschewismus sich am wirksamsten bekämpfen ließe, wenn man ihm die vermeintlichen Ursachen seiner Entstehung entzog, d. h. wenn man Hunger und Elend in den von ihm gefährdeten Gebieten zu beseitigen suchte. Lebensmittellieferungen boten sich dabei an erster Stelle an. Lansing hatte den Völkern der Mittelmächte eine solche Hilfe in einem offenen, auf den 8. 11. datierten Runderlaß (das heißt noch vor Ausbruch der Novemberrevolution) in Aussicht gestellt: ,,Respektierung der bestehenden Regierungsgewalt und Erhaltung der öffentlichen Ordnung" seien ,,wesentlich" dafür, daß die Hilfe ,,rasch und wirksam" erfolge.[8] Wenig später, bei den Waffenstillstandsverhandlungen in Compiègne hatten die Deutschen um die Einfügung eines Artikels in den Waffenstillstand gebeten, der die Zufuhr von Nahrungsmitteln nach Deutschland zusicherte, und es scheint, daß es in erster Linie amerikanischer Einfluß gewesen ist, der die Erfüllung dieser Bitte erwirkt hat. Nach dem Ausbruch der Novemberrevolution wiederholte die amerikanische Regierung in öffentlichen und vertraulichen Erklärungen, daß Amerika eine deutsche Bitte um Lockerung der Blokkade zur Ermöglichung von Lebensmitteleinfuhren unterstützen werde, wenn dort die öffentliche Ordnung aufrecht erhalten und eine gerechte Verteilung der Nahrungsmittel sichergestellt werden könne. Sehr rasch verbreitete sich in Washington freilich der Eindruck, daß dieses Hilfsangebot nicht ausreichte, um die Stellung der neuen deutschen Regierung zu stabilisieren und eine Entwicklung in Richtung auf ein Sowjetsystem aufzuhalten. Würde die Regierung Ebert am Ende doch den Weg der Regierung Kerenski gehen? Amerikanische Diplomaten im neutralen Ausland schlossen sich deshalb von Entente-Seite ausgesprochenen Drohungen an, die statt eines Friedensvertrages die Besetzung Deutschlands durch alliierte Truppen für den Fall voraussagten, daß der Bolschewismus dort die Oberhand gewänne. Die wirksamste Barriere gegen den Bolschewismus schien aus der Sicht Washingtons indessen die Einberufung einer deutschen Nationalversammlung zu sein. Wilson folgte den Empfehlungen seiner über den Gang der Dinge in Berlin höchst besorgten Ratgeber und schlug den Verbündeten am 25. 11.

eine Note an die Regierung Ebert vor, nach der „keine offiziellen Verhandlungen ... im Zusammenhang mit der endgültigen Friedensregelung ... möglich sind, ehe nicht eine verfassunggebende Nationalversammlung einberufen ... ist".[9] Amerika und seine Verbündeten hätten sich mit einem solchen Schritt mit der Politik Eberts solidarisiert. Wilson hätte seine im Kriege errungene Führungsstellung gegenüber der gemäßigten Linken in Europa aber auch bekräftigt, ein Gesichtspunkt, aus dem heraus gerade entschieden liberale Berater Wilsons wie William Bullitt den Präsidenten zu einer solchen Stellungnahme drängten. Das Vorhaben scheiterte jedoch alsbald an dem Widerspruch Frankreichs, das sich auf das Selbstbestimmungsrecht berief, das derartige Einmischungen in die inneren Angelegenheiten anderer Staaten nicht gestatte.

Es blieb nun nur der vertrauliche Weg. In der Tat wurde ein Mitglied der US-Botschaft in Bern instruiert, mit Kurt Hahn, dem Berater des Prinzen Max und Mittelsmann zum Auswärtigen Amt, „Methoden zur Bekämpfung der Ausbreitung des Bolschewismus zu beraten".[10] Das Gespräch fand Anfang Dezember statt. Die deutsche Regierung erfuhr nun amtlich von der Wichtigkeit, welche die USA der Bildung einer Nationalversammlung beimaßen, nachdem das Verhalten der amerikanischen Besatzungsstellen gegenüber den Räten in diesem Punkte gewisse Zweifel erregt hatte. Die Amerikaner beschwor Hahn, dem Wilsonschen Friedensideal treu und damit moralisch glaubwürdig zu bleiben und damit zur Abwehr des Bolschewismus beizutragen – Gedanken, die Wilson nicht fremd gewesen sind. Darüber hinaus wurden erste Informationen über mögliche Lebensmittelimporte Deutschlands ausgetauscht.

So wertvoll der Regierung Ebert diese Mitteilungen gewesen sein mochten – das Gewicht einer amtlichen Regierungserklärung konnten sie nicht haben. Wilson wagte es nicht mehr, die Rolle des unabhängigen Schiedsrichters, die er während des deutsch-amerikanischen Notenaustausches zunächst übernommen hatte, weiterzuspielen. Bitten um Abmilderungen der Waffenstillstandsbedingungen leitete er lediglich an die Verbündeten weiter, bis er sich – französischen Vorstellungen nachgebend – jeden direkten diplomatischen Verkehr mit Deutschland verbat. War dies bereits seine Reaktion auf die Schwächung, die seine politische Stellung mit Abschluß des Waffenstillstandes und nach dem Ausgang der amerikanischen Wahlen erfahren hatte? Oder paßte er sich lediglich der in Amerika und Europa sichtbar gewordenen konservativen ,,Tendenzwende" an, die eine Solidarisierung mit der Linken – das heißt auch mit den deutschen Sozialdemokraten – als nicht mehr opportun erscheinen ließ? Seine politischen Entscheidungen am Vorabend der für Anfang 1919 anberaumten Pariser Friedenskonferenz vermittelten noch kein eindeutiges Bild. Auf der einen Seite bestand er darauf, selbst die Führung der amerikanischen Friedensdelegation zu übernehmen, das heißt sich persönlich für die Verwirklichung seiner Friedenskonzeption einzusetzen. Auf der anderen Seite wählte er in den engeren Kreis seiner Verhandlungsberater eher konservativ denkende gelehrte Experten (wie die Historiker Haskins und Seymour) als entschiedene Liberale wie Walter Lippmann oder William Bullit, die sich beide mit untergeordneten Funktionen in der amerikanischen Delegation zufriedengeben mußten. Wie immer motiviert, hatte er jedenfalls das Zusammengehen mit dem republikanischen Deutschland sachlich und zeitlich eng begrenzt. Es blieb die Frage, ob er in unmittelbarem Kontakt mit den Regierungschefs der Verbündeten bereit war, aus dieser vorläufigen Reserve herauszutreten und sich zugunsten der deutschen Republik, die sich auf ihn berief, zu engagieren, und ob dieses Engagement im schließlichen Friedensvertrag seinen Niederschlag finden würde.

4. Deutsche und amerikanische Friedensstrategien am Vorabend der Pariser Konferenz

Die Mehrzahl der seit dem Zusammenbruch der Monarchie in Deutschland maßgebenden Politiker blickte nach wie vor mit Zuversicht auf den erwarteten Beitrag von Wilsons Amerika zu dem bevorstehenden Friedensschluß. Ja, man kann sagen, daß die Wilson-Begeisterung in Deutschland in den ersten Wochen nach dem Waffenstillstand erst ihren Höhepunkt erreichte. Sie umfaßte bürgerlich-liberale Politiker wie Solf und hohe Militärs wie General Groener ebenso wie führende Funktionäre der USPD wie z. B. Emil Barth, der im Rate der Volksbeauftragten einen deutschen Appell an Wilson mit der Bitte um ein amerikanisches Friedensdiktat auf der Basis der Vierzehn Punkte vorschlug.[11]

Im Namen der „gemeinschaftlichen demokratischen Ideale" hatte sich die Regierung Ebert bereits am 10. November an Wilson gewandt.[12] Die Amerika-Orientierung der neuen deutschen Außenpolitik hatte zwei Funktionen: Außenpolitisch sollten die USA gewissermaßen als Schutzmacht gegen überzogene Waffenstillstands- und Friedensforderungen der „Entente-Chauvinisten" dienen. Wichtiger war anfangs noch die innenpolitische Funktion: Das Gewicht Amerikas als des Garanten eines liberalen Friedens und als einzig verfügbarer Quelle für sofortige materielle Hilfe sollte zur Zurückdrängung des spartakistischen Einflusses in die Waagschale fallen. Die von Ebert erbetene amerikanische Zusage von Lebensmittellieferungen unter der Bedingung, daß die innere Ordnung in Deutschland aufrecht erhalten bliebe, bildete dann auch eines der wichtigsten Argumente, mit denen Ebert, aber auch Politiker der USPD, einer Radikalisierung der deutschen Revolution entgegentraten. Sie kam gerade rechtzeitig, um dem Mitglied des Rates der Volksbeauftragten Hugo Haase (USPD) die Ablehnung eines sowjetischen Lieferungsangebotes zu ermöglichen.

Die dann bald von Wilson gezeigte Reserve bewirkte zwar eine gewisse Ernüchterung auf der deutschen Seite, doch änderte sie nichts an der grundsätzlichen Orientierung der deutschen Außenpolitik an dem Wilsonschen Friedensprogramm. Das zeigen die Denkschriften, mit denen der neue deutsche Außenminister, Graf Brockdorff-Rantzau, im Januar 1919 am Vorabend der Pariser Friedenskonferenz die deutsche Friedensstrategie umriß. Brockdorff sah in den Vierzehn Punkten die einzig mögliche Rechtsgrundlage für einen Frieden, der den deutschen Nationalstaat intakt ließ. Deutschland, so meinte er, habe durch seine Demokratisierung und durch die Niederlegung der Waffen als „Vorleistungen" den Anspruch auf einen Wilson-Frieden erworben. Doch nicht nur ideologische Gemeinsamkeiten, sondern auch eine deutsch-amerikanische

Interessenübereinstimmung schien Brockdorff für eine Friedenspolitik zu sprechen, die sich in erster Linie auf die USA stützte. Bedurfte Amerika nicht eines intakten Deutschlands wirtschaftlich als Abnehmer seiner Industrieproduktion und politisch als Gegengewicht gegen Großbritannien und vor allem als Barriere gegen den Bolschewismus? Als Fernziel schwebte Brockdorff nach dem in absehbarer Zeit von ihm erwarteten inneren Zusammenbruch des Sowjetsystems eine wirtschaftliche Erschließung und Fortentwicklung eines nichtkommunistischen Rußlands durch gemeinschaftliche Bemühungen der Westmächte und Deutschlands vor Augen.

Wie sollten die konkreten Bedingungen eines auf den Vierzehn Punkten beruhenden Friedens nach deutschen Vorstellungen aussehen? Das Auswärtige Amt griff in seinen Vorarbeiten auf einen radikal-liberalen Kommentar der Vierzehn Punkte zurück, der aus der Feder der amerikanischen Publizisten Cobb und Lippmann stammte, zur Zeit der Pariser Waffenstillstandsvorverhandlungen im Oktober 1918 für den amerikanischen Bevollmächtigten Col. House entstanden und über vertrauliche Kanäle in deutsche Hände gefallen war. Leitprinzip für die territorialen Friedensbedingungen sollte aus dieser Sicht und nach deutscher Meinung das Selbstbestimmungsrecht der Völker werden. Für Deutschland bedeutete dies, daß in den strittigen Grenzbezirken – Elsaß-Lothringen oder den preußischen Ostprovinzen zum Beispiel – Volksabstimmungen über die zukünftige Grenzziehung entscheiden sollten und daß Deutschösterreich, wenn es dies wünschte, mit Deutschland verbunden werden müßte. Reparationsverpflichtungen Deutschlands erkannte Brockdorff nur an, wenn sie dem Wiederaufbau der von deutschen Truppen besetzten Gebiete Nordfrankreichs und Belgiens dienten. Nach dem Friedensschluß erwartete der deutsche Außenminister schließlich die gleichberechtigte Aufnahme Deutschlands in den Völkerbund, unter dessen Oberaufsicht es auch wieder als Kolonialmacht tätig werden sollte. Wieweit stimmte diese deutsche Auffassung der Vierzehn Punkte mit den Friedensvorstellungen überein, mit denen Wilson selbst in die Verhandlungen der Pariser Friedenskonferenz eintrat?

Die Frage läßt sich mit einiger Genauigkeit beantworten, weil Wilson kurz nach seiner Abreise aus den USA zweimal in vertraulichem Rahmen das Friedensprogramm, das er zu verwirklichen hoffte, dargelegt hat. Bei beiden Gelegenheiten, zuerst im Kreise seiner Sachverständigen und dann in Vorgesprächen mit dem britischen Premier, bewies er, daß er seinen Friedensidealen aus der Zeit des Krieges und sogar noch der der amerikanischen Neutralität treu geblieben war. Weiterhin sah er sich als Schiedsrichter zwischen den kriegführenden Parteien, wollte er dem Egoismus auch der Alliierten entgegentreten und sprach er von einem „Frieden ohne Sieg", den er den Völkern Europas bringen wollte, um sie aus der Demoralisierung herauszureißen, in die sie geraten waren, und damit dem Bolschewismus seinen Nährboden zu entziehen. Kein Diktat sollte dem Gegner aufgezwungen werden; die interalliierten Vorverhandlungen sollten informell bleiben und außerhalb der Friedenskonferenz stattfinden. Die Leitidee für alle territorialen Regelungen war für ihn nach wie vor das Selbstbestimmungsrecht. Auf Deutschland angewendet, bedeutete das, daß die deutschen Kolonien an ihre früheren Eigentümer zwar nicht zurückgefallen, jedoch auch nicht der Entente übereignet werden, sondern Mandatsträgern aus dem Kreise der im Kriege Neutralen anvertraut werden sollten. Eine Abtrennung des Rheinlandes von Deutschland erschien Wilson ebensowenig gerechtfertigt wie eine Annexion Danzigs durch das neue Polen. Nur die Abtretung Elsaß-Lothringens und der Provinz Posen hielt er für vereinbar mit den allein maßgebenden Wünschen der betroffenen Bevölkerungsgruppen. Für die Deutschen im ehemaligen Habsburger Reich, so erkannte er an, warf das Selbstbestimmungsrecht gewiß Probleme auf. Eine Einverleibung Deutsch-Österreichs in die deutsche Republik schuf eine neue übermächtige Machtkonzentration unter deutscher Kontrolle, die Wilson erst nach Ablauf einer Bewährungsfrist für die Deutschen und die Deutschösterreicher gestatten wollte. Die historischen Grenzen Böhmens nach der Nationalitätenkarte zu ändern, hielt er für kaum möglich – die Erhaltung dieser historisch gewachsenen und auch wirtschaftlich bedingten geographischen Einheit hielt er für wichtiger als die strikte Anwendung des Selbstbestimmungsrechtes.

Was die wirtschaftlichen Bedingungen anlangte, so sprach sich Wilson weiterhin gegen eine den Besiegten aufzuerlegende Kriegsentschädigung aus und billigte nur Wiedergutmachungszahlungen, deren Höhe sich nach der Zahlungsfähigkeit des Gegners zu richten hätte. Die von Ententeseite vorgeschlagene gemeinschaftliche Verrechnung von deutschen Entschädigungszahlungen mit der Begleichung der Schulden, welche die Entente in den USA gemacht hatten, lehnte er ab. Wilson hatte also auch in den konkreten Friedensfragen, soweit sie Deutschland betrafen, seine Meinung kaum geändert. Eine Ausnahme bildete lediglich seine Haltung zur Frage einer Mitgliedschaft Deutschlands bei dem geplanten Völkerbund. Seit seiner Vierzehn-Punkte-Rede hatte er keinen Zweifel gelassen, daß Deutschland, als Kaiserreich und erst recht als Demokratie, dem Völkerbund von Anfang an angehören müsse. Erst nach dem Waffenstillstand begann er, seine Meinung zu ändern, und auf der Überfahrt nach Europa erklärte er seinen überraschten Zuhörern, daß ,,Deutschlands momentaner chaotischer Zustand es zweifellos nötig macht, ihm eine Bewährungsfrist aufzuerlegen‘‘, ehe es in den Völkerbund aufgenommen werden könne.[13] Wilson vertrat diesen Standpunkt, obwohl er genau wußte, wie sehr sich das neue Deutschland ,,im Namen der gemeinschaftlichen demokratischen Ideale‘‘ um eine Anerkennung bei den Westmächten und ganz besonders bei den USA bemüht hatte. Doch die Prioritäten hatten sich für ihn geändert. Er betrachtete die Aufnahme Deutschlands in den Völkerbund unter einem traditionell-legalistischen Blickwinkel (Aufrechterhaltung der inneren Ordnung, nicht Staatsform als Kriterium für internationale Anerkennung), weil ein vorläufiger Ausschluß Deutschlands aus dem Völkerbund das Völkerbundsprojekt als solches den Franzosen und daheim den Republikanern schmackhafter zu machen versprach. Wilson zeigte damit, daß er sich der Schwäche seiner eigenen Position bewußt geworden war und daß nur Konzessionen in, aus seiner Sicht, sekundären Fragen die Zustimmung der Verbündeten zu den ihm besonders wichtigen Punkten seines Friedensplanes, vor allem zum Völkerbund, sicherzustellen vermochten. Von den deutschen Friedenshoffnungen wich er nicht nur ab, weil er seine Vierzehn Punkte für die Praxis anders interpretierte als diese, sondern auch weil er an einer Stelle sein ursprüngliches Konzept revidiert hatte.

Würde er auf diesem Wege fortschreiten? Oder gab es eine klare Grenze seiner Konzessionsbereitschaft auf Kosten der Besiegten? Besaß das Schicksal der deutschen Republik für ihn in der Vorbereitung und Ausarbeitung des Friedensvertrages kein Gewicht mehr? War er überhaupt über die innere Entwicklung in Deutschland richtig informiert? Eine Beantwortung dieser Fragen aus der Sicht Wilsons macht eine klare Unterscheidung zwischen Waffenstillstand und dessen Ausführung als Vorbedingung für den Friedensschluß einerseits und eigentlichem Friedensvertrag und dessen Ausarbeitung andererseits erforderlich.

5. Die kurzfristige Sicherstellung des Friedensschlusses

Um die Verwirklichung des *Waffenstillstandes* ging es nicht nur in den dafür zuständigen militärischen Kommissionen, sondern auch bei den Verhandlungen des Obersten Kriegsrates der Verbündeten, der für seine alle 36 Tage fällig werdende Verlängerung zuständig war. Die Haltung der amerikanischen Friedensdelegation in dieser Frage blieb von dem Bild der Lage in Deutschland, das ihr übermittelt wurde, nicht unbeeinflußt. Die Informationsquellen der amerikanischen Unterhändler waren militärischer und ziviler Art. Den ersten Kontakt zu militärischen und politischen Stellen Deutschlands hatte schon im Dezember 1918 ein führender Nachrichtenoffizier des US-Expeditionskorps, der in Trier stationierte Oberst A. S. Conger, hergestellt. Wie wir sehen werden, gewann er bei den Deutschen eine besondere Vertrauensstellung. Ihm folgten mehrere militärische und zivile Missionen, in denen sich der Deutschlandexperte der US-Friedenskommission, E. L. Dresel, besonders hervortat.

Alle diese Beobachter hatten an erster Stelle den Auftrag, die Fähigkeit der Regierungen Ebert-Haase bzw. Ebert-Scheidemann, sich nicht nur kommunistischer, sondern u. U. auch monarchistischer Umsturzversuche zu erwehren, zu erkunden. Bis Anfang

März lauteten die in Paris eingehenden Berichte in dieser Hinsicht im großen Ganzen günstig, wenn auch mit dem Vorbehalt, daß das neue Regime in Deutschland zum Überleben einer Lockerung der Blockade zur Ermöglichung von Lebensmitteleinfuhren bedürfte. Dresel gab auch die Warnung der Berliner Regierung weiter, daß unerträgliche Friedensbedingungen die Existenz der Republik gefährden könnten. Er war einer der wenigen amerikanischen Beobachter, die sich vorbehaltlos für die Unterstützung der sozialdemokratisch geführten deutschen Regierungen einsetzten. Die meisten übrigen amerikanischen Berichterstatter neigten zu einer Identifizierung mit den Kritikern der neuen deutschen Führung. Conger übernahm bisweilen die Vorbehalte, welche die OHL gegenüber den Berliner Machthabern hegte. Er bildete damit eine Ausnahme innerhalb einer viel breiteren Strömung in der amerikanischen Deutschlandberichterstattung, welche die deutsche Lage durch die Brille der USPD beurteilte. Diese Sympathien gingen auf das von der USPD ausgesprochene Bekenntnis der deutschen Kriegsschuld zurück. Verstärkt wurden sie durch den von USPD – Mittelsmännern genährten Verdacht, daß die Regierung Ebert von den Exponenten der alten Ordnung weiterhin abhängig sei: Bildete die deutsche Republik am Ende nicht nur eine Fassade, hinter der die alten Machthaber nach wie vor das Regiment führten und auf den Moment warteten, da ein kommunistischer Putsch und dessen Niederschlagung ihnen die Handhabe zur Wiederherstellung der alten Ordnung bot (Herron)? Während der Berner Sozialistenkonferenz wurde den Amerikanern sogar der Plan für die Bildung einer deutschen Regierung Eisner als Alternative zu Ebert herangetragen.

Diese Art von Berichterstattung war natürlich wenig geeignet, bei Wilson Sympathien für die führenden Politiker in Berlin zu erwecken. Gewiß glaubte er, die Weimarer Nationalversammlung unterstützen zu müssen, um „irgendeine Instanz" in Deutschland zu erhalten, mit der die Sieger verhandeln konnten. Was die Lebensfähigkeit und moralische Zuverlässigkeit dieser Regierung indessen betraf, so blieb er zutiefst mißtrauisch. Noch Ende März 1919 äußerte er z. B. Zweifel an der Echtheit der deutschen Bolschewistenfeindschaft: spätes Echo der im letzten Kriegsjahr verbreiteten

Vorstellung von einer deutsch-bolschewistischen Komplizenschaft! Je weiter die Novemberrevolution zurücklag, desto mehr neigte er überhaupt dazu, die neue Berliner Regierung mit der kaiserlichen zu identifizieren. Eindeutig war die Haltung der amerikanischen Politiker in Paris nur, wenn es um die Verhinderung einer kommunistischen Machtübernahme in Deutschland ging. Als wichtigste Abwehrwaffe galten, wie noch genauer darzulegen, weiterhin Lebensmittellieferungen. Daneben brachten Wilson und seine Berater aber auch die Durchführung des Waffenstillstandes mit der inneren Stellung der deutschen Regierung in Verbindung. Vollendete Tatsachen, so glaubte er, die von den Siegern im Rahmen des Waffenstillstandes unter Vorwegnahme friedensvertraglicher Regelungen geschaffen wurden, verringerten nicht nur die innenpolitischen Überlebenschancen der neuen Regierung, indem sie sie demütigten, sondern sie zerstörten auch die Rechtsgrundlage des Friedens, als welche Sieger und Besiegte die Vierzehn Punkte anerkannt hatten.

Es war deshalb in Paris eines der ersten Ziele Wilsons, einen solchen Mißbrauch des Waffenstillstandes zu unterbinden. Gegen den Widerstand Fochs und der französischen Regierung setzte er zusammen mit den Briten Mitte Februar 1919 durch, daß der Waffenstillstand beim nächsten Fälligkeitstermin auf unbestimmte Zeit (allerdings mit der Möglichkeit kurzfristiger Kündigung) verlängert wurde. Die Festsetzung der Entwaffnungsbedingungen des Friedensvertrages, die Foch den Deutschen gern im Rahmen des Waffenstillstandes auferlegt hätte, wurde Sache der offiziellen Friedensberatungen. Dies war ein klarer Erfolg des zivilen (amerikanischen) Standpunktes gegenüber dem, was auch amerikanische Militärs als französischen ,,Imperialismus" bezeichneten.

Es blieben danach nur noch zwei Problemkreise, die in den Rahmen des Waffenstillstandes gehörten, dabei aber den Ausgang der Friedenskonferenz wesentlich mitbestimmen mußten: die Lokkerung der Blockade zur Ermöglichung einer begrenzten Versorgung Deutschlands und die Herstellung einer Waffenruhe zwischen Deutschen und Polen.

Die deutsch-polnischen Kämpfe zu Anfang des Jahres 1919 hatten einen Verlauf genommen, der eine Rückeroberung der an die Polen verlorenen, bis 1918 zum Reich gehörenden Gebietsteile durch deutsche Truppen befürchten ließ. Mit der am 16. 2. unterzeichneten letzten Verlängerung des Waffenstillstandes hatten die Verbündeten deshalb die Anerkennung einer deutsch-polnischen Demarkationslinie und eines Waffenstillstandes durch Deutschland durchgesetzt. Danzig lag innerhalb der deutschen Zone. Trotzdem hoffte man auf polnischer Seite, diese vorläufige Regelung zugunsten Polens korrigieren zu können. Eine Handhabe dazu sollten die in Frankreich befindlichen polnischen Freiwilligentruppen unter dem Befehl des Generals Haller liefern. Den Rücktransport dieser Truppen über den Hafen von Danzig hatten die verbündeten Regierungschefs in Paris noch vor dem offiziellen Beginn der Friedenskonferenz erörtert, ohne sich über die Erfüllung dieses von Frankreich unterstützten polnischen Wunsches einigen zu können. Wilson fürchtete, daß nach einer Landung polnischer Truppen in dem zwischen Deutschland und Polen strittigen Ostseehafen die Danzigfrage mit Gewalt zugunsten Polens entschieden werden könnte. Ohne von den Regierungschefs dazu autorisiert zu sein, präsentierte dann der französische Vorsitzende der deutsch-polnischen Waffenstillstandskommission, General Noulens, Mitte März 1919 den Deutschen ein Ultimatum, das von der deutschen Regierung die Genehmigung des Transportes der Hallertruppen über Danzig nach Polen verlangte. Für Noulens und Haller kam die geforderte Benutzung des Danziger Hafens einer definitiven Abtretung Danzigs an Polen gleich. Die deutsche Regierung appellierte an die verbündeten Regierungsoberhäupter in Paris und nahm gleichzeitig über den bereits erwähnten Oberst Conger direkte Verbindung mit der amerikanischen Friedensdelegation auf. Mithilfe der Amerikaner gelang es ihr, die Siegermächte zu einer Zurücknahme des Ultimatums zu bewegen und zu erwirken, daß sie sich mit einem Transport der Hallertruppen auf dem Landwege quer durch Deutschland zufriedengaben. Danzig blieb damit, dem Wunsche nicht zuletzt Wilsons entsprechend, ein offenes Problem, dessen Lösung Sache allein der Friedenskonferenz war.

Dies war der größte Verhandlungserfolg, den die deutsche Seite während des Waffenstillstandes überhaupt erzielte. Möglich war er geworden durch die Entschlossenheit Wilsons, die Vorwegnahme der Friedensbedingungen durch mit Waffengewalt geschaffene vollendete Tatsachen nicht zu dulden. Wichtiger aber war noch die internationale „Großwetterlage". Als die Verbündeten in den ersten Apriltagen die Frage des Transportes der Hallertruppen zugunsten Deutschlands lösten, standen Ungarn und Teile Bayerns unter kommunistischer Herrschaft. Für das ganze Deutschland war für den 8. April eine Rätekongreß anberaumt. Es gelang den deutschen Unterhändlern, zunächst die amerikanischen Militärs und dann auch Wilson davon zu überzeugen, daß eine für Deutschland negative Entscheidung in der Frage der Hallertruppen die deutsche Regierung in ernstliche Gefahr bringen würde. Ein Umsturz von links erschien nach einer derartigen Demütigung als ebensogut möglich wie ein Putsch von seiten der Rechten, die neue Kräfte gesammelt hatte. Die Erhaltung der politischen Ordnung nicht nur in Deutschland schien auf des Messers Schneide zu stehen. Die Zukunft Danzigs trat demgegenüber in den Hintergrund. Es war die Entscheidung der Amerikaner und dann der „Großen Vier", die am deutlichsten eine Rücksichtnahme auf die innere Situation in Deutschland erkennen ließ.

In engstem Zusammenhang mit der Beurteilung der politischen Lage in Deutschland aus amerikanischer Sicht stand auch das zweite Problem, das im Rahmen des Waffenstillstandes gelöst werden mußte: die Lockerung der gegen Deutschland aufrechterhaltenen Blockade.

Bei den Verhandlungen über diese Frage, die vom Waffenstillstand von Compiègne bis zu dem Brüsseler Abkommen vom 14. 3. 1919 dauerten, tritt uns eine Persönlichkeit entgegen, welche die amerikanische Politik gegenüber Deutschland nach dem Ersten Weltkrieg maßgebend mitbestimmt hat: Herbert Hoover, zuletzt Ernährungskommissar in Wilsons Kriegskabinett, formell zwar Republikaner, aufgrund der Erfahrungen des Krieges aber ganz auf Wilsons Friedenskonzeption eingeschworen, nach dem Waffenstillstand amerikanischer Bevollmächtigter für die amerikanische Ernährungshilfe für Europa. Vielleicht, daß er, Nationalist, Philanthrop und Pazifist in einer Person, den europäischen Mächten in ihrer Gesamtheit noch kritischer gegenüberstand als Wilson, weil er ihnen allen – und nicht nur dem besiegten Gegner – imperialistische Neigungen unterstellte. In einem Punkte war er sich mit dem Präsidenten völlig einig – daß nämlich Amerika die Konzeption eines ,,Friedens ohne Sieg'' vornehmlich durch den Einsatz seiner wirtschaftlichen Machtmittel durchsetzen müsse. Auf das von Hunger, Armut und Anarchie bedrohte Mitteleuropa angewendet, hieß dies, daß die USA es sobald wie möglich mit Lebensmitteln beliefern mußten, um die legitimen Regierungen dort gegen den Bolschewismus zu unterstützen. Eine entsprechende Zusage hatte die amerikanische Regierung, wie wir sahen, auch Deutschland gegeben. Bei der Frage nach dem ,,Wie'' einer solchen Hilfe, türmte sich vor Hoover und Wilson freilich ein ganzes Bündel von Schwierigkeiten auf.

Wenn es nach Hoover gegangen wäre, hätten die USA in zweiseitigen Verhandlungen mit Deutschland eine zunächst mit amerikanischen Krediten finanzierte Lieferung von Nahrungsmitteln vereinbart. Dafür sprachen das amerikanische Eigeninteresse – zu Ende des Jahres 1918 u. a. eine momentane Absatzkrise auf dem amerikanischen Agrarmarkt – und zugleich weiterreichende friedenspolitische Überlegungen: Nur wenn Amerika seine Lebensmittelexporte selbst kontrollierte, konnte es deren Mißbrauch für die ,,egoistischen'' Interessen der europäischen Siegermächte verhindern und seinen eigenen politischen und wirtschaftlichen Friedenszielen zugleich Nachdruck verleihen. Amerika hätte damit auch einen ersten Schritt zur Beseitigung der verschiedenen alliierten Kontrollorgane getan, die einer weltweiten Rückkehr zum Freihandel im Wege standen. Grundmotive der amerikanischen Außenpolitik klangen hier an – das Prinzip der ,,Offenen Tür'' ebenso wie die Maxime, daß die USA eine Verwicklung in die rivalisierenden Sonderinteressen der europäischen Mächte vermeiden müßten.

Hoover hatte freilich entscheidende Faktoren in sein Kalkül nicht einbezogen. Da war zunächst die öffentliche Meinung in Amerika selbst, die, noch im Banne der Kriegspropaganda, die Einräumung von Krediten zugunsten des Hauptfeindes nicht dulden wollte. Dieser Haltung entsprach der amerikanische Kongreß, der aus seinem Auslandshilfegesetz vom 24. 1. 1919 (dem ersten der amerikanischen Geschichte!) Deutschland ausdrücklich ausnahm.

Großbritannien dachte nicht an einen Verzicht auf die interalliierten Instanzen, die es zur Überwachung der Blockade im Kriege eingesetzt hatte. Beide Entente-Mächte waren entschlossen, sich die Waffe der Blockade vor dem Friedensschluß auch nicht von den USA aus der Hand winden zu lassen. Nachdem zunächst England und Amerika ihre Differenzen in der Versorgungsfrage einigermaßen beigelegt hatten, blieb immer noch die Obstruktion Frankreichs, das weder eine einheitliche Versorgung ganz Deutschlands noch eine Verwendung deutscher Guthaben für den Kauf amerikanischer Agrarprodukte gestatten wollte. Fürchtete es doch als Folge eine Verminderung der deutschen Reparationszahlungsfähigkeit. Selbst Deutschland machte Schwierigkeiten: In den Verhandlungen über die Verlängerungen des Waffenstillstandes hatte es sich bereit erklärt, seine Handelsflotte zur Anlieferung von Lebensmitteln für alle notleidenden Gebiete Europas und für einen beschleunigten Rücktransport der US-Truppen den Siegermächten zur Verfügung zu stellen. Doch hielt es diesen Trumpf noch zurück. Es kontrollierte außerdem die kürzesten Verbindungswege zu einigen Nachfolgestaaten der Habsburger Monarchie. Die deutschen Unterhändler benutzten diese Vorteile, um bei den Verbündeten eine Versorgung Deutschlands bis zur nächsten Ernte sicherzustellen. Hier bestand eine Versorgungslücke, die etwa einem Bedarf von sechs Wochen entsprach. Die Hilferufe der Berliner Regierung aus der Zeit unmittelbar nach dem Waffenstillstand gingen also weniger auf eine akute Notlage als vielmehr auf einen langfristigen Bedarf zurück; sie waren zum Zeitpunkt ihrer Abgabe mehr politisch und psychologisch als unmittelbar materiell bedingt. Ein endgültiges Scheitern der Lebensmittel-Lieferverhandlungen konnte Deutschland freilich nicht nur wegen der drohenden Lücke in seiner Versorgung riskieren. Es mußte auch vermeiden, daß die Westmächte, insbesondere die Vereinigten Staaten, in den Augen des deutschen Volkes ihr Gesicht verloren, wenn sie ihre mehrfach gegebene Zusage einer Belieferung Deutschlands nicht erfüllten; denn damit wäre auch die innenpolitische Stellung der Regierung Ebert-Scheidemann, die propagandistische Hilfsangebote Sowjetrußlands unter Verweis auf die Zusagen der westlichen Verbündeten mehrfach zurückgewiesen hatte, gefährdet worden. Das Versanden der Versorgungsverhandlungen im Februar 1919 war also auch aus politischen Gründen aus Berliner Sicht eine bedenkliche Entwicklung.

Politische Ereignisse halfen tatsächlich dann, diesen Stillstand zu überwinden: Anfang März überstürzten sich die Alarmnachrichten, die bei der amerikanischen Friedenskommission aus Deutschland eingingen: Eine zweite bolschewistisch inspirierte Revolution schien dort unmittelbar bevorzustehen, das Land die kritischste Phase seit der Novemberrevolution durchzumachen. Aufgrund dieser Lage gelang es Hoover, zunächst die Briten, – und dann den beiden angelsächsischen Mächten gemeinsam, die Franzosen für einen sofortigen Beginn der Lebensmittellieferungen nach Deutschland zu gewinnen. Am 13. und 14. 3. 1919 trafen deutsche Wirtschaftsexperten unter der Leitung des Bankiers Melchior sich mit Sachverständigen der Verbündeten, um das Lieferungsabkommen zu vereinbaren (nicht etwa: diktiert zu bekommen!). Das Ergebnis: Gegen eine sofortige Auslieferung seiner Handelsflotte erhielt Deutschland die Garantie einer den deutschen Wünschen entsprechenden monatlichen Belieferung mit Getreide und Fetten bis zur nächsten Ernte. Die Importe waren mit Gold oder Devisen zu bezahlen. Problematisch aus deutscher Sicht war nur eine Klausel, die für die besetzten Gebiete eine verwaltungsmäßig gesonderte Verteilung der Lebensmittel, wenn auch zu gleichen Verteilungssätzen wie im übrigen Deutschland, vorsah. Aufgrund dieses Passus versuchten die französischen Besatzungsbehörden im April 1919 dann wirklich, die von ihnen kontrollierte Lebensmittelverteilung zu benutzen, um ihnen genehme politische Gruppen zu fördern. Hierüber und über die Anwendung des in Brüssel an sich akzeptierten Grundsatzes einer gleichmäßigen Versorgung von ganz Deutschland kam es zu mehreren Zusammenstößen zwischen Franzosen und Amerikanern, die sich den deutschen Vertragspartnern gegenüber verpflichtet fühlten, die Lebensmittellieferungen nicht zu einer Untergrabung der Einheit des deutschen Nationalstaates mißbrauchen zu lassen.

Von diesen Mißhelligkeiten abgesehen, vollzog sich die Belieferung Deutschlands aufgrund des Brüsseler Abkommens indessen reibungslos – zweifellos ein Erfolg der deutschen ebenso wie der amerikanischen Seite, deren Interessen an dieser Stelle parallel liefen. Möglich war dieser Erfolg freilich erst durch die die Westmächte alarmierende Schwäche der deutschen Regierung geworden. Das Lebensmittelabkommen bildete seiner Natur nach eine kurzfristige Maßnahme im Interesse einer Stärkung der Republik. Als die Pariser Friedenskonferenz am 18. Januar 1919 feierlich eröffnet wurde, mußte es sich zeigen, ob die USA bereit waren, auch bei den längerfristigen Regelungen, wie sie nunmehr für den eigentlichen Friedensvertrag zur Entscheidung anstanden, auf das Ansehen der neuen deutschen Republik nach innen und nach außen Rücksicht zu nehmen.

6. Mittelfristige Friedenssicherung: Die USA und die Deutschlandfrage auf der Pariser Konferenz

Eines der ersten Probleme, welches die *Friedenskonferenz* zu lösen hatte, bildete der künftige militärische Status Deutschlands. Der dafür zuständige amerikanische Militärsachverständige, General Bliss, nahm das allgemeine Abrüstungsangebot, das in den Vierzehn Punkten enthalten war, sehr ernst. Dennoch erkannte er, daß es sich in dem Nachkriegseuropa nicht verwirklichen ließ. Frankreich, nach amerikanischem Geschmack übermäßig auf seine Sicherheit fixiert, dachte nicht daran, auf seine militärische Rüstung zu verzichten. Auch eine zu weitgehende Abrüstung Deutschlands erschien als nicht opportun, war ihm doch von den amerikanischen Militärs die Funktion einer Barriere gegen das bolschewistische Rußland zugedacht. Eine Verewigung eines Rüstungs-Ungleichgewichts, wie es Frankreich anstrebte, hielten sie für unmöglich. Aus all diesen Gründen sprachen sie sich für eine Streitmacht von 500000 Mann aus, die Deutschland vertraglich zugebilligt werden sollte. Von dieser Ausgangsposition haben sie und später auch Wilson selbst sich während der entscheidenden Verhandlungen im Februar/

März 1919 Schritt um Schritt verdrängen lassen – ihre Gegenleistung für die Berücksichtigung der eigenen Interessen in dem für sie entscheidenden Punkte: der Kontrollfrage. Nach französischen Vorstellungen hätte die Abrüstung Deutschlands mithilfe des Friedensvertrages nämlich so lange wie nur irgend möglich von den Verbündeten kontrolliert werden sollen. Genau dies wollten die Amerikaner vermeiden, weil sie sich nicht ad infinitum an die Großmachtinteressen Frankreichs und die militärischen Probleme Europas allgemein binden lassen wollten. Der Gedanke an ein langfristiges militärisches Engagement der USA in Europa lag ihnen, die ihr eigenes Land in seiner geographischen Isolation für unverwundbar hielten, noch durchaus fern. Der Text des Versailler Friedens nahm auf diese amerikanischen Wünsche Rücksicht: Er setzte Kontrollkommissionen nur für die Überwachung der Abrüstungsklauseln ein, für die eine klare Frist vereinbart war. Der Preis, den die USA für diese Konzession der Entente zahlten, bestand in der Annahme des vor allem von Frankreich befürworteten 100 000 Mann-Berufsheeres für Deutschland, obwohl den amerikanischen Militärs klar war, daß dieses damit seine Barrierefunktion nicht wahrnehmen, ja nicht einmal sich selbst schützen konnte. Bliss schlug deshalb wenigstens eine Großmachtgarantie für die militärische Unversehrtheit Deutschlands vor. Doch war die Entente dafür nicht zu haben, und Amerika insistierte nicht, weil seine unmittelbaren Interessen nicht berührt waren.

Als letztlich sekundär betrachtete Wilson auch die Probleme, die den völkerrechtlichen Status des neuen Deutschland betrafen. Der vorläufige Ausschluß Deutschlands aus dem Völkerbund, von ihm schon am Vorabend der Konferenz befürwortet, wurde auch im Friedensvertrag rechtlich festgelegt. Im Gegensatz zu seiner ursprünglichen Haltung und dem Votum seiner Rechtsberater billigte Wilson auch die Bestimmungen, die ein Verfahren gegen den deutschen Exkaiser vorsahen. In beiden Fällen ließ er sich von der Überzeugung leiten, daß kein Systemwechsel Deutschland von der Verantwortung, die es vor der Novemberrevolution auf sich genommen hatte, dispensieren könne. Diese Haltung lag auch der amerikanischen Reparationspolitik zugrunde. Die USA durften

hier den Rechtsnachfolgecharakter der Weimarer Republik gegenüber dem Kaiserreich gar nicht infragestellen; denn diese Voraussetzung bildete das Fundament ihrer Rechtsposition, die bekanntlich
von der Lansing-Note ausging, in der die Vierzehn Punkte als
Rechtsgrundlage des Friedens von Siegern und Besiegten anerkannt
worden waren. Diese Note war aber noch an die kaiserliche
deutsche Regierung gegangen. Ließ Amerika Zweifel daran aufkommen, daß das neue Regime vollgültiger Rechtsnachfolger des
alten war, so setzte es die Verbindlichkeit der Vierzehn Punkte als
Basis des Friedensvertrages aufs Spiel. Dementsprechend trugen die
amerikanischen Sachverständigen in Paris an ihrer Spitze der spätere
Außenminister John Foster Dulles, denn auch keine Bedenken, den
Reparationsbestimmungen den bekannten Kriegsschuldartikel vor-
anzuschicken, der die moralische Schuld Deutschlands am Ausbruch des Ersten Weltkrieges feststellen sollte. Freilich nur diese,
nicht etwa eine juristische Haftung für die aus ihm entstandenen
Schäden. Denn dies war der Kern des amerikanischen Standpunktes
in der Reparationsdebatte während der ersten acht Wochen der
Friedenskonferenz. Die USA lehnten das Ansinnen der Entente-
mächte, Deutschland als Kriegsschuldigen die volle Zahlung einer
Kriegsentschädigung aufzuerlegen, als mit den Vierzehn Punkten unvereinbar ab. Um der öffentlichen Meinung in den Ententestaaten
entgegenzukommen, waren sie bereit, ein moralisches Verdam-
mungsurteil Deutschlands in den Friedensvertrag mit aufzunehmen
– dies die Funktion des Kriegsschuldparagraphen –, juristisch beharrten sie aber auf ihrem ursprünglichen Standpunkt, daß
Deutschland nur zu genau umschriebenen *Wiedergutmachungs*lei-
stungen herangezogen werden könne. Gerade Wilson hat es als
Ehrensache für die Siegermächte bezeichnet, das Deutschland in der
Lansingnote gegebene Versprechen auch einzuhalten.[14]

Mit dieser Rechtsauffassung haben sich die Amerikaner schließlich auch durchgesetzt. Seit Anfang März war auf der Konferenz nur
noch von Reparationen, nicht aber mehr von einer Kriegsentschädigung die Rede. Doch war dies nur ein Scheinsieg. In den folgenden
Verhandlungen im sog. ,,Viererrat'', das heißt der Konferenz der
Regierungschefs allein, gelang es den Ententepremiers, trotz erheb-

lichen amerikanischen Bedenken den Begriff „Reparationen" so umfassend zu definieren, daß er zuletzt imstande war, eine Geldsumme abzudecken, die einer Kriegsentschädigung in der Praxis gleichkam. Und nicht nur das! Die Entente setzte eine Fassung der Reparationsbestimmungen des Friedensvertrages durch, die eine Festsetzung der Reparationshöhe und einer bestimmten Laufzeit der Wiedergutmachungszahlen vermied. Deutschland sollte also gewissermaßen einen Blankoscheck unterschreiben, dessen Summe erst später von einer allmächtigen Reparationskommission bestimmt werden sollte.

Aus amerikanischer Sicht war dies die unglücklichste aller möglichen Lösungen des Reparationsproblems, ein wirtschaftlicher „Wahnsinn", wie Außenminister Lansing die Ententeforderungen nannte, die weder auf die deutsche Zahlungsfähigkeit noch auf das Transferproblem Rücksicht nahmen. Wilson selbst gab einem Vertrauten zu verstehen, daß er als Deutscher diese Bestimmungen wohl nicht unterzeichnen würde. Tatsächlich hatte er bei einer der entscheidenden Aussprachen im Viererrat energisch für eine Berücksichtigung der Lage des Gegners plädiert: „Die Weimarer Regierung", so erklärt er, „hat keinen Kredit. Wenn sie nicht an der Macht bleibt, wird sie durch eine Regierung ersetzt, mit der man nicht wird verhandeln können ... Wir schulden es dem Weltfrieden, Deutschland nicht in die Versuchung zu führen, sich dem Bolschewismus zuzuwenden; wir kennen nur zu gut die Beziehungen der bolschewistischen Führer mit Deutschland".[15] Ebenso bemühte er sich um eine Entschärfung des Kriegsschuldparagraphen. Warum ließen es er und seine Mitarbeiter dann doch geschehen, daß eine Reparationsregelung in den Friedensvertrag einging, die den amerikanischen Standpunkt zwar formal berücksichtigte, tatsächlich aber aufgab?

Der Rückgang der USA in der Reparationsdebatte war sicher nicht mangelnder Sachkenntnis der zuständigen amerikanischen Delegationsmitglieder (mit Ausnahme des Obersten House) zuzuschreiben. Wilson folgend, haben sie der Entente vielmehr im vollen Bewußtsein der sachlichen Untragbarkeit der von ihnen gemachten Zugeständnisse nachgegeben. Wilson selbst hat den einen entscheidenden Grund für die Aufgabe der amerikanischen Reparationskonzeption genannt: Er fürchtete um den Bestand der Regierungen Lloyd George und Clemenceau. Beide Premierminister liefen Gefahr, von ihrem Parlamenten gestürzt zu werden, wenn sie in der Reparationsfrage Konzessionen machten. An ihre Stelle wären weiter rechtsstehende Politiker getreten, mit denen ein Friedensschluß nach amerikanischen Vorstellungen vollends unmöglich geworden wäre.

Ebenso war aber auch das Eigeninteresse der USA mit im Spiel. Auf dem Höhepunkt der Reparationskontroverse hatte ein Vertrauter Lloyd Georges den Amerikanern bedeutet, daß britische Konzessionen möglich seien, wenn die USA ihrerseits der Entente bei der Begleichung der Anleihen, die diese in Amerika aufgenommen hatte, entgegenkommen könnten. Gerade darauf aber konnte sich Wilson nicht einlassen, weil er, wenn er dies getan hätte, in die Kompetenzen des Kongresses eingegriffen, den amerikanischen Anleihemarkt gefährdet und die Öffentlichkeit seines Landes brüskiert hätte, wie ihm Vertreter des amerikanischen Finanzministeriums immer wieder einschärften. Die Ratifizierung des Friedensvertrages durch den Senat (in dem ja die republikanische Opposition die Mehrheit besaß) wäre damit letztlich infrage gestellt gewesen. Indem Wilson an der Stelle, wo das Interesse der USA berührt wurde, nicht zuletzt aus innenpolitischen Gründen den Verbündeten gegenüber hart bleiben mußte, verlor sein Appell an deren Konzessionsbereitschaft Deutschland gegenüber an Glaubwürdigkeit.

Mit der Reparationsregelung (und übrigens auch mit der im Friedensvertrag verhängten zeitweiligen Benachteiligung des deutschen Außenhandels) akzeptierten die Amerikaner eine Politik, die den Prinzipien der ,,Offenen Tür" und eines vor Diskriminierungen geschützten Freihandels ins Gesicht schlug. Denn es war vorauszusehen, daß die vertraglich festgelegte Verschuldung und das daraus resultierende Fehlen einer auch minimalen Kreditfähigkeit Deutschlands den Außenhandel im mitteleuropäischen Raum u. a. auf Kosten des amerikanischen Exportes lahmlegen würden. Wilson nahm dies in Kauf: Bündnispolitische und finanzpolitisch- ·

fiskalische Gesichtspunkte gewannen bei ihm zuletzt die Oberhand.

Es ist möglich, daß ihm die Aufgabe seiner reparationspolitischen
Konzeption insofern leichter gefallen ist, als er der Meinung sein
durfte, den amerikanischen Standpunkt bei den territorialen Vereinbarungen des Friedensvertrages besser durchgesetzt zu haben.
War ihm bei der Reparationsdebatte an erster Stelle England entge-
gengetreten, so mußte er sich hier zuerst mit Frankreich als Kontra-
henten auseinandersetzen. Dabei war die Ausgangssituation zu dem
Zeitpunkt, als sich (Ende März 1919) die ,,Großen Vier" dieser
Frage zuwandten, für Wilson besonders schwierig. Waren doch auf
der Ebene von Expertengesprächen bereits Vorentscheidungen gefallen, welche die Vertragsbestimmungen im Widerspruch zu den
Vierzehn Punkten an entscheidenden Punkten vorwegnahmen.
Dies lag nicht zuletzt an Wilsons eigenen Sachverständigen, von
Haus aus vielfach hochangesehene Gelehrten, die im Anschluß an
die Verkündigung der Vierzehn Punkte mit der Bildung eines Un-
tersuchungsausschusses (der sog. ,,Inquiry") betraut worden waren, der Vorschläge zur Lösung der nach dem Kriege anstehenden
Territorialfragen aus amerikanischer Sicht ausarbeiten sollte. Die
meisten Mitglieder dieser ,,Inquiry" waren keine Wilsonianer, sondern dachten in Kategorien des Mächtegleichgewichtes und strate-
gisch-wirtschaftlicher ,,Zwangsläufigkeiten". Einer Veranstaltung
von Volksabstimmungen zur Festsetzung der Nachkriegsgrenzen
standen sie z. B. skeptisch gegenüber. Viele von ihnen identifizier-
ten sich zudem mit den Interessen des Landes, für das sie Sachver-
ständige waren (so Ch. Haskins für Frankreich oder R. Lord für
Polen). Einen eigentlichen Deutschlandexperten gab es vor Beginn
der Friedenskonferenz überhaupt nicht.

Es verwundert deshalb nicht, daß bei den interalliierten Exper-
tenvorbesprechungen, die im Februar 1919 stattfanden, die Vertreter der USA sehr schnell in Vorschläge einwilligten, die erhebliche
deutsche Gebietsabtretungen beinhalteten, zu denen im Osten Danzig, Westpreußen und Oberschlesien, im Westen – auf jeden Fall auf
begrenzte Zeit – das Rheinland und selbstverständlich auch Elsaß-
Lothringen gehörten. Eine interne amerikanische Schätzung kam

auf einen Anteil von 23,5% der deutschen Gesamtbevölkerung, der aufgrund dieser Abtretung dem deutschen Mutterland verloren gehen würde. Einer der Hauptexponenten einer drastischen und gleichzeitig schnellen Lösung der Territorialfragen war Wilsons informeller Stellvertreter Oberst House, der aus Furcht vor einem Vordringen des Bolschewismus um jeden Preis den Friedensschluß beschleunigen wollte. Das ,,bolschewistische Argument" wirkte sich also hier zuungunsten Deutschlands aus.

Mitte März 1919 stellte sich dann freilich heraus, daß weder Lloyd George noch Wilson die Vorschläge ihrer Sachverständigen akzeptierten. Die Initiative für eine Neufassung der von diesen entworfenen Bestimmungen für die deutsche Ostgrenze ging von dem britischen Premier aus, der das Überlassen einer deutschen Minderheit von 2,1 Millionen an Polen für untragbar hielt (an Aussiedlungen dachte in Paris noch niemand). Nach anfänglichem Zögern machte sich Wilson diese Bedenken zueigen und einigte sich mit Lloyd George auf das Projekt einer einem Völkerbundskommissar unterstellten Freien Stadt Danzig, das er in ähnlicher Form schon vor der Konferenz ins Auge gefaßt hatte. Wilsons Einschwenken auf die britische Linie stand gewiß mit der kritischen Gesamtlage Europas Ende März 1919 in Verbindung, die ja schon zu einer Berücksichtigung der deutschen Haltung durch die Verbündeten in der Frage der Hallerarmee beigetragen hatte. Darüber hinaus stand Wilson die Analogie Fiumes vor Augen, für das er gegen den Willen des italienischen Verbündeten gleichfalls den Status einer Freien Stadt durchzusetzen hoffte.

War Frankreich in dieser Frage dem gemeinsamen Druck der angelsächsischen Mächte schließlich gewichen, so war es nicht dazu bereit, als es um seine eigene zukünftige Ostgrenze ging. Die Kontroverse, die sich unter den Verbündeten an dieses Problem knüpfte, führte zu einer der gefährlichsten Klippen der ganzen Friedenskonferenz. Clemenceau hatte sein ursprüngliches Ziel, die Verselbständigung des Rheinlandes, im Austausch gegen den Abschluß eines Garantievertrages mit England und den USA, und in der Erwartung, auf jeden Fall das Saargebiet für Frankreich sichern zu können, zunächst preisgegeben. In dieser Hoffnung stieß er auf den Widerstand Wilsons. Dieser erkannte den Anspruch Frankreichs auf eine bevorzugte Belieferung mit Saarkohle durchaus an, betrachtete aber (anders als Lloyd George) den französischen Annexionswunsch dadurch nicht als gerechtfertigt, sondern im Gegenteil als einen eindeutigen Verstoß gegen das Selbstbestimmungsrecht. Mehr und mehr überzeugte er sich, daß u. a. mit dem Schicksal des Saargebietes die Glaubwürdigkeit der liberalen Absichten des Friedensvertrages auf dem Spiele standen, zumal es hier um die Zukunft einer weitgehend aus Arbeitern bestehenden Bevölkerung ging. Das auch von England befürwortete französische Mandat für das Saargebiet, so erklärte er, würde ,,in Wirklichkeit das Land an Frankreich ausliefern – mit einem Volksentscheid, der kaum mehr als eine Formalität wäre. Darin liegt für mich ein Einwand, den ich nicht überwinden kann.''[16] Es war diesmal Wilson, der in mühevoller und überaus sachverständiger Detailarbeit Clemenceau Konzessionen abrang – die Verwaltung des Saargebietes durch den Völkerbund und die Volksabstimmung fünfzehn Jahre nach Friedensschluß. Entscheidend kam es Wilson darauf an, daß in dieser Frist von Frankreich keine vollendeten Tatsachen geschaffen wurden, so daß sich nach Ablauf der fünfzehn Jahre die Saarbevölkerung wirklich frei entscheiden konnte. Dieselbe Grundabsicht lag dem auf amerikanische Initiative hin noch im Mai 1919 ausgearbeiteten interalliierten Besatzungsstatut für die Rheinlande zugrunde, das die militärischen Besatzungsorgane den zivilen Kontrollbehörden strikt unterordnete und der deutschen Verwaltung den größtmöglichen Spielraum sicherte. Diesem letzten Erfolg ging freilich eine wichtige Konzession Wilsons voraus, zu der dieser sich noch vor Lloyd George Mitte April nach langem Zögern durchgerungen hatte: der Einwilligung in eine zeitlich befristete interalliierte Besetzung der Rheinlande, die als Sanktion für eine beabsichtigte Nichterfüllung der Reparationsbestimmungen durch Deutschland auch verlängert bzw. erneuert werden konnte. Wilson hat dem französischen Drängen hier aus ähnlichen Motiven nachgegeben wie dem britischen Druck in der Reparationsfrage: Er fürchtete um den Bestand der von der französischen Rechten attackierten Regierung Clemenceau.

Dennoch blieb er der Überzeugung, im Rahmen des Möglichen den Prinzipien des Selbstbestimmungsrechtes zum Siege verholfen zu haben. Nur an einer Stelle gab er demgegenüber dem Gesichtspunkt des Mächtegleichgewichtes ganz eindeutig den Vorzug – bei dem auch von ihm gebilligten vorläufigen Verbot eines österreichischen „Anschlusses" an die deutsche Republik. Sonst durfte er mit einiger Berechtigung feststellen, daß es ihm gelungen war, die permanente Abtrennung größerer ausschließlich von Deutschen bewohnter Gebiete verhindert zu haben, und daß, von daher gesehen, der Friedensentwurf „gerecht" war. Die Frage war, ob Deutschland sich diese Interpretation zu eigen machen würde.

7. Die deutsche Friedensstrategie in Versailles

Die Erwartungen, welche die deutsche Regierung vor der Entgegennahme des Vertragsentwurfes an den Einfluß Amerikas bei der bevorstehenden deutsch-alliierten Auseinandersetzung um die Friedensbedingungen knüpfte, mußten u. a. auch von den Informationen abhängen, die sie von dem Gang der Pariser Konferenz erhalten hatte. Die offiziösen Verbindungen zur amerikanischen Delegation, über die sie verfügte – Oberst Conger und E. L. Dresel, der Mitte April zu einer zweiten Erkundungsmission nach Berlin kam, – sind schon erwähnt worden. Aber auch aus diesen und weiteren vertraulichen Kontakten konnte die Berliner Regierung nur ein vergröbertes Bild von den Pariser Verhandlungen und deren Ergebnissen gewinnen. Obwohl einige dieser Nachrichten das Schlimmste erwarten ließen – ein Friedensdiktat und erhebliche Gebietsabtretungen –, gab es andererseits doch Indizien, die einige Hoffnungen erweckten. Dazu gehörten die Erfolge, die Deutschland jüngst in den Auseinandersetzungen über die Durchführung des Waffenstillstandes errungen hatte, die Tatsache, daß sich bei den wirtschaftlichen Problemen die Gegner überhaupt auf Verhandlungen mit deutschen Vertretern eingelassen hatten, und nicht zuletzt die Mitteilungen, welche die deutsche Seite Oberst Conger verdankte. Während seiner ganzen Vermittlungstätigkeit hatte Conger die

Deutschen gedrängt, ideologische Gemeinsamkeiten mit den USA herauszustellen. Er hatte eine Anlehnung der deutschen Verfassung an das amerikanische Vorbild angeregt und militärische Hilfe zur Aufrechterhaltung der inneren Ordnung in Deutschland in Aussicht gestellt, falls die deutsche Regierung darum ersuchen sollte. Freilich hatte er abgewinkt, als Groener mit Wissen der Berliner Regierung den Plan einer großangelegten deutsch-alliierten Operation gegen das bolschewistische Rußland entwickelte, wenn Deutschland als Gegenleistung auf der Friedenskonferenz entgegenkommend behandelt werden würde – ein Projekt, auf das kurzfristig auch Marschall Foch verfallen war, ohne die Amerikaner in irgendeiner Weise dafür begeistern zu können. Unmittelbar vor der Übergabe der Friedensbedingungen an die Vertreter Deutschlands dämpfte Conger dann die Hoffnungen auf der deutschen Seite. In einem persönlichen Gespräch mit Brockdorff gab er zu, daß manches im Friedensvertrag noch verbessert werden könnte, daß aber ein Moment käme, wo Verhandlungen zwecklos würden und Deutschland unterschreiben müsse. Dies war auch der Tenor dessen, was Dressel seinen deutschen Gesprächspartnern nahelegte.[17]

Ungeachtet dessen beharrte die deutsche Regierung auf ihren schon zu Jahresanfang formulierten Grundsätzen, an ihrer Orientierung an den Vierzehn Punkten, wenn nötig auch im Gegensatz zu Wilson. Wenn es Konzessionen zu machen gelte, dann eher noch im wirtschaftlichen als im territorialen Bereich! Dort hatte sich ihre Haltung insofern etwas geändert, als sie jetzt dem Rate ihrer Sachverständigen folgend, Volksabstimmungen in strittigen Gebieten nur in Ausnahmefällen (so für das Saargebiet, nicht aber für die Ostgebiete) durchgeführt sehen wollte.

Weiter in den Vordergrund war auch die Kriegsschuldfrage gerückt. Im Gegensatz zu einigen Kabinettsmitgliedern (David) entschied die Regierung, sich in dieser Frage nicht auf die eigene Nichtverantwortlichkeit zurückzuziehen, sondern im Gegenteil ihren Anspruch auf Rechtsnachfolge des Kaiserreiches zu betonen. Nur so hoffte man, die Rechtsverbindlichkeit der Lansingnote sicherstellen zu können, die man auch gefährdet sah, wenn Deutschland seine Schuld am Ausbruch des Weltkrieges zugab und damit eine andere Rechtsbasis für Reparationsforderungen schuf. Noch vor dem Empfang der Friedensbedingungen war Brockdorff entschlossen, den Friedensvertrag abzulehnen, wenn er z. B. in der Danzig- und Saarfrage für Deutschland zu ungünstig ausfiele.

Angesichts der geringen Konzessionsbereitschaft, die aus den Worten Clemenceaus sprach, als dieser am 7. Mai 1919 als Präsident der Friedenskonferenz der deutschen Delegation den Vertragsentwurf überreichte, entschloß sich der deutsche Außenminister sogleich zur Konfrontation. In seiner von Kurt Hahn – einem alten Wilsonianer, wie wir wissen! – entworfenen Rede lehnte er einseitige Schuldsprüche über die Besiegten ab und stellte eine genaue Prüfung der Vertragsbedingungen im Lichte der Vierzehn Punkte in Aussicht. Bekanntlich übertraf der Friedensvertrag die schlimmsten Erwartungen auf deutscher Seite. Nur mit Mühe konnten in der deutschen Öffentlichkeit persönliche Attacken gegen Wilson unterdrückt werden. Der Protest gegen den Vertrag reichte bis zur radikal-pazifistischen Linken. Brockdorff hoffte, die Proteststimmung der Linken innerhalb und außerhalb Deutschlands gegen die Siegermächte ausspielen und mit einer öffentlichen Diplomatie nach dem Vorbild Trotzkis, die mit moralischen Argumenten operierte, die Haltung der Gegner – nicht zuletzt Amerikas – allmählich aufweichen zu können, um so die Möglichkeit zu mündlichen Verhandlungen zu schaffen, welche die Verbündeten zunächst verweigert hatten.

Wie standen die Chancen für ein solches Vorgehen? Würde es bei Wilson ankommen und über ihn eine Revision der Friedensbedingungen einleiten? Wie stand es überhaupt mit der Konzessionsbereitschaft der Amerikaner am Vorabend der ersten Begegnung zwischen Siegern und Besiegten? War die deutsche Regierung authentisch informiert worden?

8. Versailles als deutsch-amerikanische Konfrontation

Die Möglichkeit von Vertragsänderungen zugunsten Deutschlands ist, vor der Übergabe des Vertragsentwurfes, nur in indirekter

Form unter den „Großen Vier" erörtert worden. Dies geschah, als die Veröffentlichung der Friedensbedingungen vor deren Unterzeichnung zur Diskussion stand. Wie Lloyd George hatte sich Wilson für eine Geheimhaltung des Entwurfstextes verwandt, weil er befürchtete, daß einmal der Öffentlichkeit im Detail bekannte Friedensbedingungen nur schwer abzuändern sein würden. Eine begrenzte Konzessionsbereitschaft deutete Wilson damit gewiß an, vor allem was die wirtschaftlichen Bedingungen anlangte. Im Verfahren wollte er freilich den Deutschen anfangs nicht entgegenkommen: Hatte er sich schon bald nach Konferenzbeginn damit abgefunden, daß diese offiziell zunächst ohne deutsche Beteiligung stattfand, so stimmte er jetzt dem Vorschlag Clemenceaus für einen ausschließlich schriftlichen Meinungsaustausch mit der deutschen Regierung zu, weil die gegen diese gerichteten Ressentiments, wie er meinte, mündliche Verhandlungen ausschlossen. Auf seine Bereitschaft, über die rechtlichen Grundlagen des Friedens mit sich reden zu lassen, durften die Deutschen ebenfalls nicht hoffen. Hatte er doch noch vor der Konfrontation mit den deutschen Unterhändlern (am 7. 5.) versichert, daß trotz „keineswegs idealer Ergebnisse" es den USA gelungen sei, „einigermaßen im Rahmen des anfangs skizzierten Programmes" (d. h. der Vierzehn Punkte) zu bleiben.[18] Dies ist auch der Tenor dessen gewesen, was die deutsche Seite durch die amerikanischen Mittelsmänner erfuhr.

Ob die Deutschen dies anerkennen und den Vertrag, selbst nach Konzessionen der Westmächte, unterschreiben würden, blieb Wilson indessen zweifelhaft. Wenn sie dies nicht taten, so fragte es sich, ob andere politische Kräfte in Deutschland dazu bereit waren. Tatsächlich haben Briten und Amerikaner Ende April 1919 Möglichkeiten, die USPD in Berlin mit ans Ruder zu bringen, erörtert. Im Endeffekt waren die Briten jedoch nicht bereit, einer solchen Regierung durch eine weitere Erleichterung der Blockade den Rücken zu stärken, wie die Amerikaner dies verlangten. Damit hatte sich dieser Plan erledigt. Wilson unterschied jetzt zwischen militanten und gemäßigten Kräften *innerhalb* der deutschen Regierung oder, wie schon vor dem Waffenstillstand, zwischen obstinater deutscher Regierung insgesamt und friedfertigem deutschen Volk.

Die Konzessionsbereitschaft des Präsidenten in Sach- und Verfahrensfragen sank erheblich nach der Rede des deutschen Außenministers vom 7. Mai. Wilson bezeichnete sie als „töricht", „nicht offen und typisch preußisch".[19] Die in den deutschen Noten immer wieder unternommene kritische Gegenüberstellung zwischen Vierzehn Punkten und Vertragstext empörte ihn als Anzweifelung seiner eigenen moralischen Integrität. Mehr als die meisten seiner Mitarbeiter verbiß er sich in die Vorstellung, daß zwischen Vierzehn Punkten und Friedensvertrag im Grunde überhaupt keine Widersprüche bestünden. Die deutsche Schuld am Ausbruch des Ersten Weltkrieges war ihm ohnehin unzweifelhaft. Unglaubwürdig erschienen ihm schließlich die deutschen Bemühungen, die Linke zu einem Protest gegen den Versailler Vertrag zu mobilisieren. Berichteten nicht amerikanische Beobachter von einer augenfälligen Stabilisierung der inneren Lage in Deutschland, in der die Rechte wieder deutlicher in Erscheinung trat? Sprach nicht Walter Simons, der Generalsekretär der deutschen Friedensdelegation, von einer zu erwartenden „nationalistischen Bewegung" in Deutschland mit einem „bislang noch unentdeckten Führer", der sich „an die Spitze einer großen volkstümlichen Erhebung" stellen werde, falls Deutschland seine Unterschrift unter den Friedensvertrag verweigerte?[20] Davon ganz abgesehen, war Wilson immer weniger bereit, sich an die Stimmung der politischen Linken in Europa und den USA anzupassen; denn seine eigenen inneren Gegner gehörten seit dem republikanischen Wahlsieg vom November 1918 zur Rechten. Diese begrüßte nur die Härte des Versailler Vertrages – nicht zuletzt als praktische Widerlegung der Vierzehn Punkte. Darüber hinaus schien die breite amerikanische Öffentlichkeit den Vertrag, so wie er vorlag, zu billigen – das entscheidende Argument, mit dem Wilson in Paris der Kritik entgegentrat, die überzeugte Liberale unter seinen Mitarbeitern bis hin zu Hoover gegen den Vertrag äußerten. Auch außerhalb Amerikas, so sah es aus, war eine Berücksichtigung der Linken weniger dringend geworden, nachdem selbst in Rußland die Weißen unter Koltschak das Übergewicht erlangt zu haben schienen.

Erst die deutschen Gegenvorschläge erzeugten bei Wilson wieder eine gewisse Bereitschaft, seinen verhärteten Standpunkt abzumildern. Diese ging gewiß auch auf das sachliche Gewicht einiger deutscher Gegenvorstellungen, mehr aber auf den Druck des britischen Verbündeten zurück, nachdem Lloyd George zu dem Schluß gelangt war, daß nur Konzessionen die Deutschen für eine Unterschrift unter den Vertrag gewinnen würden.

Am ehesten leuchteten den Amerikanern die deutschen Gegenvorschläge in der Reparationsfrage ein. Erkannten sie in ihnen doch vieles von der Position wieder, die sie selbst anfangs eingenommen hatten: die Forderung nach einer quantitativen Begrenzung der deutschen Zahlungsverpflichtungen und deren Anpassung an die wirtschaftliche Leistungsfähigkeit Deutschlands. Eine echte Konzessionsbereitschaft, so stellte sich trotz beschwörender Appelle Wilsons vor dem Viererrat heraus, bestand auf der britischen Seite indessen nicht (und natürlich auch nicht bei Frankreich). Seine Weigerung, die Reparationen vonseiten der USA wenigstens indirekt zu garantieren und damit eine Kreditbasis für die Verbündeten zu schaffen, dürfte dieses „Nein" mitverursacht haben. Amerika war nach wie vor gegen eine Verquickung der Frage der Reparationen mit der der alliierten Verschuldung bei ihm selbst. Der Ablehnung verfiel auch ein Vorstoß Wilsons zugunsten einer Erleichterung der Bedingungen für die Aufnahme Deutschlands in den Völkerbund. Seine Berater (u. a. Dresel und Hoover) hatten ihm ein solches Entgegenkommen nahegelegt, weil es die Stellung der Regierung Scheidemann zu festigen und die deutsche Unterschrift unter den Vertrag zu erleichtern versprach. Wilson ging auf diese Anregung ein, obwohl er gerade zum damaligen Zeitpunkt tiefe Zweifel an der Echtheit der demokratischen Erneuerung Deutschlands hegte. Praktische Überlegungen verdrängten indessen die prinzipiellen Bedenken des Präsidenten.

Erheblich schwerer vermochte Wilson sich zu einer ähnlich pragmatischen Anschauung durchzuringen, sobald es um Territorialprobleme ging. Die Revisionsvorschläge für diesen Bereich gingen zum Schluß von Lloyd George aus. Sie betrafen die polnisch-deutsche Grenze, über die der britische Premier in weiterem Umfang, als im Vertrag vorgesehen, Volksabstimmungen entscheiden lassen wollte (vor allem über die Grenzen Oberschlesiens). Wilson begegnete dieser Initiative mit zähem Widerstand. Zu sehr sah ihm der britische Vorschlag nach einem Entgegenkommen auf Kosten des schwächsten Partners – d. h. Polens – aus. Von der Nationalitätenkarte her erschien ihm eine Volksabstimmung unnötig. Vor allem aber hielt er die Herstellung eines fairen und unbeeinflußten Meinungsbildes für unmöglich, weil er die Bevölkerung immer noch unter dem Druck übermächtiger Großgrundbesitzer und Kleriker stehen sah, die beide in deutschfreundlichem Sinne agitierten. Gegen besseres Wissen gab er schließlich auch hier den Briten nach.

Die Antwort der Verbündeten auf die deutschen Gegenvorschläge widersprach damit im Positiven wie im Negativen fast überall den amerikanischen Vorstellungen für eine Revision des Vertragsentwurfes. Dennoch fügte sich Wilson. Die Alternativen – eine Verweigerung der deutschen Unterschrift – oder schlimmer noch: ein Auseinanderbrechen der Koalition der Sieger, schreckten ihn von einem Bestehen auf eigenen Lieblingsvorstellungen ab. Ein deutsches ,,Nein" wäre gewiß das kleinere von beiden Übeln gewesen. Es hätte den Kriegszustand wiederhergestellt und die juristische Basis des vorliegenden Vertragsentwurfes zerstört. Bildete eine solche Eventualität für Wilson, wie er zugestand, schon einen ,,Alptraum", so hätte ein Zerfall der Siegerkoalition ganz gewiß den Zusammenbruch des ganzen Friedenswerkes einschließlich der Völkerbundsakte bedeutet: die schlimmste aller voraussehbaren Möglichkeiten! Wilson ging es also darum, das einmal Erreichte, wenn irgend möglich, zu retten. Er erwies sich damit erneut als pragmatischer Politiker, kleidete seine Haltung aber in moralische Argumente. Wenn er den Friedensvertrag rechtfertigte, stellte er die Schuld, die das deutsche Volk mit dem Ersten Weltkrieg auf sich geladen hatte, in den Vordergrund.

Als die Verbündeten nach vielen Mühen eine gemeinsame Linie für ihre Reaktion auf die deutschen Gegenvorschläge gefunden hatten und nur noch Deutschland, indem es die Verweigerung seiner Unterschrift androhte, dem endgültigen Friedensschluß im Wege stand, zögerte Wilson nicht, sich der von der Entente beabsichtigten Sanktionspolitik (Erneuerung der Blockade, Vormarsch zunächst bis an die Weser, gegebenenfalls gesonderte Waffenstillstände mit einzelnen deutschen Bundesstaaten) vorbehaltlos anzuschließen. Von ihm selbst stammte der Text des Ultimatums, mit dem die Verbündeten am 22. Juni die deutsche Regierung aufforderten, den Vertrag innerhalb von 24 Stunden anzunehmen.

Damit war es den Deutschen weder gelungen, eine Interessen- und Ideengemeinschaft mit Amerika herzustellen, noch hatten sie die USA gegen die Entente auszuspielen vermocht. Als dieser Mißerfolg der deutschen Friedensstrategie Mitte Mai sich abzuzeichnen begann, brachen innerhalb der deutschen Regierung Gegensätze über die nun zu verfolgende Politik auf. Während der Außenminister weiter mit der Drohung einer deutschen Ablehnung des Vertrages zum Ziele – d. h. zu echten Verhandlungen mit den Siegern – zu kommen hoffte, glaubte Erzberger, mit der Inaussichtstellung der deutschen Unterschrift die Gegner zu Konzessionen bewegen zu können. Einig war er sich freilich mit Brockdorff in der taktischen Verwendung der Kriegsschuldfrage. Den nachhaltigsten Eindruck bei den Amerikanern hatte indessen, wie wir schon sahen, das deutsche Angebot langfristiger Reparationszahlungen in der Höhe von bis zu 100 Milliarden Goldmark gemacht. Dieses stammte ursprünglich nicht von der Berliner Regierung, sondern von den in Versailles weilenden deutschen Finanzexperten unter der Führung Max Warburgs, der damit unter den deutschen Sachverständigen das meiste Verständnis für die Haltung der USA bewies. Allerdings verband die deutsche Regierung dieses Angebot mit einem Beharren auf ihrer bisherigen Haltung in den strittigen Grenzfragen, wenn sie jetzt auch Volksabstimmungen in etwas weiterem Umfange gestatten wollte als ursprünglich.

Das letzte Ultimatum der Sieger bestärkte den deutschen Außenminister und die Mehrheit der deutschen Friedensdelegation in ihrer Entschlossenheit, die deutsche Unterschrift unter den Vertrag zu verweigern. Ein solches Nein sollte einer „unerbittlichen Kampfansage gegen den Kapitalismus und Imperialismus" gleichkommen, die Deutschland „eine große Zukunft", ja eine „Weltmission" eröffnen würde. Wie er, so meinte auch W. Simons, daß „im

Kampfe der Geister die deutschen und nicht die feindlichen Delegierten künftig als Sieger betrachtet werden".[21]

Aus der Sicht der Berliner Regierung wog indessen die unmittelbare Gefahr alliierter Sanktionen, die letztlich die nationale Einheit Deutschlands bedroht hätten, zusehends schwerer. Entscheidend wurde die Meinung des Generals Groener, des Oberstkommandierenden der deutschen Streitkräfte. Wie kaum ein anderer Politiker oder Militär hatte dieser unter dem Einfluß des Obersten Conger auf die Deutschland begünstigende maßgebende Rolle der USA auf der Friedenskonferenz gebaut. Die letzten Eröffnungen dieses seinerseits zutiefst desillusionierten amerikanischen Offiziers demonstrierten die Solidarität der USA mit ihren Verbündeten in ihrer Entschlossenheit, die deutsche Unterschrift unter den Friedensvertrag, wenn nötig, mit Gewalt zu erzwingen. Groeners Friedenspolitik fiel damit in sich zusammen. Wie für Erzberger so gewann auch für ihn die Wahrung des Zusammenhaltes der deutschen Nation den Vorrang vor allem außenpolitischen Auftrumpfen, für den auch der Rückhalt innerhalb der deutschen Bevölkerung fehlte.[22] Ihm schlossen sich die maßgebenden Politiker des Zentrums und der SPD schließlich an, während Brockdorff-Rantzau zurücktrat. Er, ursprünglicher Fürsprecher eines Wilsonsfriedens, hatte zuletzt auf eine amerikanische Regierung nach Wilson und auf eine Zurückweisung des Friedensvertrages durch den US Senat gehofft – ebenso wie Wilson zusammen mit der Entente zeitweilig nach einer Regierung *nach* Ebert und Scheidemann Ausschau gehalten hatte. Die Entfremdung zwischen den Regierungen der USA und Deutschlands konnte nicht tiefer gehen.

9. Die USA, das republikanische Deutschland und das Scheitern liberaler Friedenshoffnungen

Wieweit ist die Kritik, die Wilson aus Deutschland entgegenschlug, so fragen wir abschließend, berechtigt gewesen? Wieweit ist die Feindseligkeit zwischen Deutschland und dem Amerika Wilsons, wie sie zu Ende der Friedenskonferenz manifest wurde, für die deutsch-amerikanischen Beziehungen während des ganzen behandelten Zeitraumes charakteristisch gewesen, so daß von einem deutsch-amerikanischen „Komplott" am Ende überhaupt nicht gesprochen werden kann?

Die Tatsache, daß Wilson auch noch am Vorabend der Friedenskonferenz sein ein Jahr zuvor verkündetes Friedensprogramm sehr ernst genommen hat, und überhaupt die erst heute ganz bekannten Debatten auf der Konferenz selbst dürften die These von einem „Verrat" Wilsons an seinen eigenen Prinzipien ein für alle mal widerlegen. Wohl aber hat er einige seiner Ziele – am meisten die wirtschaftlichen, am wenigsten die territorialen – während der Friedensverhandlungen zurückgesteckt und gelegentlich auch ganz aufgegeben. Vor allem aber ließ er es zu, daß der Geist, aus dem heraus er die Vierzehn Punkte verkündet hatte, durch die Friedenskonferenz in sein Gegenteil verkehrt wurde. Beherrschte ihn im Kriege das Ziel einer Integration von Freund und Feind in eine neue Weltordnung, so sprach aus dem Versailler Frieden die Absicht, den Feind zu bestrafen und aus der Gemeinschaft der friedliebenden Völker mindestens zeitweilig auszuschließen.

Wilson hat zu dieser Akzentveränderung selbst beigetragen, indem er Zugeständnisse, welche die schwache Stellung, in der er sich befand, von ihm erzwang, psychologisch gesehen, „rationalisierte" und moralisierend deutete. Die tatsächlichen Zwänge, denen er nachgeben mußte, waren innen- und außenpolitischer Natur. In Amerika mußte er die Friedensziele der republikanischen Opposition berücksichtigen und ihre Annahme durch die Friedenskonferenz mit Gegenleistungen bezahlen. Außenpolitisch war er an erster Stelle darum bemüht, überhaupt einen Frieden zustandezubringen, der sich an dem Prinzip kollektiver Sicherheit orientierte und die Gründung eines Völkerbundes vorsah. Indessen entwickelte dieses Friedenswerk, je mehr es Gestalt gewann, eine innere Logik, auf die Wilson und erst recht seine Mitarbeiter nicht ganz vorbereitet gewesen sind. Je mehr die Vereinigten Staaten darauf bestanden, ihre Friedenskonzeption durchzusetzen, desto deutlicher zeichnete sich für sie die Notwendigkeit ab, einen entsprechenden Friedensschluß durch ein verstärktes militärisches und wirtschaftliches Engagement in Europa auch zu garantieren. Vor dieser Aussicht, vor der Wahrscheinlichkeit z. B. einer langfristigen Stationierung amerikanischer Truppen in europäischen Krisenherden, ist Wilson unter dem Einfluß seiner Mitarbeiter schließlich zurückgeschreckt. Hätte doch eine derartige Verstrickung der USA in europäische Streitigkeiten den ältesten Traditionen des Landes widersprochen und wenig Verständnis beim amerikanischen Volke gefunden. Innenpolitisch kaum zu vertreten war auch ein Eingehen auf den Wunsch der Entente nach einer Verbindung zwischen deutschen Reparationszahlungen und der Tilgung der alliierten Schulden in Amerika. Fiskalische Rücksichten erwiesen sich hier als viel stärker als handelspolitische Interessen. Mehr als Wilson persönlich dies wünschte, beharrten politisch einflußreiche Kräfte in Washington auf der Erhaltung einer militärischen und wirtschaftlichen Sonderstellung der Vereinigten Staaten. Wilson blieb nichts anderes übrig, als sich dieser Stimmung bis zu einem gewissen Grade anzupassen. Indem er aber die Sonderstellung seines Landes gegenüber der Entente hervorhob, verminderte er seinen Anspruch auf Mitsprache bei der Ausarbeitung konkreter Friedensbedingungen, die ausschließlich Europa betrafen. Die amerikanischen Delegierten wußten dies und neigten mehr und mehr dazu, die Regelung derartiger brisanter Einzelfragen den Europäern zu überlassen. Bei der Ausarbeitung der militärischen Vertragsklauseln, die Wilsons ursprüngliche Konzeption eines europäischen Kräftegleichgewichtes völlig außer acht ließen, zeigte sich dies z. B. besonders deutlich. Wilsons persönlicher und sachkundiger Einsatz bei der Lösung europäischer Territorialprobleme (wie z. B. der Saar- aber auch der Fiume-Frage) nimmt sich von daher um so bemerkenswerter aus. Hier ging es ihm in der Tat um Prinzipientreue – um die Erhaltung der moralischen Glaubwürdigkeit der Siegermächte gegenüber den breiten Massen, und zwar auch beim Gegner. Nur in diesem allgemeinen Sinne ließ er sich bei der Formulierung der territorialen Friedensbedingungen von Rücksichten auf das innenpolitische Klima auch der Weimarer Republik beeinflussen, während die wirtschaftliche Lebensfähigkeit Deutschlands ihm bei der Erörterung der Reparationsfrage primär vor Augen stand. Im übrigen vermied er es während der Konferenz ebenso wie während der Waffenstillstandsverhandlungen, sein eigentliches Fernziel, ein erneuertes Deutschland in die neue liberale Weltordnung zu *integrieren,* allzu offenkundig hervortreten zu lassen.[23] Nur wenn kurzfristige Entscheidungen wie z. B. im November 1918 eine stabilisierende Einflußnahme auf das noch im revolutionären Umbruch befindliche Deutschland oder seine Belieferung mit Lebensmitteln, anstanden, ließ er erkennen, daß er die Erhaltung der bürgerlich-parlamentarischen Staatsform in Deutschland gegen bolschewistische Umsturzversuche allerdings als eine Voraussetzung für einen dauerhaften Friedensschluß ansah. Man sollte bei Wilsons Friedenspolitik gegenüber Deutschland vielleicht drei Ebenen unterscheiden: eine erste, die kurzfristige Entschlüsse, insbesondere im Rahmen des Waffenstillstandes, umfaßte und auf der das Integrationsstreben Wilsons dominierte; eine zweite, die mittelfristige Ziele, d. h. vor allem die Ausarbeitung des Friedensvertrages, umschloß und den Wunsch nach einer Bestrafung und Entmachtung Deutschlands stärker hervortreten ließ; – und eine dritte, von der aus Wilson die Rolle Deutschlands in Europa in langfristiger Perspektive in den Blick faßte. Von dieser dritten Ebene her gesehen, war Wilson wieder von der Hoffnung auf eine schließliche Integration Deutschlands in die neue Weltordnung bestimmt, in der es durchaus wieder den Rang einer wirtschaftlichen, wenn auch nicht mehr einer militärischen, Großmacht einnehmen sollte. Deshalb auch sein Bemühen, für alle wirtschaftlichen Vertragsbedingungen, die Deutschland diskriminierten, eine feste Zeitgrenze sicherzustellen!

Während der Friedenskonferenz mußten Rücksichten auf die innere Entwicklung Deutschlands immer dann zurücktreten, wenn einerseits die bolschewistische Gefahr weniger akut geworden war und andererseits der Zusammenhalt des Bündnisses der Sieger auf dem Spiel stand. Die Amerikaner blieben sich mit wenigen Ausnahmen (so Dressel) ohnehin vielfach unsicher, wo im politischen Spektrum der frühen Weimarer Republik sie ,,ihre‟ Partei zu suchen hätten – in der Weimarer Koalition oder in der USPD. Wenn es vom Beginn des deutsch-amerikanischen Notenaustausches im Oktober 1918 bis zum Friedensschluß so etwas wie ein amerikanisch-deutsches Zusammenspiel gegeben hat, dann ist es also nur ein Zusammenspiel auf Zeit und mit begrenzter Zielsetzung gewesen.

Daß das von der deutschen Regierung erhoffte Zusammengehen mit den USA nur in einem so engen Rahmen zustandekam, lag gewiß mit auch an der deutschen Seite. Diese beanspruchte im Namen der neuen Republik eine entgegenkommende Behandlung beim Friedensschluß, war aber in ihrer Distanzierung vom alten Regime nicht konsequent. Das zeigte sich bei der Kontroverse mit den Siegern über die „Ehrenpunkte", insbesondere über die deutsche Schuld am Kriegsausbruch. Aus wohl erwogenen Gründen, aber doch auch mit einem Seitenblick auf die Rechte und das Militär, verteidigten die Vertreter der Weimarer Republik hier die Diplomatie des Kaiserreiches und unterstrichen damit die Kontinuität vom alten zum neuen Deutschland. Indem der deutsche Außenminister Wilsons Vierzehn Punkte mit dem ja auch von Wilson mit ausgearbeiteten Friedensvertrag konfrontierte und, Wilson imitierend, die Auseinandersetzung zwischen Siegern und Besiegten auf eine hohe moralische Ebene hob, vertiefte er den Gegensatz auch zu den USA und verschüttete selbst die letzte vielleicht vorhandene Chance zu mündlichen Verhandlungen. Gewiß handelte es sich hier nur um mögliche taktische Alternativen. Die noch von der Regierung Max von Baden eingeleitete Anlehnung des besiegten Deutschland an die USA als *Friedensstrategie* besaß keine Alternative. Frankreich war (trotz gelegentlicher entgegengesetzter Unterströmungen) zu einer Zusammenarbeit mit dem unterlegenen, potentiell aber immer noch übermächtigten Gegner nicht bereit. Ein Zusammengehen mit Sowjetrußland wäre eine Desparadopolitik gewesen. Sie hätte mittelfristig nicht nur eine Versorgungskrise, sondern auch die Gefahr einer totalen Besetzung Deutschlands durch die Verbündeten heraufbeschworen, bei der der Einfluß der Ententemächte auf Kosten der USA nur gestiegen wäre.

Zehn Monate hatte der deutsch-amerikanische Dialog gedauert, der mit einem so völligen gegenseitigen Mißverstehen ausklang. Die Wiederannäherung zwischen beiden Mächten, ja eine baldige Intensivierung ihrer beiderseitigen Beziehungen ist, wie der folgen-

de Beitrag zeigt, dadurch nicht verhindert worden. Ist die Auseinandersetzung zwischen den USA und Deutschland am Ende des
Ersten Weltkrieges damit nur eine Episode ohne nachhaltige Wirkungen geblieben? Für die deutsche Seite trifft dies sicher nicht zu.
Hier hatte die die Republik mittragende demokratische Partei ihr
innenpolitisches Prestige mit an den Erfolg ihrer an Wilson orientierten Außenpolitik geknüpft. Sie mußte das Scheitern dieser Außenpolitik, wie die Wahlen vom 6. 6. 1920 zeigten, mit einer schwe-
ren innenpolitischen Niederlage bezahlen. Versailles als anscheinen-
de Widerlegung einer radikal-liberalen Weltanschauung machte
aber auch weiter links stehende ehemalige deutsche Wilsonanhän-
ger bis in die Reihen der USPD hinein politisch heimatlos. Auf der
anderen Seite wurde der ,,Verrat" Wilsons an seinen Prinzipien ein
Stereotyp der Rechten in ihrer Opposition gegen jede auf Gewalt
verzichtende, an der kollektiven Sicherheit orientierte Außenpolitik, bis eben diese nationalistische Opposition wieder Träger einer
neuen deutschen Weltpolitik wurde.

Die Wirkungen des fehlgeschlagenen deutsch-amerikanischen
Dialogs am Ende des Ersten Weltkrieges sind auf amerikanischer
Seite nicht so deutlich zu ermitteln. In der großen Debatte um die
Ratifizierung des Versailler Vertrages durch die USA haben die
Bedingungen, die Deutschland betrafen, eine nur untergeordnete
Rolle gespielt. Und doch ist der Beitrag enttäuschter liberaler
Deutschlandkenner (wie Bullitts) an der Zurückweisung des Ver-
sailler Friedens durch den amerikanischen Senat nicht zu übersehen.
Wie die deutschen Kritiker Wilsons verunglimpften auch seine
links stehenden inneramerikanischen Gegner den Völkerbund als
Allianz der Sieger und die Friedensbedingungen als Verewigung
der Entente-Vorherrschaft in Europa. Sie halfen damit, den Gedanken kollektiver Sicherheit in den USA insgesamt zu diskreditieren.
Je mehr die Vorstellung von Deutschlands Kriegsschuld verblaßte,
desto mehr floß die deutsche Anklage gegen das ,,Unrecht" von
Versailles in die Argumentation der Exponenten eines amerikanischen Isolationismus gegenüber Europa ein und ließ eine Bereitschaft, von den USA aus die 1919 geschaffene Friedensordnung
nicht nur wirtschaftlich, sondern im Notfall auch militärisch si-

chern zu helfen, erst gar nicht aufkommen. Aus der Perspektive des Zweiten Weltkrieges konnte man mit einigem Recht fragen, ob nicht eher das deutsch-amerikanische Einvernehmen der zwanziger Jahre am Ende nur eine Episode in der Geschichte der deutsch-amerikanischen Beziehungen gewesen sei.

Werner Link

Die Beziehungen zwischen der Weimarer Republik und den USA

In den zwanziger Jahren waren die Interessenlagen Deutschlands und der Vereinigten Staaten von Amerika sowie die Bedingungen des internationalen Milieus günstig für eine deutsch-amerikanische Annäherung – bis hin zu offener Kooperation. Genauer gesagt: Sie wurden von maßgeblichen Vertretern der politischen und ökonomischen Führungsgruppen und bald auch von der Mehrheit der Bevölkerung als günstig angesehen, nachdem die im Weltkrieg auf beiden Seiten kultivierten Leidenschaften abgeklungen waren. Freilich basierte die sich entwickelnde Zusammenarbeit auf einer extrem asymmetrischen Machtverteilung; und sie war – wie sich herausstellte – zeitlich eng begrenzt; sie wurde erheblich belastet, nachdem Deutschland – durch diplomatische Vermittlung und ökonomisches Engagement der USA wiedererstarkt – das gemeinsame demokratische Wertesystem radikal negierte und als ,,Drittes Reich" den Kurs der Autarkie und der Wiederaufrüstung einschlug, um eine rücksichtslose Expansion zu betreiben. Mit dem Scheitern der Weimarer Republik war auch der erste deutsch-amerikanische Kooperationsversuch, der in der Stabilisierungsphase zu einer ,,internationalen Kameradschaft" (US-Botschafter Schurman) geführt hatte, zum Scheitern verurteilt.[1]

1. Die Einschätzungen der Ausgangssituation

Aus *amerikanischer* Sicht war es höchst bedeutsam, daß das Deutschland der Weimarer Republik nach dem Sturz der Hohenzollern-Monarchie, deren Zurschaustellung militärischer Macht das bürgerliche Amerika abgestoßen hatte, republikanisch-parlamenta-risch organisiert war und sich nach der revolutionären Phase in Richtung auf eine ,,real republic with an approach to our form of Government" (US-Commissioner Dresel) entwickelte. Zudem war das Deutsche Reich nach dem Verlust der Kolonien und der militärischen Machtpotentiale aus der maritimen Konkurrenz aus-geschieden und stellte auch auf dem Kontinent keine unmittelbare hegemoniale Gefahr mehr dar. Die Widerstände gegen die Errich-tung eines liberalen, nicht-diskriminierenden Welthandels- und Weltwirtschaftssystems (wie es den amerikanischen Führungseliten vorschwebte) gingen nun primär von den ehemaligen Alliierten und dem kommunistischen Rußland aus; zunehmend erschien der Völkerbund, der in den USA von Anfang an heftig umstritten war, in amerikanischen Augen als ein Instrument kontinentaler Macht-politik. Mit der Ablehnung des Völkerbundbeitritts und des Garan-tiepaktes mit Frankreich stellten die USA die Weichen für ein internationales System, in dem die industriell fortgeschrittenen demokratischen Nationen unter Einschluß Deutschlands eine ,,community of ideals, interests and purposes" (US-Außenminister Hughes) bilden sollten, und zwar durch einen friedlichen Ausgleich der Interessen und auf der Basis bilateraler und multilateraler Koo-peration, aber nicht im Rahmen einer universalistischen Organisa-tion kollektiver Sicherheit.

Es handelte sich um den Versuch der USA bzw. ihrer politischen und ökonomischen Eliten, heimische Schutzpolitik und ,,open-door-policy" kombinierend, ein informelles Wirtschaftssystem un-ter amerikanischer Vorherrschaft aufzubauen, in das Deutschland als Glied und Partner eingefügt werden sollte, um von Deutschland aus gleichzeitig die anderen europäischen Staaten zur Übernahme der Regeln der Politik der Offenen Tür zu bringen. Weltweit sollte die ,,effektive Anerkennung der Politik der offenen Tür und glei-cher handelspolitischer Möglichkeiten" (Handelsminister Hoover) erreicht werden.[2] Die Vereinigten Staaten operierten dabei aus einer tatsächlichen, von den Führungseliten zutreffend wahrgenomme-nen Position der Stärke,[3] die durch ihr ökonomisch-finanzielles Übergewicht begründet war und folglich eine nicht-militärische, wirtschaftspolitische Mittelwahl nahelegte. Die Republikanische Administration, die sich im Gegensatz zu ihrer Vorgängerin als Regierung des big business verstand, lehnte daher eine die friedliche Expansion gefährdende militärische Sanktionspolitik in Europa ab und wies in Fortsetzung der Wilsonschen Politik die Konzeption Frankreichs und Englands zurück, Deutschland unter alliierter Kontrolle zu halten oder die amerikanischen Ressourcen durch britische Kanäle zu leiten. Stattdessen strebte sie eine Konstellation an, die Deutschland als aufnahmefähigen Markt für amerikanische Exporte und Investitionen stabilisierte und offenhielt. Der Separatfrieden mit Deutschland (1921) war der formale Ausdruck dieser Politik; er begründete ein bilaterales Sonderverhältnis zwischen den USA und Deutschland, das seine wirtschafts- und handelspolitische Entsprechung in dem Handelsvertrag von 1923 fand, der als Mustervertrag die Umstellung der amerikanischen Politik auf das Prinzip der unbedingten Meistbegünstigung signalisierte. Im Hintergrund dieser Politik stand die Absicht, nach den Prinzipien von "independence and co-operation" (Außenminister Hughes) weltweit eine Stabilisierung zu fördern – und zwar nicht nach einem abstrakten Modell, sondern in pragmatischer Nutzung aller Möglichkeiten, "to diminish among people the disposition to resort to force and to find a just and reasonable basis for accord". Durch die schrittweise Lösung regionaler Konflikte (wie z. B. bei der Washingtoner Abrüstungskonferenz von 1921/22) sollten in Kommissionen und Konferenzen Regeln und Bezugsrahmen entstehen, die dann für die Beilegung anderer Streitfragen genutzt werden könnten; und aus dem Zusammenwirken der regionalen Staatengruppen, der "associations of nations", könne dann mit der Zeit die Tendenz zu einer "world association of nations" erwachsen.[4] Die Flexibilität eines solchen Kooperationssystems entsprach nach Auffassung der Republikanischen Führung dem raschen Wandel der internationalen Beziehungen und dem amerikanischen Wunsch nach Entscheidungsfreiheit besser, als das starre normative Gehäuse des Völkerbunds. Führende amerikanische Politiker waren überzeugt, daß Frankreichs Sicherheit und die Stabilität in Europa nicht durch die Erhaltung des status quo, sondern durch die Einbeziehung Deutschlands ("taking Germany into the camp") erreicht werden könne.[5]

Aus *deutscher* Sicht war nach der Kriegsniederlage ein Arrangement mit dem ,,stärksten Sieger", der sich so eindeutig aus der Siegerkoalition löste, und mit der liberalen Wirtschaftsmacht, die so nachdrücklich auf Nichtdiskriminierung bestand, naheliegend. An erster Stelle rangierten die revisionspolitischen Überlegungen. Nach der Enttäuschung über den ,,Wilson"-Frieden waren die deutschen Hoffnungen erneut auf die USA gerichtet worden, als sich herausstellte, daß die Republikanische Regierung konsequent ein universales kollektives Sicherheitssystem ablehnte. Die Revision des Versailler Vertrags war das Hauptziel der deutschen Außenpolitik, das von der gesamten deutschen Bevölkerung unterstützt wurde, wenngleich die Meinungsverschiedenheiten über die beste Methode erheblich waren. Solange Deutschland jedoch die für eine gewaltsame Revision erforderlichen Machtmittel nicht zu Gebote standen, waren alle Vorstellungen über eine einseitige, durch Gewaltandrohung erreichbare Änderung der bestehenden Rechtsordnung illusionär, während eine Politik des friedlichen Ausgleichs eher zum Ziel führen konnte. Die Möglichkeiten einer deutsch-amerikanischen Parallelität ergaben sich aus diesem Sachverhalt. Daß sie gegen die Widerstände offen revanchistischer Kreise realisiert werden konnten, lag nicht zuletzt daran, daß harte politische Fakten (u. a. der Separatfrieden, das deutsch-amerikanische Schuldenabkommen, der deutsch-amerikanische Handelsvertrag, der Dawes-Plan und die Londoner Konferenz) die revisionistische Wirkung der amerikanischen Außenpolitik nach und nach dokumentierten. Die politische und die wirtschaftliche Führung antizipierte, daß ein amerikanisches Engagement in Deutschland das Interesse der USA an einer friedlichen *Veränderung* der europäischen Verhältnisse wachsen lassen würde. Im Kampf gegen die handelspolitischen Beschränkungen des Versailler Vertrags traf sich Deutschland mit den Bestrebungen der USA, ein liberales, nichtdiskriminierendes Welthandelssystem aufzubauen. Die USA betrieben Weltpolitik als Weltwirtschaftspolitik, und Deutschland wollte über die Weltwirtschaft in die Weltpolitik zurückkehren. Die schwache gefährdete Position Deutschlands ließ die partnerschaftliche Komponente der amerikanischen Politik attraktiv erscheinen. Um den Zugriff Frankreichs und eine „koloniale" Abhängigkeit von England zu verhindern, wurde für eine begrenzte Zwischenphase die ökonomische Durchdringung des deutschen Marktes und der deutschen Wirtschaft durch die USA als notwendig erachtet, weil dadurch die deutsche Produktionskraft gesteigert würde und materielle Interessenverbindungen und -interdependenzen entstünden, die sich politisch günstig auswirken könnten. Gestützt auf einen relativ breiten Konsens, der von den Sozialdemokraten bis zu den Deutschnationalen reichte, war daher die offizielle Außenpolitik des republikanischen Deutschlands von Anfang an bestrebt, die Unterstützung der Vereinigten Staaten beim Wiederaufstieg zu gewinnen. Nach Lage der Dinge konnte es sich nicht darum handeln, eine Allianz anzustreben, sondern die amerikanische Vermittlung im europäischen Konflikt zu erreichen, als deren Folge mittelfristig eine deutsch-amerikanische Interessenverflechtung erhofft wurde.

2. Die amerikanische Vermittlung in der Reparationsfrage

Bis zur Mitte der zwanziger Jahre stand die Reparationsfrage im Zentrum des europäischen Konflikts. Der Versailler Vertrag verpflichtete Deutschland – ausgehend von dessen Kriegsschuld – zur Wiedergutmachung aller Schäden, die der Zivilbevölkerung der alliierten und assoziierten Mächte und ihrem Gut durch die Kriegshandlungen entstanden waren; ein spezieller Ausschuß, die Reparationskommission (Repko), sollte bis zum Mai 1921 Gesamthöhe und Modalitäten festsetzen und anschließend die Zahlungen abwickeln. Es handelte sich um den rigorosen Versuch, ökonomische Ressourcen und Werte in Höhe von insgesamt 132 Milliarden Goldmark (Londoner Ultimatum vom 5. 5. 1921) im Zeitraum von 30 Jahren von Deutschland in die Siegerstaaten zu übertragen. Dieses wirtschaftlich, politisch und moralisch höchst kontroverse Problem war sachlich schier unlösbar. Es barg in sich den Teufelskreis von

Nichterfüllung, Sanktionsdrohungen und Sanktionen militärischer und nicht-militärischer Art mit katastrophalen politischen und wirtschaftlichen Folgen. Dieser Krisenzyklus[6] beeinflußte ganz wesentlich die europäische und die weltpolitische Entwicklung der ersten Hälfte der zwanziger Jahre; er konnte nur unterbrochen werden, wenn die USA (die selbst auf Reparationen im eigentlichen Sinne verzichteten) erhebliche Kapitalanleihen zur Verfügung stellten und wenn der Welthandel eine enorme Ausweitung erfuhr. Eine Krisenbewältigung wurde zusätzlich dadurch erschwert, daß Rußland nach der bolschewistischen Revolution aus dem kapitalistischen Weltmarkt ausgeschieden war. Eine Wiedereingliederung wurde von führenden Wirtschaftlern und Politikern als wesentliche Voraussetzung für eine Normalisierung und Ausweitung des Welthandels angesehen; aber sie konnte weder von der westlich-kapitalistischen Staatengruppe diktiert werden, noch bestand über die Art und Weise der Eingliederung innerhalb dieser Gruppe eine Übereinstimmung. Wie der deutsch-sowjetische Vertrag von Rapallo (1922) signalisierte, drohte zudem stets die Gefahr, daß Deutschland, seine Mittellage und die Anti-Versailles-Haltung Sowjetrußlands nutzend, die deutsch-russischen Sonderbeziehungen auf militärischem und wirtschaftlichem Gebiet machtpolitisch ausspielte. Die an den Reparationen sich entzündenden Krisen waren also nur scheinbar regional; in Wirklichkeit berührten sie den gesamten Welthandel und die Weltwirtschaft und erreichten (wie Herbert Hoover Anfang 1921 bereits anschaulich formulierte) auch den "dinner-table of every citizen of the United States". Der Versuch zur Krisenbewältigung mußte in Deutschland, dem eigentlichen Krisenzentrum, ansetzen. Dieser Zusammenhang war führenden Politikern der USA von Anfang an klar:[7] "[. . .] Through the highly industrial developments of Europe prior to the war, Germany has become the axis, and the rehabilitation of Europe and its continued prosperity is most dependent upon that of Germany. Unless Germany is at work and prosperous, France can not be so, and the prosperity of the entire world depends upon the capacity of industrial Europe to produce and purchase. Into this enters the element of credit, and credit will not be forthcoming as long as there is no stability and confidence, and until the German reparation is settled constructively on a basis which will inspire confidence the credits necessary for the reestablishment of normal conditions will not be forthcoming [...]."

Daß es in der Reparationsfrage zu Spannungen zwischen den europäischen Staaten kommen würde, war schon auf der Pariser Friedenskonferenz vorauszusehen gewesen, als die kontroversen Vorstellungen der Siegermächte den amerikanischen Versuch einer definitiven Lösung zum Scheitern brachten und eine Entscheidung bis zum Mai 1921 vertagt wurde. Damit war aber keineswegs eine alliierte Absage an oder ein amerikanischer Verzicht auf die Vermittlungsfunktion der USA verbunden. Im Gegenteil, diese Funktion war ·dadurch institutionalisiert worden, daß den Vereinigten Staaten in der Repko eine ausschlaggebende Position eingeräumt wurde. Der Sieg der Republikanischen Partei über die Regierung Wilson und den Gedanken der Einordnung Amerikas in ein Sicherheitssystem, in dem die USA von den europäischen Staaten überstimmt werden konnten, führte indes dazu, daß ausgerechnet in dem Zeitabschnitt, in dem die Repko und die Regierungen der Siegermächte zur Festsetzung der Reparationssumme vertraglich verpflichtet waren, die Demokratische Lame-duck-Regierung der USA ihren Repko-Vertreter zurückzog und in Inaktivität verharrte. Die Regierung Wilson trug mithin dazu bei, daß die neue Republikanische Administration ihren Wunsch, den institutionellen Rahmen der Repko unbeschadet des amerikanischen Fernbleibens vom Völkerbund offiziell zu benutzen, gegenüber dem Senat nicht durchsetzen und stattdessen nur inoffiziell, durch einen "unofficial observer", dieses Einflußinstrument handhaben konnte (was sich nachträglich in bestimmten Situationen sogar als vorteilhaft erwies!). Die Republikanische Regierung bejahte also ebenso wie die Demokratische Administration prinzipiell von Anfang an die amerikanische Vermittlerfunktion; die Abgrenzung von den ehemaligen Kriegsalliierten war geradezu die Voraussetzung dafür, daß sie die Rolle einer „dritten Partei" übernehmen konnte. Die USA hielten – wie Winston Churchill sich 1921 eingestehen mußte – die "balance of power" in ihrer Hand. Lediglich der Zeitpunkt, die

Form und der Inhalt der Vermittlung waren ungewiß, als im März/ April 1921 die erste Reparationskrise entstand.

Die deutsche Politik, hinhaltend zu taktieren, um eine definitive Reparationsregelung bis zum Eingreifen der USA hinauszuschieben, war also ein Kalkül mit einer großen Unbekannten. Die diversen Erkundungs- und Sondierungsaktivitäten gipfelten am 20. April 1921 in der offiziellen Bitte an Präsident Harding, als Schiedsrichter bei der definitiven Reparationsregelung tätig zu werden.

Das Ergebnis der deutschen April-Aktion war negativ. Der Grund dafür war nicht, daß sich etwa die amerikanische Regierung prinzipiell geweigert hätte, die Vermittlerrolle zu spielen. Vielmehr war Außenminister Hughes darauf bedacht, zunächst generell, d. h. nach beiden Seiten, die Position der USA als nicht unmittelbar beteiligte dritte Partei sichtbar zu machen. Da die deutsche Politik allzu deutlich versuchte, die USA auf Deutschlands Seite zu ziehen, mußte sie, ganz abgesehen von taktischen Fehlern, fehlschlagen. Und da die amerikanische Hilfe zunächst ausblieb, mußte Deutschland den Londoner Zahlungsplan annehmen. Aber auch der französische Versuch, die neue amerikanische Regierung für Frankreichs Politik zu gewinnen (Viviani-Mission), scheiterte aus dem gleichen Grunde. Der Abschluß des Separatfriedens mit Deutschland war, von diesem Gesichtspunkt aus betrachtet, das für Frankreich bestimmte Zeichen, daß Amerika definitiv einen unabhängigen Kurs steuern wollte. Die USA lehnten eine Verbindung der Reparationszahlungen mit der Begleichung der Schulden, die die Westalliierten während des Krieges in Amerika gemacht hatten, strikt ab, da sie sonst zum unmittelbar Beteiligten des Reparationskonflikts geworden wären und die Gefahr bestanden hätte, daß Amerika letztlich als eigentlicher Reparationsgläubiger fungierte. Das Axiom der strikten Trennung beider Probleme trug nachhaltig dazu bei, daß zumindest formal Amerikas Status als dritte Partei Anerkennung fand.

Die Schwierigkeit bestand allerdings darin, daß mehrere Faktoren – die faktische Interdependenz zwischen Reparation und Alliierten-Schulden, der amerikanische Anspruch auf Bezahlung der Besatzungskosten und das amerikanische Interesse am deutschen Markt – die offizielle These von der amerikanischen Unparteilichkeit erschütterten. Um als potentieller Vermittler glaubhaft zu bleiben, sah sich daher die Regierung Harding-Coolidge-Hughes-Hoover auch weiterhin gezwungen, ihre Identität als dritte Partei zu demonstrieren. Aus diesem Zusammenhang erklärt sich nicht zuletzt das vorsichtige Taktieren des State Department und die wiederholt bekundete Furcht Hughes', durch eine positive Reaktion auf die zahlreichen deutschen Hilferufe zu früh einseitig fixiert zu werden und dann zu einem späteren Zeitpunkt, in dem eine günstigere Interventionsmöglichkeit bestünde (nämlich dann, wenn beide Seiten „reif" für das amerikanische Eingreifen wären), nicht mehr die nötige Unabhängigkeit und Unparteilichkeit zu besitzen.

Die offizielle amerikanische Außenpolitik bevorzugte eine möglichst informelle, inoffizielle, indirekte und kostenniedrige Intervention. Folgerichtig hoffte sie zunächst, daß die pure Existenz der USA als dritte Partei und ihre materiellen Ressourcen (die überragende Kapitalmacht und die Gläubigerstellung) die europäischen Kontrahenten zu einer wirtschaftlich sinnvollen Einigung veranlassen würden. Bis Ende 1922 beschränkte sich die US-Regierung darauf, Deutschland die Notwendigkeit der Erfüllungspolitik vor Augen zu führen und Frankreich zu belehren, daß nur ein wirtschaftlich gesundes und in seiner territorialen Integrität nicht beeinträchtigtes Deutschland die erwünschten Wiedergutmachungen leisten könne. Die eigene Auffassung lief darauf hinaus, daß eine Untersuchung der deutschen Leistungsfähigkeit, die Festsetzung tragbarer Annuitäten (d. h. die Revision des Londoner Zahlungsplanes) und die Gewährung einer internationalen Anleihe durch ein „unabhängiges" Bankierskomitee erfolgen müsse. Aus amerikanischer Sicht hatte die Zwischenschaltung eines Bankierkomitees mehrere Vorteile:[8] "If all agree to a sane treatment of Germany, a substantial business loan, properly secured, might have an excellent effect by immediately providing money urgently needed for reconstruction of devastated areas, while at the same time putting the damper on a lot of political nonsense. On the other hand, if a business arrangement be impossible, the reasons for failure would become public and would go far in the education of public opinion by forcing it to realize the inevitable. The scheme has the additional feature that it can be worked on our part through private bankers, with perhaps representatives of the Federal Reserve Bank, without the direct interjection of our Government into any political phase of the question."

Zunächst versuchte die amerikanische Regierung inoffiziell und indirekt, nämlich durch führende Bankiers wie J. P. Morgan und Thomas Lamont sowie in geheimen diplomatischen Verhandlungen, diese Idee zu verwirklichen. Erst als im Sommer 1922 die Gefahr akut wurde, daß Frankreich wegen deutscher Nichterfüllungen militärische Sanktionen ergriff, wurde eine direkte amerikanische Initiative zur Einberufung einer Sachverständigenkonferenz vorbereitet (vgl. die Entstehung des Hughes-Boyden-Plans Ende Juli 1922). Daß es schließlich doch nicht zu dieser amerikanischen Initiative kam, ist der Balfour-Note der britischen Regierung vom 1. August 1922 zuzuschreiben, in der Großbritannien seine Forderungen gegenüber den europäischen Schuldnern von der Höhe derjenigen Summe abhängig machte, die es zur Begleichung seiner amerikanischen Schulden zu leisten haben würde. In den USA wurde darin der Versuch gesehen, die reparationspolitischen Schwierigkeiten auf die amerikanische Schuldenpolitik zurückzuführen, "to put Americans in the position to be offenders because they are shylocks" (Bernard Baruch). Indem selbst Großbritannien die USA nicht als Vermittler, sondern als unmittelbar Beteiligter am Reparationskonflikt definierte, sah Außenminister Hughes die Grundlage für eine erfolgreiche Vermittlungsinitiative als nicht mehr vorhanden an. Hinzu kam, daß die deutsche Reichsregierung nach der Ermordung von Außenminister Rathenau eine Schaukelpolitik betrieb. Sie schwankte zwischen der taktischen Absicht, mithilfe der USA französische Sanktionen zu verhindern bzw. günstige Konstellationen für deren Bekämpfung vorzubereiten, und dem Versuch, mit Frankreich auf wirtschaftlicher Basis eine Verständigung herbeizuführen (Stinnes-Plan), was in amerikanischen Augen die Gefahr heraufbeschwor, daß ein ,,gigantischer Trust" in Mitteleuropa entstand. In dieser Situation beschränkte sich die ame-

rikanische Regierung darauf, auf diplomatischem Wege ihre Ver-
mittlungsbereitschaft zu unterstreichen; in diesem Sinne leitete sie
u. a. das deutsche Angebot eines Friedensversprechens und eines
Rheinpaktes (15. 12. 1922) an Frankreich weiter. Ansonsten vermied sie jedoch alles, was die Verhärtung entweder der französischen oder der deutschen Haltung hätte erzeugen können.

Erst als die Geheimdiplomatie endgültig gescheitert war und als
Außenminister Hughes innenpolitisch unter den Druck des Senats
geriet, der ihm Inaktivität in einer auch für die USA folgereichen
weltpolitschen Konfliktsituation vorwarf, trat die US-Regierung
die Flucht in die Öffentlichkeit an: Hughes legte am 29. Dezember
1922 autoritativ die amerikanische Beurteilung der Reparationskrise und ihrer Gefahren sowie die Prinzipien und Mechanismen des
amerikanischen Lösungsvorschlages, d. h. die Einberufung eines
Expertenkomitees, öffentlich dar. Die USA schufen damit einen
Kristallisationspunkt, auf den sich beide Parteien einigen konnten;
und für den Fall, daß sein Plan aufgegriffen wurde, versprach er
ausdrücklich die amerikanische Hilfe ("the avenues of American
helpfulness cannot fail to open hopefully"). Die Hughes-Rede enthielt zugleich das Programm der amerikanischen Deutschlandpolitik in Kurzfassung; angesichts der französischen Sanktionsdrohungen versicherten die USA, "we do not wish to see a prostrate
Germany. There can be no economic recuperation in Europe unless
Germany recuperates. There will be no permanent peace unless
economic satisfactions are enjoyed. There must be hope and industry must have promise of reward if there is to be prosperity. We
should view with disfavor measures which instead of producing
reparations would threaten disaster".

Eine Initiative im eigentlichen Sinne war das noch nicht, sondern
eher eine Demonstration, die jedoch die französisch-belgische
Ruhr-Besetzung nicht verhindern konnte. Nicht ohne einen Zug
von Zynismus ging der amerikanische Außenminister davon aus,[9]
"that each side would probably have to 'enjoy its own bit of chaos'
until a disposition to a fair settlement had been created". Bis dahin
wollte er strikt darauf achten, daß keine Seite ihn als "partisan" in
Anspruch nahm. Der Hughes-Plan blieb auf der Tagesordnung der

internationalen Politik, aber er stellte keinen Blankoscheck für irgendeine Konfliktpartei dar. Ein aktives Eingreifen wurde erst unvermeidbar, nachdem die französisch-deutsche Kriseneskalation (militärische Besetzung und Zwangsmaßnahmen hier und passiver Widerstand dort) den Schaden für die USA gefährlich erhöhte und als die amerikanische Exportwirtschaft die Vorteile, die das Ausscheiden der deutschen Konkurrenz auf dem Weltmarkt bot, sich hinlänglich zueigen gemacht hatte.[10] Die von Frankreich in Angriff genommene ,,Lösung`` der Reparationskrise durch Micum-Verträge, Sicherung der industriellen Vorherrschaft und Abtretung des Rheinlandes war weder für den direkten Reparationsgläubiger England noch für die USA akzeptabel. Es kam daher zu einem geschickt inszenierten britisch-amerikanischen Zusammenspiel, dessen Hauptakt von den beiden Vertretern bei der Repko, Logan und Sir Bradbury, inszeniert wurde. Es resultierte in der Einberufung zweier Sachverständigenkomitees, an denen die USA durch führende Experten (an ihrer Spitze der Bankier und ehemalige Direktor des Bureau of the Budget, General Charles Gates Dawes, und der Chairman of the Board of General Electric, Owen D. Young) beteiligt waren. Das heißt, die von den USA bereits 1922 vorgeschlagene Prozedur wurde von allen Beteiligten akzeptiert – auch von Frankreich, dessen Abhängigkeit von amerikanischen Anleihen mit dem Sinken des Franken und der Bitte um einen Kredit der Firma Morgan manifest wurde und das sich andernfalls in eine verhängnisvolle Isolierung manövriert hätte.

Daß es sich tatsächlich um eine amerikanische Vermittlung, nicht etwa um eine britisch-amerikanische, handelte, zeigt der Verlauf der Komiteeverhandlungen ebenso wie ihr Ergebnis, der Dawes-Plan. Mithilfe einer großen Anleihe, deren Zeichnung primär von dem amerikanischen Kapitalmarkt abhing, brachte er eine Übergangsregelung für allmählich sich steigernde Jahreszahlungen (Annuitäten); er unterstellte Deutschland währungs- und finanzpolitisch ausländischer Kontrolle, wodurch die Weimarer Republik vorübergehend zu einem ,,penetrierten System`` wurde;[11] er sicherte ihm zugleich aber einen Schutz gegen militärische Sanktionen und gegen stabilitätsgefährdende Reparationszahlungen (Transfers)

zu. Der Transferschutz bedeutete, daß Deutschlands Reparations-
verpflichtung mit der Aufbringung und Einzahlung der festgesetz-
ten Summen auf das Konto des Reparationsagenten erfüllt war; die
Übertragung in fremde Währung war Aufgabe des sogenannten
Transferkomitees, das unter Leitung des amerikanischen Reparationsagenten stand; es hatte seine Tätigkeit an der Stabilität der
deutschen Währung zu orientieren und konnte sowohl ein Transfermoratorium als auch ein Aufbringungsmoratorium verfügen. Indem unter dem Einfluß der amerikanischen Experten – vor allem
Owen D. Youngs – die Bestimmungen über die Transferierung ins
Zentrum des gesamten Zahlungsplans rückten, wurde eine zu hohe
Einschätzung der deutschen Leistungsfähigkeit durch die Praxis
korrigierbar. Sowohl die Amerikaner als auch die Deutschen waren
der Überzeugung, daß die für die Zeit ab 1928/29 festgesetzte
Normalannuität von 2,5 Milliarden nicht voll transferierbar sein
würde. Sie trafen sich in der Absicht, rechtzeitig vor diesem Zeitpunkt eine Revision einzuleiten, aber bis dahin zunächst einmal
durch eine provisorische Regelung, die für die ersten Jahre genügend abgesichert schien, aus dem reparationspolitischen Eng-
paß herauszukommen. Dem Generalagenten kam als ,,König des
Dawes-Plan" (Governor Strong, Federal Reserve Bank) die Schlüs-
selfunktion in dem Gesamtschema einschließlich der Revisions-
vorbereitung zu. Daß dieses Amt ein amerikanischer Staatsbürger
bekleiden sollte, stand nach dem Zeugnis von Owen D. Young
für die meisten Mitglieder der Expertenkommission von Anfang
an außer Frage, ,,denn nur er habe ein so mächtiges Land hinter
sich, daß er den entsprechenden Einfluß ausüben könne". Deshalb
favorisierte auch die deutsche Regierung gegen Einwände der
Briten einen amerikanischen Transferagenten; man schloß sich
insbesondere aus revisionspolitischen Gründen ,,dem stärksten
Partner" an.

Die amerikanische Vermittlungstätigkeit fand ihren Abschluß
schließlich auf der Londoner Regierungskonferenz vom Juli/Au-
gust 1924, die den Dawes-Plan zu beraten und offiziell zu verab-
schieden hatte. Die amerikanische Delegation erreichte vollständig
den von ihr angestrebten Kompromiß zwischen den amerikani-

schen Bankiers und England einerseits und Frankreich und Belgien andererseits, der für Deutschland „über Erwarten günstig" (Reichsinnenminister Jarres) ausfiel. Frankreich mußte unter dem Druck der amerikanischen Bankiers in allen Punkten (Schiedsgerichtsbarkeit, Abzug der Regie-Eisenbahner, militärische Räumung des besetzten Ruhrgebietes binnen Jahresfrist, sofortige Räumung der Zone Dortmund-Förde und der anderen nicht zum Ruhrgebiet gehörenden Bezirke am Tage der Unterzeichnung des Abkommens) Deutschland ganz erheblich entgegenkommen, ohne daß die deutsche Delegation ein nennenswertes Zugeständnis (auch nicht in handelspolitischer Hinsicht) eingeräumt hatte.

Parallel zu dieser Vermittlung auf internationaler Ebene verlief die konzertierte Aktion von amerikanischen Geschäftsleuten und Regierungsvertretern, durch die Deutschland vor und nach der Londoner Konferenz veranlaßt wurde, den Dawes-Plan anzunehmen. Es waren mithin die USA, die mittels des Dawes-Plans durch interne Einwirkungen und in multilateralen Verhandlungen den "economic peace" in Europa stifteten und die Weichenstellungen für die Stabilisierungsphase vornahmen. Am bedeutsamsten war die schiedsgerichtliche Regelung für den Fall einer willentlichen Nichterfüllung der Reparationsverpflichtungen durch Deutschland:

1. Über eine eventuelle willentliche Nichterfüllung hatte in erster Instanz die Repko unter gleichberechtigter Beteiligung eines Amerikaners zu entscheiden.

2. Sollte keine einstimmige Entscheidung zustandekommen, so konnte von jedem Mitglied ein Schiedsgericht angerufen werden, das aus drei unabhängigen Persönlichkeiten bestehen sollte und unter dem Vorsitz des amerikanischen Vertreters die endgültige Entscheidung zu fällen hatte.

Damit waren die Vereinigten Staaten nicht nur de facto, sondern auch de jure zum Schiedsrichter in der wichtigsten europäischen Frage geworden. Durch den "American citizen member of the reparation commission" hielten sie – um mit John Foster Dulles zu sprechen – die "balance of power", ein Sachverhalt, der durch die präsidiale Stellung im Drei-Mann-Schiedsgericht noch unterstrichen wurde. Im Zusammenwirken mit dem amerikanischen Generalagenten hatten sie eine Position errungen, die es ihnen ermöglichte, ihre Konzeption in Europa nachdrücklich zu vertreten, ohne ihrerseits völkerrechtliche Bindungen einzugehen. Denn der offiziellen amerikanischen Politik stand es frei, sich dieser Machtposition zu bedienen oder nicht, sie konnte sich mit den Handlungen ihrer Bürger in diesen drei Positionen identifizieren oder sich von ihnen distanzieren, da diese Personen formell ja unabhängig und nicht von der Regierung ernannt waren. Diese Regelung war ideal für eine indirekte Machtausübung. Die mühelose Unterbringung der größten Tranche der Dawes-Anleihe dokumentierte darüber hinaus, daß auch die materiellen Ressourcen, die für eine erfolgreiche Ausübung der Vermittlung notwendig waren, in den USA reichlich vorhanden waren und kurzfristig mobilisiert werden konnten.

3. Die politische Zusammenarbeit in der Stabilisierungsphase

Die amerikanische Vermittlung im Reparationsstreit lieferte gleichzeitig den Beweis, daß die Vermittlung nicht Selbstzweck war, sondern der wirtschafts- und handelspolitischen Expansion der USA in Europa und Deutschland diente. Die Dawes-Verhandlungen boten den USA die einmalige Chance, die währungs- und finanzpolitische Führung endgültig zu sichern. In diesem Sinne schrieb Paul Warburg, einer der Schöpfer des Federal Reserve System, am 21. März 1924 an Owen D. Young: "The opportunity that the present emergency in Europe offers is unique, and I don't believe it will ever be again within as easy a grasp of the United States as it is today. It is the question of whether the Dollar shall permanently retain a predominant position, or whether we are willing to surrender financial mastery to the Pound Sterling for good and all! England realizes that, and that is why the Bank of England is willing to go to a considerable length in granting facilities [. . .] . Personally, I can envisage, that if through the establishment of gold standards in Europe many countries carry their reserves over here, and invest them in bankers acceptances and balances, the result of that would be the development of a wide open discount market, such as we have been trying in vain for five years to establish over here [. . .] ".

Die Chance wurde voll genutzt. Gegen den Versuch Großbritanniens, Deutschland in den Sterling-Block einzubeziehen, setzten die amerikanischen Unterhändler die Rückkehr Deutschlands zum Gold-Dollar-Standard durch. Damit waren die Voraussetzungen für einen immensen Kapital- und Warenexport nach Europa geschaffen. Im Zuge dieser Entwicklung zeigte sich allerdings binnen kurzem, daß die so mühsam bewahrte juristische Handlungsfreiheit de facto durch ein wirtschaftliches Engagement limitiert wurde. Insbesondere die Investitionen in Deutschland, die in den Jahren der relativen Stabilisierung beachtliche Dimensionen annahmen, schränkten den amerikanischen Handlungsspielraum ein und führten die USA an die Seite Deutschlands. Was 1926 ein Diplomat aussprach und in einer Broschüre mit dem bezeichnenden Titel ,,Pax Americana" publiziert wurde,[12] charakterisierte treffend den Stand der internationalen Beziehungen in der zweiten Hälfte der zwanziger Jahre: "Great volumes of American money have been poured into German industry, and are beginning to go into German financial institutions. America's stake in Germany is already so vast, outside of reparation obligations, that ex necessitate Washington is almost a guardian for German interests in Europe and elsewhere".

Die deutsche Regierung war sich in dieser Phase mehr denn je bewußt, ,,daß die Entscheidung über Europas Zukunft im wesentlichen in den Händen der Vereinigten Staaten liegen" werde.[13] Außenminister Stresemann trug diesem Umstand in seinem politischen Handeln Rechnung. Er mußte dabei allerdings die Erfahrung machen, daß es schwierig war, die amerikanischen Befürchtungen zu zerstreuen, in den Ansätzen zu einer politischen und wirtschaftlichen Verständigung in Europa sei potentiell eine anti-amerikanische Tendenz verborgen. Andeutungsweise tauchte ein solcher Argwohn bereits nach dem Abschluß der Locarno-Verträge auf. Obwohl die offizielle amerikanische Politik Locarno nach Kräften gefördert hatte, mehrten sich in den Vereinigten Staaten diejenigen Stimmen, die ,,Locarno als den Anfang einer Entwicklung" interpretierten, ,,die zu einem Zusammenschluß der europäischen Mächte neben den Vereinigten Staaten von Amerika, vielleicht sogar gegen diese führen könnte". Einflußreiche Journalisten artikulierten den amerikanischen Alptraum, die amerikanische Schuldenpolitik provoziere die Bildung eines europäischen Wirtschaftsblockes gegen die USA und den Versuch der Europäer, sich durch gemeinsame wirtschaftpolitische Maßnahmen der drückenden Schuldenlast zu entledigen. Die in Thoiry (September 1926) entwickelten Pläne, mithilfe amerikanischer Anleihen die deutsch-französische Annäherung vorwärtszutreiben, gaben dem Mißtrauen vor allem in denjenigen Industriekreisen, die scharf mit Europa konkurrierten, neue Nahrung. Denn die USA konnten nicht ignorieren, daß vor, während und nach den mehr oder weniger verbindlichen deutsch-französischen Gesprächen auf staatlicher Ebene, eine weltwirtschaftlich bedeutsame, kontinental-europäische Kartellbildung vonstatten ging. Europa versuchte seine staatliche Zersplitterung durch eine wirtschaftliche Koordinierung zu kompensieren; und für die zuständigen Stellen im State und Commerce Department gab es keinen Grund zu der Annahme, daß die neuen "European international combinations" nicht ebenso wie die deutschen Vorkriegssyndikate auf dem Kali- und Chemiesektor die Absicht hätten, Amerika durch Preismanipulationen zu schädigen; dies galt es zu verhindern. So entfaltete sich in der Locarno-Thoiry-Phase, gerade auch im Verhältnis zu Deutschland, der grundlegende Widerspruch der amerikanischen Europa-Politik: Die Vereinigten Staaten wünschten einerseits im eigenen Interesse eine politische und wirtschaftliche Stabilisierung in Europa und einen friedlichen Ausgleich der nationalen Antagonismen, weil dies die Voraussetzung für ein finanzielles Engagement und für die wirtschaftliche Expansion Amerikas war; andererseits beharrten sie (wie am deutlichsten in der Handels- und Schuldenpolitik dokumentiert wurde!) auf einer separaten, bilateralen Regelung ihrer Beziehungen zu jedem einzelnen europäischen Staat und wähnten hinter jeder europäischen Gemeinschaftsaktion oder Blockbildung anti-amerikanische oder doch zumindest die amerikanischen Interessen beeinträchtigende Tendenzen.

Angesichts der Komplikationen, die dieser Widerspruch unvermeidlich erzeugte, ergriff die deutsche Außenpolitik doppelt gern die Gelegenheit, auf dem Abrüstungssektor eine Abstimmung und eine ,,Anpassung der gegenseitigen Verhandlungstaktik" vorzunehmen. Trotz aller Skepsis knüpfte die deutsche politische Führung an die Genfer Verhandlungen die Hoffnung, daß sie ,,Vorwand und Anlaß" für eine Verminderung der französischen Rüstung und vielleicht sogar für eine ,,bescheidene Wiederaufrüstung" Deutschlands bieten könnten. Ein solches Ergebnis war nach übereinstimmender Meinung des AA und des Reichswehrministeriums jedoch nur denkbar, ,,wenn Amerika zusammen mit England einen starken Druck auf Frankreich und seine Schuldnerstaaten und auf die Länder ausübt, die sich um amerikanische Kredite bewerben".[14] Nach Meinung der Reichswehr sollte Deutschland zunächst die marinepolitischen Forderungen zurückstellen, um eine Interessenkollision mit den Seemächten zu vermeiden und sich deren Hilfe bei der ,,Wiedergewinnung seiner europäischen Stellung" gegen die französische Opposition zu versichern. Es sei zwar ,,ohne weiteres anzunehmen, daß ein wiedererstandenes Deutschland bei seinem späteren Kampfe um die Rohprodukte und Absatzmärkte in Gegensatz zum amerikanisch-englischen Machtkreise kommen und dann über ausreichende maritime Kräfte" verfügen müsse. Aber diese Auseinandersetzung werde, so betonte man, ,,erst auf der Grundlage einer festgefügten europäischen Stellung nach einer erneuten Lösung der französisch-deutschen Frage auf friedlichem oder kriegerischem Wege in Betracht kommen". Hinter der formalen Gleichheit der Abrüstungsforderung der USA und Deutschlands verbarg sich also von Anfang an eine fundamentale Zieldiskrepanz, die eine Parallelisierung der Genfer Aktionen nur deshalb zunächst nicht störte, weil die deutsche Großmachtintention nicht artikuliert wurde. Solange die für die vorbereitende Abrüstungskonferenz im Jahre 1926 entwickelte Taktik, alles zu unterlassen, ,,was (wie z. B. weitgehende Forderungen) die Konferenz scheitern lassen könnte", gültig blieb und solange kein Kompromiß zwischen den USA und den europäischen Seemächten in greifbarer Nähe war, arbeiteten die deutschen und die amerikani-

schen Delegierten eng zusammen, was von beiden Seiten voll ge-
würdigt wurde.

In dieser Phase nutzte Stresemann die Entfremdung zwischen den
angelsächsischen Mächten, um bei den Verhandlungen über den
Kellogg-Briand-Pakt durch eine rasche eigenständige Reaktion der
amerikanischen Regierung den Wert einer deutsch-amerikanischen
Zusammenarbeit erneut zu demonstrieren. Indem der deutsche Außenminister die Anregung Chamberlains und Briands, über eine
gemeinsame Antwort auf den multilateralen Friedenspaktvorschlag
Kelloggs zu beraten, mit der Begründung zurückwies, "that each
nation would have to frame its own individual reply and that they
could not have a United States of Europe and Japan on the one side
and the United States of America on the other", spielte er die ihm
von den USA zugedachte Rolle und erteilte er dem französischen
Konzept „einer Zusammenfassung Europas gegenüber dem amerikanischen Übergewicht" (Briand) eine drastische Absage.

Gewitzt durch die Erfahrungen bei den Thoiry-Verhandlungen,
wollte Stresemann „unter keinen Umständen" die Vereinigten
Staaten verärgern und deshalb den französischen Standpunkt „auch
nicht dem Scheine nach unterstützen". Denn „Deutschland werde
in Zukunft außenpolitisch auf die amerikanische Unterstützung
angewiesen sein" und habe „schon aus reparationspolitischen
Gründen ein Interesse daran", sich nicht in einen „Bündnisblock
gegen Amerika" einspannen zu lassen.[15]

Die Reichsregierung betrachtete auch den Kellogg-Pakt unter
dem generellen Aspekt ihrer Revisionspolitik. Ausgehend von der
unwidersprochenen Feststellung, „daß alle Parteien in dem Ziel
einig wären, die Revision des Versailler Vertrages zu fördern",
konnte Reichskanzler Müller vor dem Auswärtigen Ausschuß des
Reichstags zur allgemeinen Befriedigung konstatieren, daß der Pakt
Deutschland diesem Ziel nicht entferne, sondern näher bringe. Die
Stärkung der deutsch-amerikanischen Beziehungen wurde letztlich
nach dem Kriterium beurteilt, inwieweit dadurch die deutsche revisionistische Politik gegenüber der Status-quo-Politik Frankreichs
verbessert werde. Und was England betraf, so wurde trotz der
Intention, mit beiden angelsächsischen Staaten freundschaftlich zu-

sammenzuarbeiten, für den Fall eines amerikanisch-britischen Konflikts das „gemeinsame Interesse mit Amerika" vorangestellt. Ein
Zusammengehen mit den USA schien zudem am ehesten die weitere Verfolgung der Politik der Offenen Tür gegenüber Rußland zu
ermöglichen.

Bisher unveröffentlichte Dokumente des Foreign Office enthül-
len auf faszinierende Weise, daß dieser deutsche Kurs die britische
Politik gegenüber Europa und den USA maßgeblich beeinflußte. In
einer Denkschrift von Robert L. Craigie, die am 12. November
1928 auf Veranlassung Lord Cushendums für das Kabinett ausgear-
beitet wurde,[16] plädierte das britische Außenamt trotz einiger "irre-
movable and inherent difficulties" (Handelsrivalitäten, Flottenkon-
kurrenz, Schuldner-Gläubiger-Verhältnis u. a. m.) für eine Verständigung mit Amerika und gegen den Versuch, eine europäische
Einheitsfront aufzubauen, und zwar nicht zuletzt mit Rücksicht auf
den Faktor Deutschland! Für die europäische Alternative sei, so
lautete die Beweisführung, die deutsche Mitwirkung essentiell,
aber eben nicht verfügbar, vielmehr gebe es viele Anzeichen dafür,
daß Deutschland auf die weitere Verschlechterung des britisch-
amerikanischen Verhältnisses spekuliere, um seine Beziehungen zu
den Vereinigten Staaten parallel dazu zu verbessern: "[. . .] At the
present time Germany, far from showing any inclination to follow
our lead (e. g., to adapt her American policy to ours), is taking the
attitude that, as we are committed definitely to France, she must
look elsewhere for the support which she still requires. This may be
only a passing pretext, but the fact remains that Germany feels no
longer dependent upon us as in the days of Lord d'Abernon, and is
already counting on America to take our place as protector. Nor can
she be considered unjustified in casting the United States for this
rôle, if the increasing activity of the German-American element in
the United States and the enormous American investments in Germany are taken in account. With Soviet Russia tending towards
more moderate courses, the prospect of a close German-Russian
entente, backed by American money and goodwill, may not be
remote if Anglo-American relations are permitted to suffer any
serious or permanent setback [. . .]."

Dank der deutsch-amerikanischen Zusammenarbeit war Deutschlands Gewicht in der internationalen Politik in relativ kurzer Zeit also in erstaunlichem Maße relevant geworden; das Deutsche Reich hatte sich aus der Objektrolle von 1919 mit amerikanischer Hilfe befreit. Auch für die USA hatte sich das Arrangement bezahlt gemacht – nicht nur wirtschaftspolitisch, sondern ebenfalls diplomatisch. Bereits die konservative Regierung Englands war genötigt, mit Rücksicht auf das deutsch-amerikanische Verhältnis ihre Fühler nach Washington auszustrecken, um einen Akkord in der Seerüstung anzubahnen, der dann von der Labour-Regierung abgeschlossen wurde. Mit dem Kellogg-Pakt hatten die Vereinigten Staaten, um Staatssekretär v. Schuberts Würdigung zu zitieren, feierlich zum Ausdruck gebracht, ,,daß auch in Europa über den Völkerbund hinaus amerikanische Schiedsrichterinteressen künftig mitsprechen sollten". Daß dabei die mannigfachen Interessenverknüpfungen zwischen Deutschland und den USA und die wechselseitigen Sympathien zugunsten Deutschlands ausschlügen, wurde nicht nur in Deutschland angenommen. Im Bereich der Rüstungsbeschränkungen, der Sicherheitspolitik und der Friedenssicherung steuerte die offizielle Außenpolitik einen zur amerikanischen Politik parallel verlaufenden Kurs, da sie den unbedingten Zusammenhang zwischen der Reparationsregelung und einer Friedenserhaltung notwendigerweise in ihre Strategie des Wiederaufstiegs Deutschlands einbeziehen mußte, bis die für Deutschland erträgliche Lösung der Reparationsfrage, die rüstungspolitische Gleichberechtigung und die Rheinland-Räumung erreicht waren. Garantierende Bindeglieder dieser Parallelisierung waren das ,,gleichlaufende Interesse" (Stresemann) an der Eingliederung Deutschlands in die Weltwirtschaft und die Interdependenz zwischen Schuldner und Gläubiger im privatwirtschaftlichen Sektor, die das deutsch-amerikanische Verhältnis prägten und Inhalt sowie Terminierung der Revisionspolitik vorschrieben. Daß Stresemann gleichzeitig mit der Verbesserung der deutsch-amerikanischen Beziehungen den Berliner Vertrag mit Rußland (1926) abschließen konnte, ohne in Washington eine Verstimmung oder ernsthaften Zweifel an der Westorientierung Deutschlands hervorzurufen, bewies, wie solide die materielle Basis war, auf der die deutsch-amerikanische Kooperation in dieser Phase vonstatten ging.

4. Wirtschaftliche Kooperation und Konkurrenz

Materielle Bindemittel zwischen den USA und Deutschland waren die Investitionen und privaten Anleihen, die nach der erfolgreichen Plazierung von 110 Millionen Dollar der Dawes-Anleihe nach Deutschland gegeben wurden. Krupp, Thyssen, AEG, Siemens, Wintershall, das Kali-Syndikat, die Sächsischen Werke und die Elektrowerke führten den Reigen der Industrieunternehmen an; ihnen folgten Stadtgemeinden wie z. B. Berlin, Köln, München und Bremen. Der Nominalbetrag der einzelnen Anleihe betrug anfangs in der Regel 10 Millionen Dollar. Insgesamt wurden in den Jahren 1924 bis 1930 135 deutsche langfristige Anleihen in Höhe von 1 430 525 000 Dollar in den USA *öffentlich* aufgelegt; sie machten rund zwei Drittel der gesamten langfristigen Auslandsanleihen Deutschlands und 18% des gesamten US-Kapitalexports aus und verteilten sich wie folgt auf die einzelnen Jahre:

	Zahl der Anleihen	Gesamtbetrag $	In den USA begeben $
1924	2	120 000 000	119 000 000
1925	28	233 950 000	208 997 500
1926	39	296 050 000	248 205 000
1927	19	287 225 000	231 068 000
1928	33	284 950 000	249 603 000
1929	7	42 100 000	30 066 000
1930	7	166 250 000	152 092 000
zus.	135	1 430 525 000	1 293 031 500

Die Höhe der kurzfristigen amerikanischen Anleihe betrug:

1924	$ 14 000 000		1928	$ 4 000 000
1925	$ 21 900 000		1929	$ 600 000
1926	$ 26 200 000		1930	$ 17 400 000
1927	$ 71 800 000			

Diese Aufstellung – zu der die statistisch nicht erfaßbaren kurzfristigen Kredite sowie Aktienbeteiligungen udgl. hinzugerechnet werden müßten – dokumentiert eindrücklich die Stärke des amerikanischen Kapitalstroms. Ihre jahresmäßige Aufschlüsselung verdeckt jedoch, daß auch in den scheinbar konstanten Summen der Jahre 1925 bis 1928 eine gewisse Wellenbewegung vorhanden war (beispielsweise ein vorübergehendes Nachlassen der Kredite im Winter 1925/26), bei deren Analyse sich zeigt, daß „eine eindeutige Beziehung zwischen der jeweiligen deutschen Konjunkturlage und dem Verhalten des Auslandskapitals" existierte, „indem dieses Verhalten, im Sinne eines Zustromes oder Abzuges, bzw. bereits Nachlassens zum eigentlichen konjunkturellen Bestimmungsfaktor wurde" (Rolf Lüke). Selbst Resultat wirtschafts- und allgemeinpolitischer Entscheidungen schufen die Anleihen in Wirtschaft und Politik Fakten und Zusammenhänge, ohne deren Berücksichtigung weder das deutsch-amerikanische Verhältnis noch die weltpolitische Entwicklung in der zweiten Hälfte der zwanziger Jahre und am Anfang des folgenden Jahrzehnts verständlich sind.

Aus deutscher Sicht waren die amerikanischen Anleihen insofern problematisch, als sie den Transfer der Reparationszahlungen ermöglichten und damit die erhoffte Revisionsinitiative hinausschoben. Sie enthoben aber zugleich die Reichsregierung der Notwendigkeit, von ihrer defizitären Haushaltspolitik abzugehen (obwohl der Reparationsagent dies nachdrücklich forderte) und durch eine Kontraktions- und Deflationspolitik die Voraussetzungen für den Reparationstransfer künstlich zu schaffen (was – wie die Ära Brüning zeigen sollte – mit schwerwiegenden sozialen Folgen verbunden gewesen wäre). Aus amerikanischer Sicht hatten die Anleihen den Nachteil, daß sie halfen, die deutsche Wirtschaftskonkurrenz zu stärken. Der Kritik einzelner Industriegruppen an der Anleihepraxis der Bankiers fehlte es aber schon allein deshalb an überzeugender Stoßkraft, weil sich hinter ihr allzu deutlich partielle Wünsche verbargen, denen bereits durch den protektionistischen Zolltarif von 1922 insoweit Rechnung getragen war, als die hohen Zollmauern eine Konkurrenz deutscher Firmen auf dem inneramerikanischen Markt wirkungsvoll (wenn auch nicht vollständig) einengten. Hingegen konnten die Bankhäuser, zumal sie mit den großen Korporationen verflochten waren, ihr eigenes Interesse als identisch mit der auf Expansion abzielenden Gesamtwirtschaft deklarieren, indem sie argumentierten:[17] "The only way in which this country can take its rightful place in the world's economic structure is by making available our surplus capital for use in foreign countries deserving of credit. Any foreign loan issued in this country inevitably increases to that extent the purchasing power of the rest of the world from the United States, irrespective of whether that purchasing power is used by the original borrower or is transferred to others."

Selbst in dem besonders nachdrücklich auf Schutz der heimischen Industrie bedachten Commerce Department mußte man zugeben, daß die Regierung nicht alleine mit der Begründung, die Anleihen könnten für die amerikanische Industrie im In- oder Ausland eine wachsende deutsche Konkurrenz erzeugen, offiziell einschreiten dürfe. Dazu wäre eine Sondergesetzgebung notwendig, deren Verfassungsmäßigkeit fraglich sei. Zudem sei ein gesetzliches Vetorecht auch gar nicht erwünscht, da es der Regierung eine nicht tragbare Verantwortung auferlege und sie in Konflikt mit den Interessen des Anlagepublikums bringe. Außerdem sah man im Commerce Department ein, daß von einer gravierenden Wettbewerbsbeeinträchtigung durch Deutschland noch keineswegs die Rede sein konnte und angesichts der hohen Zinslast, die die deutschen Unternehmungen infolge der Kreditaufnahme zu tragen hätten, auch nicht zu erwarten sei. Ferner gelte es zu bedenken – und damit folgte das Commerce Department den allgemeinen Überlegungen der Bankiers –, daß Deutschland eine große Menge Baumwolle, Fleischprodukte, Getreide, Kupfer, Öl usw. aus den USA importiere und dieser zunehmende Handel mit Deutschland unmittelbar oder mittelbar der amerikanischen Landwirtschaft und Industrie zugute komme. Und schließlich müßten auch noch umfassendere Gesichtspunkte im Auge behalten werden, so etwa die Frage, ob das amerikanische Kapital nicht Deutschland industriell wieder auf seine Füße helfen müsse, um Europa zu stabilisieren und in die Lage zu versetzen, die Kriegsanleihen an Amerika zurückzuzahlen, sowie um in Deutschland den Sieg des Kommunismus zu verhindern.

Diese Kombination aus politischen, wirtschaftlichen und finanziellen Erwägungen sprach gegen die Ergreifung drastischer Maßnahmen. Das hieß jedoch nicht, daß man sich im Commerce Department tatenlos den Hilferufen der Industrie verschloß. Dr. Julius Klein, der einflußreiche Direktor des Bureau of Foreign and Domestic Commerce, war sichtlich beeindruckt von dem Hinweis, daß "the new German loans are frankly intended to develop foreign trade in competition against American firms in markets which this Department has done so much to open", und regte eine Pressekampagne an, um durch die öffentliche Meinung einen Druck auf die Emissionsbanken auszuüben.[18] Kleins und Hoovers Ideal war eine freiwillige Kooperation zwischen Bankiers und Industriellen, um die direkte Nutzung der amerikanischen Kredite für die amerikanische Exportindustrie (eventuell mit Hilfe eines Systems, das bestimmte Anleihen für US-Aufträge „earmarken" sollte) zu sichern. Da dieser inoffizielle Appell nicht die gewünschten Erfolge zeitigte, eine generelle Regierungseinmischung aus den genannten Gründen weder in Frage kam noch erwünscht war, blieb nur ein Mittelweg offen, nämlich durch die Mobilisierung der Öffentlichkeit und durch partielle Maßnahmen modifizierend zu wirken.

So verhängte die amerikanische Regierung 1925 gegenüber den deutschen Kali-Syndikat einen Anleihestopp; und gegenüber der Eisen- und Stahlindustrie operierte sie 1926/27 mit zollpolitischen Sanktionen. In beiden Fällen wurde jedoch nach diesem Intermezzo ein Ausgleich gefunden.

4.1 Kooperative Verständigungsversuche

Zur gleichen Zeit, als zwischen den Regierungen eine Verständigung gefunden wurde, setzte sich in der amerikanischen Eisen- und Stahlindustrie selbst zunehmend die Einsicht durch, daß eine Kooperation mit den europäischen Konkurrenten profitabler sein könnte als ein kompromißloser, preisdrückender Wettbewerb. Das erste Abkommen mit der Internationalen Rohstahlgemeinschaft wurde in der ersten Hälfte des Jahres 1928 geschlossen; es brachte eine Verständigung über den Absatz von Eisenröhren für Ölgesellschaften auf der ganzen Welt. Auch dem Schienenkartell (International Rail Manufacturers Association) und dem Kupferkartell traten die USA bei. Bis zur Weltwirtschaftskrise spiegelten diese Beispiele die Verständigung zwischen der deutschen bzw. europäischen und der amerikanischen Industrie eine allgemeine Tendenz wider; an die Stelle von „competition-in-separate-action" trat in wichtigen Bereichen „competition-through-cooperation".[19]

Sogar in der chemischen Industrie wich allmählich die fast hysterische Furcht vor der Wiederherstellung der deutschen Dominanz, obwohl sie nie völlig eliminiert werden konnte. Trotz des Widerstands einzelner Chemiekonzerne wurde bereits 1927 ein Abkommen zwischen Standard Oil New Jersey, die in Deutschland durch die Deutsch-Amerikanische Petroleum AG seit 1890 vertreten war, und der IG Farbenindustrie geschlossen, das insbesondere die Nutzung des Patents für Kohleverflüssigung zum Inhalt hatte; und diese Zusammenarbeit wurde erweitert durch die Gründung der Standard Oil IG Company im Jahre 1929, deren Leitung in amerikanischen Händen lag (im Aufsichtsrat standen zwei Deutsche acht Amerikanern gegenüber), um das Ressentiment gegen eine deutsche Vorherrschaft von vornherein zu zerstreuen. Im selben Jahr erfolgte die Gründung der American IG Chemical Corporation durch einen Vertrag zwischen der IG Farbenindustrie, der Standard Oil New Jersey und Ford; die IG Farbenindustrie faßte damit direkt in den USA Fuß, und zwar errichtete sie in Muscle Shoals, Alabama, ein großes Werk zur Gewinnung von Nitrogen nach dem Haber-Bosch-Verfahren (Jahreskapazität: 25 000 t). Es wirkte wie eine Sensation, daß die amerikanische Regierung (an deren Spitze ja inzwischen Hoover stand) unbeirrt von dem Protest heimischer Chemieunternehmen, die die Anwendung der Anti-Trust-Gesetze verlangten, dies wohlwollend förderte. Washington nahm die damit verbundene Konkurrenzzunahme in Kauf, da die Produktion von Nitrogen in den USA als ein großer Gewinn in militärischer und industrieller Hinsicht gewertet wurde und die Aussicht bestand, mit Hilfe der American IG auch die synthetische Herstellung von Gummi und damit die Unabhängigkeit von dem britischen Monopol zu erlangen.

Das Ausmaß der mit der American IG Chemical Corporation organisierten deutsch-amerikanischen Verflechtung erhellt die Regelung, daß Ford die Beteiligung an der neuen Korporation (Edsel Ford wurde Mitglied des Boards der American IG) durch die Ausgabe neuer Ford-Aktien in Deutschland kompensierte, die von den IG Farben übernommen wurden, und Dr. Carl Bosch von der IG Vorsitzender des Board of Advisers der Ford-Gesellschaft in Deutschland wurde. Mit dem anderen Partner, der Standard Oil Co., die im übrigen die Aktienmehrheit der Petroleum Raffinerie AG vorm. A. Korff in Bremen besaß, hatten die IG Farben zuvor schon eine Verbindung hergestellt; beide Konzerne kontrollierten zusammen mit der Riebeck Montan und der Royal-Dutch-Shell-Gruppe die Deutsche Gasolin AG, die das von den IG Farben produzierte synthetische Benzin und Motalin vertrieb.

Darüber hinaus entwickelten sich in den zwanziger Jahren enge direkte Beziehungen zwischen den IG Farben und dem größten amerikanischen Chemiekonzern. Mit der DuPont Co. wurde ein Gentlemen's Agreement abgeschlossen, durch das eine gegenseitige Vooroption auf neue Herstellungsmethoden und Produkte vereinbart wurde, soweit sie nicht bereits dritten Firmen vertraglich gewährt war. Die Abgabe eines kleinen Aktienpaketes an die amerikanische Korporation untermauerte diese Verbindung. Bayer-Leverkusen und DuPont besaßen gemeinsam die Bayer-Semesan Co., durch die beide Firmen auf dem Gebiet der Samendesinfektionsmittel den amerikanischen Markt beherrschten. Obwohl die Sterling Co. nach dem Kriege das beschlagnahmte Bayer-Eigentum in den USA erworben hatte, gelang es der Firma Bayer, ihre alte Stellung schrittweise zurückzuerobern. Zunächst wurde eine Profitbeteiligung und dann (1926) sogar eine 50%ige Kapitalbeteiligung an der Sterling-Tochtergesellschaft Winthrop Chemical Co. ausgehandelt. 1931 kam es schließlich auf dem wichtigen Sektor der Magnesiumproduktion zu einer Vereinbarung zwischen den IG Farben und der Dow Chemical Co. bzw. der Aluminium Co. of America: Die Magnesiumpatente wurden in die Magnesium Development

Corporation eingebracht und der amerikanische Partner akzeptierte ein Produktionslimit, das ohne die Zustimmung der IG Farben nicht überschritten werden durfte. Etwa zur selben Zeit (1930) gründeten DuPont und die Schering AG als Gemeinschaftsunternehmen die Duco Lack- und Farbenfabrik AG in Berlin. Trotz aller dieser partiellen Verständigungen blieb jedoch die Konkurrenzsituation zwischen den beiden chemischen Industrien bestehen – vor allem im Kampf um die neuen Märkte in Asien, Lateinamerika und Afrika.

Auf anderen Produktionsgebieten erfolgten ähnliche Annäherungen. So erweiterten beispielsweise die Firmen Carl Zeiss und Bausch & Lomb Optical Co. im Jahre 1925 ihr Kooperationsabkommen. 1927/28 schlossen die Firma Krupp und General Electric einen Patentvertrag für die Hartmetallproduktion (Wolfram, Karbid) ab, durch den gleichzeitig die Preisfestsetzung auf dem Heimatmarkt der jeweiligen Firma zugesprochen wurde. Die Internationale Preßluft- und Elektrizitäts GmbH, eine Zweigniederlassung der Chicago Pneumatic Tool Company, vereinbarte mit ihrem Hauptkonkurrenten, der Preßluftwerkzeug- und Maschinenbau AG, eine Verkaufsvereinbarung (die wahrscheinlich durch eine Aktienbeteiligung der amerikanischen Firma materiell verankert war).

Es versteht sich fast von selbst, daß in denjenigen Industriezweigen, in denen schon in den ersten Jahren nach dem Krieg eine enge Kooperation (zum Teil in Anlehnung an Vorkriegsverbindungen) in die Wege geleitet worden war, die Interessenverbindung in der Phase der relativen Stabilisierung weiter fortschritt. Im Sommer 1926 – vorausgegangen war im Dezember 1925 eine US-Anleihe von 6,5 Millionen Dollar – gestaltete die Hamburg-Amerika-Linie ihren Vertrag mit dem Harriman-Konzern um: Die Hapag erwarb drei Schiffe (Resolute, Reliance und Cleveland) und mehr als die Hälfte der Aktien des Harriman-Konzerns, während Harriman im Aufsichtsrat der Hapag verblieb und 10 Millionen Hapag-Aktien übernahm. Harriman ging – nachdem sich das gemeinsame Schiffahrtsunternehmen vor allem als deutscher Erfolg herausgestellt hatte – in der Folgezeit daran, seine industriellen Ambitionen in Rußland in Zusammenarbeit mit der Disconto-Gesellschaft nachdrücklicher zu realisieren (Tchiaturi-Konzession von 1925) und sich in Oberschlesien durch den Erwerb des polnischen Teils der Bergwerksgesellschaft Georg von Giesche's Erben, der in der Silesian American Corporation zusammengefaßt wurde, und durch eine 35%ige Beteiligung an der Berliner Holdinggesellschaft der Oberschlesischen Vereinigten Königs- und Laurahütte AG eine beherrschende Stellung in der schlesischen Montanindustrie zu erobern.

Auch in der Filmindustrie, der Schallplatten- und Grammophonindustrie und in der Schreib- und Registriermaschinenindustrie wurde die Anfang der zwanziger Jahre eingeleitete deutsch-amerikanische Verbindung mit zunehmendem Gewicht der amerikanischen Unternehmen intensiviert. Ein weiteres Beispiel deutsch-amerikanischer Zusammenarbeit war die gemeinsame Gründung der Allgemeinen Transportmittel AG durch die General American Tank Car Corporation und die Linke-Hofmann-Buschwerke AG im Jahre 1929.

Alle diese Arrangements (bei denen allerdings der Partner nicht immer gleichberechtigt behandelt wurde) übertraf schließlich der Ausbau der Interessengemeinschaft in der elektro-technischen Industrie zu einem auch die beiden innerdeutschen Konkurrenten AEG und Siemens umfassenden weltweiten System. Die beiden Kooperationsabkommen zwischen AEG und General Electric sowie zwischen Siemens und Westinghouse, die nach dem Krieg erneuert und ausgeweitet worden waren, bewährten sich; es entstand ein Zustand, der in einer Siemens-Denkschrift von 1931 als „gegenseitige Befruchtung" beschrieben wurde.

Geblieben war jedoch die Konkurrenz zwischen den beiden deutsch-amerikanischen Gruppen; nur in Spezialbereichen (Telefunken, Osram GmbH KG, Klangfilm-GmbH) fand – zunächst ohne direkte Beteiligung des jeweiligen amerikanischen Partners – eine Zusammenarbeit zwischen Siemens und AEG statt. Die Tendenzen für eine allumfassende Verständigung setzten an diesen Verbindungspunkten ein. Im Sommer 1929 verkauften die drei Gesellschafter von Osram (Siemens, AEG und Koppel) je 16²/₃ ihres Anteils an die International General Electric Company, die folglich ¹/₆ des Kapitals (ab 1933 sogar ¹/₅) der führenden Glühlampen-Firma

besaß. Gleichzeitig wurde die Produktion von Glühbirnen in Südamerika vertraglich zwischen GE und Osram aufgeteilt, indem
Argentinien für Osram und Brasilien für GE reserviert und für alle
übrigen südamerikanischen Länder eine 50%ige Beteiligung vereinbart wurde. Der nächste Schritt erfolgte 1930, indem General
Electric durch die Vermittlung von Dillon Read den größten Teil
der Participating Debentures (nämlich 10 Millionen Dollar) des
Hauses Siemens übernahm und gleichzeitig seine Aktienbeteiligung
bei der AEG auf 25% des Kapitals erhöhte.

Durch diese Transaktionen war die General Electric Co. ihrem
Ziel, in allen verwandten Unternehmungen des Auslandes eine
25%ige Beteiligung zu erobern, um so – wie Owen D. Young
Botschafter v. Prittwitz erläuterte – ,,wenigstens auf dem Gebiet
der Elektrotechnik eine internationale Verständigung und Rationalisierung" zur Ausschaltung einer unrentablen Konkurrenz einzuleiten, ein gutes Stück näher gekommen. Mit der Erweiterung der
deutsch-amerikanischen Liaison war die Voraussetzung geschaffen
für das International Notification and Compensation Agreement
(Inaca-Abkommen) von 1931, das gemeinsam von GE, Westinghouse, AEG, Siemens und fünf weiteren Starkstrom-Elektro-Fir-
men abgeschlossen wurde und bis zum Kriegsbeginn erfolgreich
arbeitete.

Die gleichzeitige Kapitalbeteiligung der General Electric Co. an
der AEG und dem Siemens-Konzern wirkte mittelbar auch besänf-
tigend auf die deutsch-amerikanische Konkurrenz, die Ende der
zwanziger Jahre mit voller Schärfe im Telephongeschäft ausgebro-
chen war.

Die deutsch-amerikanische Zusammenarbeit und Verständigung
in der elektrotechnischen Industrie mit ihren globalen exportoligo-
polistischen Implikationen und Intentionen, die an dieser Stelle nur
skizziert werden konnte, veranschaulicht gemeinsam mit den zuvor
angeführten Beispielen aus anderen Industriezweigen das Ausmaß
der kooperativen Komponenten in den wirtschaftlichen Beziehungen zwischen Deutschland und den USA in der zweiten Hälfte der
zwanziger und den frühen dreißiger Jahren. Sie wurde erheblich
verstärkt durch die Zusammenarbeit im Banksektor, die im Fall der

Deutschen Bank sogar bis zur Kapitalbeteiligung gedieh. Die politische Bedeutung dieses Prozesses liegt auf der Hand und wurde von den zeitgenössischen Politikern und Wirtschaftlern nicht unterschätzt (zumal sie bei der Endregelung der Reparationsfrage plastisch zutage trat!). K. G. Frank hatte sie im Auge, indem er am 25. Februar 1931 an Siemens-Direktor Haller schrieb:[20] Zugunsten Deutschlands wirke, ,,daß in hiesigen geschäftlichen und auch politischen Kreisen immer mehr die Ansicht Platz greift, daß Deutschland doch der logische Partner Amerikas in Europa ist. Es sei hier nicht im einzelnen auf diese Ansicht eingegangen, sondern nur hingewiesen auf die sich immer mehr verstärkenden geschäftlichen und gemeinsamen wirtschaftlichen Interessen der beiden Länder. Wenn man sich die europäischen Nationen eine nach der anderen ansieht, dann kommt man hier ohne weiteres zu der Schlußfolgerung, daß eben das Zusammenarbeiten von Deutschland und den Vereinigten Staaten das Richtige ist.''

Diejenigen deutschen Firmen, die ihrer wirtschaftlichen Potenz nach ebenbürtige Partner waren (wie beispielsweise die elektrotechnische Industrie), hatten eine Zusammenarbeit mit amerikanischen Unternehmen nicht zu fürchten. Anders sah es in denjenigen Branchen aus, in denen für die USA keine kooperative Partnerschaft, sondern eindeutige Vorherrschaft (einschließlich der Tendenz zur Eliminierung der deutschen Konkurrenzunternehmen) zur Debatte stand.

4.2 Die amerikanische Konkurrenz in Deutschland

Die kooperativen Verständigungsversuche vermochten zwar partiell und in einigen Bereichen (die oft oligopolistisch strukturiert waren) das Konkurrenzmoment zu neutralisieren oder zu ,,institutionalisieren''. Aber ,,competition-through-cooperation'' bedeutete eben auch Wettbewerb und in vielen Branchen blieb weiterhin sogar der unvermittelte Wettbewerb zwischen deutschen und amerikanischen Firmen (,,competition-in-separate-action'') vorherrschend. Der Konkurrenzkampf fand nicht nur auf den attraktiven

Märkten unterentwickelter Länder statt, sondern auch auf dem deutschen und insgesamt auf dem europäischen Markt, der in allen Warengruppen nach wie vor der „leading market", der „größte USA-Kunde" war.

Die amerikanische Konkurrenz betrieb die Erschließung des deutschen Marktes auf dreifache Weise (wobei jeweils der Kapitalexport eine bedeutsame Rolle spielte): durch die Etablierung von 1. Verkaufsorganisationen, 2. Agenturen und 3. Zweigwerken. Nach den Erhebungen des Commerce Department ließen 1930 über 1150 amerikanische Firmen ihre Produkte durch ständige Vertretungen in Deutschland vertreiben, und zwar entfielen auf den Handel mit Lebensmitteln (Getreide, Mehl, Konserven, Früchte, Öle, Fette, Tabak etc.) rund 200, Automobilteilen und -zubehör 146, Maschinen und Ausrüstungen 144, Werkzeugmaschinen 128, Eisenwaren und Werkzeugen 70, chemischen und pharmazeutischen Waren 69, Textilien 51, Bauholz 47, Gummiwaren 35, Elektroausrüstungen 36, fertigen Kraftwagen 15. Darüber hinaus hatten nicht weniger als 79 amerikanische Unternehmen in Deutschland selbst Zweigwerke errichtet, nämlich auf dem Sektor der Weiterverarbeitung von landwirtschaftlichen Produkten und Nahrungsmitteln 7, des Kraftfahrzeugbaus 7, der chemischen Industrie 5, der Elektrotechnik 4, der Eisen- und Stahlwarenproduktion 8, des Maschinenwesens 9, der Mineraliengewinnung 7, der Schuh- und Lederindustrie 3, der Textilverarbeitung 6 und in 23 sonstigen Bereichen. Ihr Kapitalwert belief sich 1930 auf 138 927 000 Dollar. Wie die private Kapitalanlage in deutschen Anleihen durch die relative Stabilisierung der politischen und wirtschaftlichen Verhältnisse sowie durch die Aussicht auf eine hohe Rendite in den Jahren 1925 bis 1930 ein gewaltiges Ausmaß erreichte, so war auch für die industrielle Durchdringung des europäischen Kontinents – oftmals kombiniert mit dem weit größeren Engagement des Anleihekapitals – der deutsche Markt zum Zentrum geworden. Das gesamte direkte US-Investment in Deutschland machte 1930 216 514 000 Dollar aus. Deutschlands günstige geographische Lage und die durch den Hamburger Freihafen sich bietenden Vorteile waren für die Errichtung von Verkaufsdependancen ideal. Die Verlegung der Produktion und Endfertigung nach Deutschland erschien aus mehrfachen Gründen als vorteilhaft: Zwar konnte nach der Stabilisierung der deutschen Währung nicht mehr mit einer valutabedingten Exportbegünstigung gerechnet werden (so daß also die Erwägungen der Jahre 1921/22 nunmehr hinfällig waren); aber gleichzeitig war durch den Dawes-Plan die reparationspolitische Unsicherheit wenigstens vorübergehend beseitigt und Deutschland in das westlichkapitalistische System eingeordnet worden. Die vom Unternehmerstandpunkt aus betrachtet günstigen Bedingungen auf dem Arbeitsmarkt und die im Vergleich zu den USA erheblich (ca. 50%) niedrigeren Lohnkosten versprachen in Verbindung mit der Einführung moderner amerikanischer Produktionsmethoden beachtliche Wettbewerbsvorteile. Hinzu kam, daß trotz der Reparationen die deutsche Steuerbelastung weniger groß war als in den europäischen Nachbarländern. Durch die Produktion in Deutschland entfiel die Einfuhrzollbelastung, und schließlich hatte Deutschland mit fast allen Ländern nach und nach Meistbegünstigungsverträge abgeschlossen, u. a. auch mit der Sowjetunion und den osteuropäischen Ländern, auf deren Absatzmärkte nicht wenige der amerikanischen Zweigbetriebe spekulierten.

Einige amerikanische Niederlassungen, deren Gründung z. T. noch in die Zeit vor dem Weltkrieg reichte (wie beispielsweise die Singer Nähmaschinen AG und die Deutsche Harvester Gesellschaft), konnten bei der Nutzung dieser Vorteile auf ihre langjährige Vertrautheit mit den deutschen Verhältnissen zurückgreifen. Für neue Filialbetriebe war nicht selten der Start mit Anfangsverlusten verbunden; sie zogen einen Wechsel auf die Zukunft, die unsicherer war, als ihnen – trotz der Warnungen der amerikanischen Regierung – in der Phase der Scheinblüte und vorübergehenden Stabilisierung erscheinen mochte. Gleichwohl zeigte beispielsweise die Expansion der Yale and Towne Manufacturing Company, wie – ausgehend von einem kleinen Zweigwerk (in Hamburg-Altona) – durch die Einverleibung deutscher Konkurrenzfirmen eine marktbeherrschende Stellung erworben werden konnte.

Wirtschaftlich und politisch am bedeutsamsten waren die Investitionen der amerikanischen Automobilindustrie. Das Netz von

Zweigwerken, das die Automobilindustrie in den Jahren 1925 bis 1930 über Deutschland zog, war imponierend. Den Anfang machte die Firma Ford, die schon 1921/22 Niederlassungspläne in Deutschland verfolgt hatte, 1925 mit der Errichtung ihres Berliner Werkes, dessen Endkapazität auf 100 Wagen pro Tag kalkuliert war und im Jahre 1926 bereits 2846 Wagen produzierte. Später (1929) wurde von Ford das Kölner Werk errichtet. Die General Motors Corporation entschloß sich fast zur selben Zeit wie Ford, zunächst in Hamburg und dann Berlin-Borsigwalde die Montage und Produktion in einem eigenen Werk aufzunehmen; 1926 erreichte die Herstellung in Hamburg 1257 Wagen. Die Firma Chrysler folgte 1927 mit der Errichtung eines Montage- und Zweigwerkes in Berlin. Die Budd Company of Philadelphia gründete ein Karosserie-Werk mit einer Kapazität von 200 Einheiten pro Tag. All diese und ähnliche Investierungen wurden jedoch schließlich übertroffen durch den Ankauf der Adam Opel A. G. in Rüsselsheim durch die General Motors Co. im Frühjahr 1929. Wie sehr General Motors an diesem Werk, das täglich (bei einer Viertagewoche) 130 Wagen produzierte, gelegen war, geht aus der Tatsache hervor, daß die Amerikaner ihr Angebot von 30 Millionen Dollar vom Herbst 1928 noch erhöhten und einen Kaufpreis von 155000000 Mark zahlten. Dr. E. E. Russell, Geschäftsinhaber der Disconto-Gesellschaft, bei der die Adam Opel A. G. mit mehr als 4 Millionen Mark verschuldet war, hatte schon das erste Angebot als phantastisch hoch bewertet, und nicht zuletzt scheint der Rat der Disconto-Gesellschaft den Verkaufsentschluß von Opel beeinflußt zu haben. Diese Transaktion besiegelte die Machtstellung der amerikanischen Autoindustrie in Deutschland. Insgesamt hatte sie durch ihre neun größten Unternehmen bis 1930 die gewaltige Summe von 211500000 Mark investiert!

Daß die deutschen Firmen, die der gleichen Branche angehörten wie die konkurrierenden amerikanischen Zweigfirmen, eine rege Propagandatätigkeit entfalteten, um die amerikanische Expansion unter dem nationalistischen Schlagwort der ,,Überfremdung" zu bekämpfen, ist ebenso verständlich wie der Eifer der politischen Rechten, den partiellen Gruppeninteressen den Mantel des Nationalinteresses umzuhängen – ein Prozeß, der nach der nationalsozialistischen Machtergreifung in handgreiflichen SA-Aktionen gegen Käufer und Importeure amerikanischer Waren gipfelte.

Bis zum Ende der Brüning-Ära beobachteten die amerikanischen Regierungsstellen und Industriellen die zunehmende anti-amerikanische Propagandaflut kontinuierlich, interpretierten sie jedoch als unbedeutende Randerscheinung. H. Lawrence Groves, der neue US-Handelsattaché in Berlin, berichtete 1930/31 beruhigend nach Washington, sowohl der Reichsverband der Deutschen Industrie als auch die Regierung seien gegen diese publizistischen Exzesse, da sie sehr wohl Deutschlands Abhängigkeit vom freien, ungehinderten Zugang zum ausländischen Kapitalmarkt einsähen. Die deutsche Industrie sei zu weitgehend auf den Weltmarkt angewiesen, als daß sie riskieren könne, eine feindselige Haltung oder Vergeltungsmaßnahmen im Ausland zu provozieren. Ernsthafter war die amerikanische Reaktion auf die 1930 erneut einsetzenden Bemühungen, ein Kontingentierungssystem und höhere Zollsätze für Automobilimporte einzuführen. Der Berliner Handelsattaché organisierte einen merklichen Druck der amerikanischen Interessenten auf die deutsche Regierung und schrieb es dieser konzertierten staatlich-privaten Aktion zu, daß die Kontingentierungspläne fallengelassen und die Zollerhöhungen aufgeschoben wurden; die deutsche Regierung zeigte sich – wie Groves bemerkte – "very sensitive on such matters".

Grundsätzlich sah die Reichsregierung – sowohl in der Phase der relativen Stabilisierung als auch in der Wirtschaftskrise – „in der Beteiligung amerikanischen Kapitals an deutschen Unternehmen eine wirtschaftliche Kooperation, die der Wirtschaft beider Länder auf die Dauer förderlich ist".[21] Neben dem wirtschaftspolitischen Aspekt war in den Jahren der Revision des Dawes- bzw. Young-Plans der reparationspolitische Gesichtspunkt von ausschlaggebender Bedeutung für diese positive Einschätzung der amerikanischen Wirtschaftsexpansion in Deutschland. Eine Ausnutzung der Kapitalbeteiligung oder Zweigniederlassung zur Ausschaltung der deutschen Konkurrenten wurde selbstverständlich zu verhindern versucht. Aber man verkannte nicht, daß selbst ein solcher an sich unwillkommener Effekt (wie er etwa bei der Übernahme von Opel gegeben war) durch positive Auswirkungen kompensiert werden konnte: nämlich durch die Steigerung der Exporte, durch die Sicherung und Neuschaffung von Arbeitsplätzen, durch die Devisenzufuhr und generell durch die Stärkung des materiellen Interesses großer, einflußreicher amerikanischer Geschäftskreise am Wohlergehen Deutschlands. Diese Perspektive dominierte in der Strategie der deutschen Außenpolitik von Stresemann bis Brüning. Sie war bestimmend für das amtliche Bemühen, die partiellen Interessenkonflikte, die sich aus dem amerikanischen Engagement ergaben, zu harmonisieren und dabei der amerikanischen Seite weitestgehend entgegenzukommen.

5. Das Ergebnis der Kooperation

Die gesamtpolitische Bedeutung der skizzierten Entwicklung bestand darin, daß die USA die beiden für die Rolle einer dritten Partei konstitutiven Eigenschaften, nämlich Unparteilichkeit und Unabhängigkeit, im Maße ihres materiellen Engagements in Deutschland einbüßten. Für die Intervention in einer eventuellen Krise war dies von nicht zu unterschätzender Bedeutung. Der Schein der Unabhängigkeit konnte nicht darüber hinwegtäuschen, daß die Vereinigten Staaten aufgrund der in den Jahren 1924/28 etablierten deutsch-amerikanischen Interdependenzen weniger denn je den Status einer echten dritten Partei (im Sinne eines neutralen Intermediärs) besaßen. Dieser grundlegende Wandel wurde von den Führungsgruppen in Deutschland, in den westeuropäischen Staaten und auch in den USA korrekt wahrgenommen. Er war umso bedeutsamer, als das Provisorische der Dawes-Plan-Regelung und die zu erwartenden Transferschwierigkeiten des Normaljahres 1928/29 eine neue Reparationskrise nicht ausschlossen. Dieses Bewußtsein veranlaßte die verantwortlichen Repräsentanten der amerikanischen Geschäftswelt und Politik im eigenen amerikanischen Interesse und zur Aufrechterhaltung des bestehenden Währungs- und Anleihesystems präventiv die Revision des Dawes-Plans zu initiieren, solange noch die Kapitalressourcen für eine amerikanische bestimmende Einflußnahme verfügbar waren. Die entscheidende Anregung für die Revisionseinleitung *vor* dem Auftreten von Transferschwierigkeiten und ihren Folgen für die Währungsstabilität stammte von Benjamin Strong (Governor der Federal Reserve Bank of New York); in einem Brief vom 21. Juli 1927 an einen Mitarbeiter des amerikanischen Reparationsagenten Parker Gilbert[22] und in einem anschließenden persönlichen Gespräch faßte er sein Plädoyer in die Worte: "I would personally feel that the world would be safer and the possibilities of disorders be better avoided if early approach were made to this subject rather than to have it delayed until an atmosphere of doubt had been created and all the difficulties accompanying such conditions were allowed to develop."

Ungeachtet der Tatsache, daß die USA inzwischen materiell an das Schicksal Deutschlands und der Reparationen gebunden waren, wurde der präventive Revisionsversuch formal nach dem intermediären Muster in Szene gesetzt. Mit dem Plan der Mobilisierung der Reparationsbonds markierten die USA einen Brennpunkt, auf den hin Reparationsgläubiger und -schuldner ihre Erwartungen orientieren konnten.

Das amerikanische Ziel war, sieht man von den Nuancen ab, die Reparationen durch ihre schrittweise Umwandlung in private Schulden zu „entpolitisieren". Eine solche „Kommerzialisierung" verlangte (a) die Festsetzung der Endsumme nach Maßgabe der deutschen Leistungsfähigkeit und (b) die Aufhebung des Transferschutzes. Solange die offizielle deutsche Politik noch nicht auf das Maximalziel der Reparationsstreichung festgelegt war, konnte dieses Konzept theoretisch und, falls die Reduktion der Gesamtverpflichtungen groß genug war, auch praktisch noch mit den deutschen Vorstellungen in Übereinstimmung gebracht werden, zumal die Beseitigung der Kontrollorgane des Dawes-Plans und eine konservative Einschätzung der deutschen Übertragungsmöglichkeiten im Interesse der Mobilisierung der Reparationsbonds nahezuliegen schien. Unter diesem Aspekt erfolgte 1928 die deutsche Zustimmung zur Aufrollung der Reparationsfrage, die in den *USA* (nicht in Deutschland) initiiert wurde. Wenn eine relativ niedrige Summe ausgehandelt, ein günstiger Rediskontsatz vereinbart und weitere politische Zugeständnisse konzediert worden wären, wäre 1928/29 eine Umwandlung der Reparationsschuld in private Schuldverpflichtung von der deutschen Regierung und den sie tragenden politischen Kräften (einschließlich des Reichsbankpräsidenten Schacht) einhellig begrüßt worden. Als Prozedur wurde wiederum die Expertenberatung vereinbart, durch die die USA den größten Einfluß auszuüben vermochten, ohne daß sich die Regierung offiziell beteiligte.

Entgegen dem Rat Parker Gilberts und der Intention der französischen Regierung legten die USA auch jetzt Wert darauf, nicht in einer Einheitsfront mit den ehemaligen Alliierten, sondern unabhängig als ,,mediator" (Edwin E. Wilson, US-Botschaft Paris) zu agieren. Deshalb mußte auch der Versuch Schachts scheitern, die Amerikaner für seine politischen Ziele (Rückgabe des Korridors; Eröffnung kolonialer Betätigungsfelder für Deutschland)[23] einzuspannen. Die amerikanische Expertendelegation, die diesmal auch offiziell von Owen D. Young geleitet wurde, setzte ihren Plan sowohl gegen die deutschen als auch gegen die französischen und englischen Widerstände durch. Die Herabsetzung der Annuitätenhöhe, die Ermäßigung der Gesamtverpflichtung auf rund 40 Milliarden Reichsmark (= Gegenwartswert bei einem Rediskontsatz von 5%), die Errichtung der Bank für internationalen Zahlungsausgleich, die Beseitigung der unter dem Dawes-Plan errichteten Kontrollen und die vorzeitige Räumung des Rheinlands waren eindeutig, direkt oder indirekt, das Ergebnis der amerikanischen Aktivitäten im Young-Komitee. Per Saldo ging es zugunsten Deutschlands, mochten auch die überspannten Erwartungen der Reichsregierung und der deutschen Sachverständigen nicht erfüllt worden sein, ganz zu schweigen von den Wunschträumen der nationalistischen Rechten.

Durch ein Sonderabkommen mit Deutschland unterstrich die Regierung der Vereinigten Staaten zusätzlich und in aller Form ihre feste Absicht, trotz des offensichtlichen Zusammenhanges zwischen Reparations- und Schuldenzahlungen weiterhin eine unabhängige Position zur Schau zu stellen und die Bildung einer europäischen Koalition aus Reparations- und Kriegsschuldnern unbedingt zu vereiteln. In Wirklichkeit wurden aber die USA durch die führende Beteiligung an der Young-Anleihe und durch parallele Transaktionen privater Art noch stärker als unter dem Dawes-Plan an Deutschland gebunden und von dem Funktionieren des internationalen Kreditsystems abhängig.

Der Young-Plan brachte nur einen kleinen Fortschritt in der anvisierten Richtung einer Entpolitisierung der Reparationszahlungen. Gemessen an dem Anspruch, eine endgültige Lösung zu liefern, war seine Unzulänglichkeit offenkundig, als sich infolge der Kreditverknappung und der beginnenden ökonomischen Rezession herausstellte, daß die Kommerzialisierung der Reparationen und parallel dazu die Diskontierung der alliierten Schulden in naher Zukunft aussichtslos war, also der ursprüngliche "focal point for agreement" entfiel.

Fortan pendelte sich die deutsche Reparationspolitik auf das Maximalziel der Streichung ein und kollidierte mit dem amerikanischen Ziel, durch die Mobilisierung der Bonds den Einfluß amerikanischer Kapitalbesitzer auf die deutsche Industrie zu steigern und die deutsche Wirtschaft nicht gänzlich von den Reparationsabgaben zu entlasten. Daß die deutsche Außenpolitik trotz dieser Zieldivergenz die amerikanische Regierung schon zwei Jahre nach Inkrafttreten des Young-Plans auf einen Revisionskurs zwingen konnte, war die Folge der immensen privatkapitalistischen Investitionen der USA in Deutschland. Die Vereinigten Staaten waren – wie Außenminister Stimson dem Präsidenten klarmachte – an das deutsche Schicksal gebunden ("we are tied up with Germany's situation"). Diese Interdependenz bedeutete zwar einerseits in der Mittelwahl eine temporäre Einschränkung der deutschen Handlungsfreiheit, da die Abhängigkeit von amerikanischen kurzfristigen Krediten eine frühzeitige Nutzung der Moratoriums- und Revisionsklausel des Young-Plans verbot. Die amerikanische Administration sah sich aber ihrerseits zur Intervention genötigt (Hoover-Moratorium vom 20. Juni 1931), um die privaten Anlagen und das kapitalistische System in Deutschland zu retten. Diese zweite Intervention, die Deutschland objektiv der ,,Tributfreiheit" näherbrachte, erfolgte offener als die erste von 1923/24, aber sie war im Gegensatz zu dieser auf internationaler Ebene nicht sorgfältig vorbereitet, sondern eine ad-hoc-Aktion. Eine positive wirtschaftspolitische Aktion anzubieten und durchzusetzen, waren die USA im Jahre 1931/32 nicht mehr fähig; da ihre ökonomisch begründete Vormachtstellung infolge der Wirtschaftskrise geschwächt war, fehlten ihnen zudem die adäquaten Mittel, um einen neuen stabilisierenden "economic peace", falls er als Pax Americana innovativ hätte entworfen werden können, zu verwirklichen.

Das Hoover-Moratorium konnte nicht mehr unter dem Begriff der Vermittlung subsumiert werden. Nicht eine unabhängige dritte Vermittlerpartei, sondern ein direkt beteiligter, vital engagierter Staat intervenierte und gebrauchte das Recht des Stärkeren, ohne auch nur den größten Reparationsgläubiger (Frankreich) zuvor zu fragen oder genau zu informieren und ohne anfangs den Disput auf eine vermittelnde Ebene von ,,Sachverständigenberatungen" (wie 1924) zu verlagern. Die Reichsregierung und die deutsche Wirtschaft erfreuten sich jetzt des Umstandes, daß der einst formal unabhängige Vermittler im europäischen Konflikt, gezwungen durch seine eigene Interessenlage, nolens volens auf Deutschlands Seite trat.

Die deutsche Außen- und Wirtschaftspolitik hatte eine derartige Wirkung der deutsch-amerikanischen Verflechtung vorausgesehen und deshalb gefördert, war also höchst aktiv und keineswegs nur passiv an der Interessenparallelisierung beteiligt. Rückblickend läßt sich, wenn man das Kriterium der Vermittlungswirkung zugrunde legt, auch erklären, warum Deutschland schon in der ersten Nachkriegsphase bereitwillig auf die amerikanische Linie einschwenkte, während sich Frankreich lange hartnäckig sträubte. Beide Seiten, Frankreich und Deutschland, sahen nämlich, daß eine kapitalistische Lösung der Reparationsfrage, die mit amerikanischen Anleihen operierte, eine militärische Sanktionspolitik ausschloß, Deutschland dem französischen Druck entzog und finanzielle Interessenverbindungen erzeugen würde, die im Konfliktfall u. a. insofern eine politische Relevanz haben würden, als sie Deutschlands Position gegenüber Frankreich stärkten.

Zusammenfassend kann konstatiert werden, daß in der Tat die

deutsch-amerikanischen Beziehungen sich in dem Maße verbesserten, in dem die amerikanische Vermittlung sich in ein materielles, partizipierendes Engagement in Deutschland umsetzte. Anders ausgedrückt: Im Prozeß der amerikanischen Vermittlung zwischen Deutschland und den europäischen Siegermächten (insbesondere Frankreich) rückten die USA immer näher an Deutschland heran, bis die Vermittlungslinie fast parallel zur deutschen Politik verlief.

Die offizielle deutsche Außenpolitik vermied in dieser Periode alles, was diese Linie zugunsten der französischen Politik hätte abbiegen können; sie verstärkte die materiellen Interdependenzen, harmonisierte die Konkurrenzkonflikte und bemühte sich, den amerikanischen Erwartungen prompt zu entsprechen (vgl. die rasche Annahme des Kellogg-Pakt-Vorschlags!). In der Endphase des hier behandelten Zeitraums bewirkte diese Parallelität, daß es zu einer herkömmlichen Reparationskrise mit französischen Sanktionsmöglichkeiten gar nicht mehr kam, sondern daß Deutschland auf der Konferenz von Lausanne (Juni/Juli 1932) seine Reparationsverpflichtungen de facto völlig und de jure bis auf einen kleinen Rest abwerfen konnte, ohne dafür ein Do-ut-des-Geschäft mit Frankreich abschließen zu müssen. Desgleichen wurde Deutschland dank der amerikanischen Einflußnahme die formale rüstungspolitische Gleichberechtigung ohne Gegenleistung zuteil.

6. Erfolg und Scheitern der Politik des friedlichen Wandels

Die deutsch-amerikanische Zusammenarbeit in den zwanziger Jahren war – wie oben im einzelnen nachgewiesen wurde – im ökonomischen und politischen Bereich materiell-interessenmäßig fundiert, und auf dieser Basis übten diejenigen amerikanischen und deutschen Geschäftsleute, die miteinander kooperierten, eine assoziative Verbindungsfunktion aus[24] und unterstützten damit die offizielle Politik. Die Zusammenarbeit beider Länder hatte über das Materielle hinaus zugleich auch eine ideelle Begründung, die an dem Ziel der gemeinsamen Friedenssicherung orientiert war. Unter amerikanischem Einfluß wurde in Europa das französische Konzept der kollektiven Sicherheit schrittweise durch das amerikanische Konzept des friedlichen Wandels (peaceful change) ersetzt.[25] Der Dawes-Plan (1924) und seine politische Ergänzung, der Locarno-Vertrag (1925), sowie schließlich der Kellogg-Briand-Pakt (1928) waren Ergebnis und Ausdruck dieser Entwicklung, die den Frieden festigte. Amerikanische "peaceful change"-Politik und deutsche Revisionspolitik waren zwar nie völlig identisch, näherten sich aber in der Stresemann-Ära an. Indem Stresemann im Kabinett als Richtlinie festlegte, ,,daß als natürliche Ergänzung zum Weltfriedenspakt ein Ausbau der Mittel zum friedlichen Austrag der bestehenden oder in Zukunft auftretenden Gegensätze zwischen den Völkern stattfinden müsse", fand er sich im Einklang mit der amerikanischen Politik des friedlichen Wandels;[26] und die deutsch-amerikanischen Schiedsgerichts- und Vergleichsverträge von 1928 dokumentierten diese Übereinstimmung, auf der letztlich die freundschaftlichen Beziehungen und die Zusammenarbeit zwischen beiden Staaten beruhten.

Der Test auf die Frage, ob die deutsch-amerikanische Kooperation der Errichtung einer dauerhaften revidierten Friedensordnung förderlich war, kam in den ersten Jahren des dritten Jahrzehnts, als gleichzeitig Deutschland seine rüstungspolitischen Forderungen energischer anmeldete und die USA die Abrüstungsdiskussion in der Absicht forcierten, über Abrüstungskonferenzen die Lösung der strittigen europäischen Fragen anzubahnen.

Angesichts des deutsch-französischen Antagonismus war es, vom revisionistischen Standpunkt Deutschlands aus betrachtet, äußerst vorteilhaft, daß die Administration Hoover-Stimson den französischen Versuch, durch finanzielle Hilfen den Status quo für Jahre zu zementieren, als "immoral" verwarf und den "peaceful change of status quo" in allen wichtigen Streitfragen (Reparationen, Rüstung, Korridor- und Kolonialfrage) begünstigte oder gar als notwendige Voraussetzung für eine wirkliche Friedensordnung forderte. Die amerikanischen Erörterungen vor und während des Besuches des französischen Ministerpräsidenten Laval im Oktober 1931 bewiesen, wie weit sich die amerikanische Revisionspolitik mit der deutschen hätte koordinieren lassen. Ungeachtet derjenigen Tendenzen im State Department und in der Hochfinanz, die eher für eine Zusammenarbeit mit Frankreich plädierten, sah jetzt Präsident Hoover angesichts der starren französischen Haltung "nothing in the future than a line-up between Germany, Britain, and ourselves against France".[27] Die USA waren zum wichtigsten Partner der deutschen Revisionspolitik geworden, solange sie sich friedlicher Mittel bediente und eine „schrittweise Revision" verfolgte.

Außenminister Stimson hielt noch 1932 an seiner Intention fest, die deutsche Revisionspolitik und die französische Revisionsgegnerschaft auf dem Boden des gemeinsamen Interesses an der Friedenssicherung und der Stabilisierung der demokratisch-kapitalistischen Ordnung angesichts der Drohungen der sozialen Revolution zu versöhnen. Die Gespräche zwischen Stimson, Brüning, McDonald und Tardieu im April 1932 in Bessinge (in der Nähe von Genf) und die Formulierung des amerikanischen Versprechens, im Falle einer eklatanten Friedensverletzung zur Konsultation und defensiven Kooperation schreiten zu wollen, sind Beweis dieses nicht ganz erfolglosen Bemühens. Der Sturz Brünings (29./30. Mai 1932) verhinderte jedoch, daß die Tragfähigkeit der Bessinger Präliminarien geprüft wurde.

Trotz der prinzipiellen Ausgleichsbereitschaft Brünings (siehe die deutsch-französisch-belgischen Industriellengespräche in Luxemburg, die bezeichnenderweise der neue Reichskanzler sogleich stoppte!) muß bezweifelt werden, daß die Rückgewinnung der deutschen „Großmachtstellung" „um jeden Preis" (Brüning) mit einer Politik des "peaceful change" zu vereinbaren gewesen wäre. Es ist unwahrscheinlich, daß das amerikanische Konzept friedlicher und etappenweiser Revision zur Erreichung dieses Zieles hätte führen können. Wie auch immer das Urteil über Brüning lauten mag, daß diejenigen nationalistischen Kreise, die mit dem Sturz Brünings ihre Macht bewiesen, sich nicht mit denjenigen Revisionsergebnissen, die in Kooperation mit den USA im Rahmen eines friedlichen Wandels vorstellbar sind, zufriedengeben wollten, ist aktenkundig. Die Rückgewinnung der militärischen Machtstellung, also eine die deutsche Wiederaufrüstung gestattende Revision der militärischen Klauseln des Versailler Vertrages, war unmittelbar unter der Maxime friedlicher Änderung nicht denkbar, schon gar nicht mit Hilfe der USA, die mit der Stimson-Doktrin vom Januar 1932 begonnen hatten, "peaceful change" mit Status-quo-Politik zu verbinden.[28]

Mit dem Regierungsantritt von Papens und dessen Herrenreiter- und Militärdiplomatie schwanden die Voraussetzungen für eine gemeinsame deutsch-amerikanische Politik des friedlichen Ausgleichs; die nationalistische Regierung legte auch auf dem rüstungspolitischen Sektor keinen unbedingten Wert mehr auf eine Abstimmung mit den USA. Zwar verhalf die amerikanische Vermittlung dem Übergangskanzler von Schleicher Ende 1932 zu dem Erfolg der prinzipiellen Gleichberechtigung in der Rüstungsfrage, weil Stimson angesichts der japanischen Aggression in der Mandschurei die "preservation of the world's peace machinery" für wichtiger hielt als rüstungspolitische Vereinbarungen und einer japanisch-deutschen Koalition vorbeugen wollte. Aber es war ausgeschlossen, daß eine Politik der Drohungen, der militärischen Aufrüstung und gewaltsamer, einseitiger Revisionen im Verein mit den USA betrieben werden konnte. Der deutsche Botschafter in Washington warnte vergeblich vor den Folgen einer solchen Machtpolitik und sagte eine Distanzierung der USA von Deutschland und die amerikanische Annäherung an Frankreich voraus.

Der Sprengung der politischen Verfassung der Weimarer Republik entsprach der Angriff auf die internationale Rechtsordnung durch das nationalsozialistische Deutschland. Die Beseitigung der demokratischen Bremsfaktoren schuf die Voraussetzung für diese Politik. Und die außenpolitischen Haltesignale, die bei der schrittweisen Revision nicht zuletzt mit Rücksicht auf die finanzielle Abhängigkeit von den USA respektiert worden waren, schienen nicht länger zwingend zu sein, als die Wirtschaftskrise die USA innen- und außenpolitisch schwächte und im internationalen System allseits nationalistische Strömungen verstärkte.

Daß die amerikanische Politik durch ihr Eingreifen in Europa und die Zusammenarbeit mit Deutschland außerhalb des Völkerbunds das Konzept des "peaceful change" an die Stelle der 1919 projektierten kollektiven Sicherheitspolitik gesetzt hatte, erwies sich mithin nur vorübergehend als friedenssichernd. Deutschland war mit Hilfe der USA „wieder eine Großmacht geworden, wenn auch noch eine gehemmte Großmacht" (Erich Koch-Weser). Die deutsch-amerikanische Zusammenarbeit hatte in der zweiten Hälfte der zwanziger Jahre eine friedliche Evolution der internationalen Ordnung begünstigt, aber gleichzeitig, insbesondere durch die Kapitalanleihen für die deutsche Industrie, die ökonomischen Grundbedingungen für die Beseitigung dieser „Hemmnisse" entstehen lassen.

Die Tatsache, daß auch Hitler seine Revisionspolitik als „Friedenspolitik" propagierte, konnte nur notdürftig verhüllen, daß ein Konflikt mit den USA wahrscheinlich war, falls nicht das nationalsozialistische Deutschland die Kosten der Kollision scheute und seinen Kurs korrigierte. Immerhin plädierten auch noch in den dreißiger Jahren großindustrielle Kreise der USA für eine Kooperation mit Deutschland. Indes scheiterten bekanntlich alle Verständigungsversuche, deren Ergebnisse im übrigen wohl kaum das Prädikat einer Friedensordnung verdient hätten, weil sie mit der Auslieferung Mitteleuropas an Deutschland verbunden gewesen wären.

Hans-Jürgen Schröder

Das Dritte Reich und die USA

Die nationalsozialistische Machtergreifung markiert für die Entwicklung der deutsch-amerikanischen Beziehungen einen tiefen Einschnitt.[1] Die Errichtung der Diktatur in Deutschland und die mittels einer beschleunigten Aufrüstung forcierte Revisionspolitik bedeuteten eine grundlegende Herausforderung amerikanischer Ordnungsvorstellungen. Trotz dieser – sich bereits im Verlauf der Weltwirtschaftskrise andeutenden – Auflösung der deutsch-amerikanischen Interessenparallelität blieb Deutschland allerdings auch nach der Machtergreifung Hitlers Kernstück der amerikanischen Europapolitik, nach 1933 allerdings mit umgekehrtem Vorzeichen. Die Führungsspitzen von Wirtschaft und Politik hatten sich in der Weimarer Republik bewußt den amerikanischen Ordnungsvorstellungen unterworfen, und Deutschland wurde damit für die Washingtoner Europapolitik der zentrale Ansatzpunkt für die indirekt-ökonomische Einflußnahme auf die europäische Entwicklung nach dem Ersten Weltkrieg.[2] In den 30er Jahren blieb Deutschland dann insofern zentraler Faktor der amerikanischen Europapolitik, als das Dritte Reich den Status quo in Europa radikal in Frage stellte. Der schnelle Aufbau der deutschen Hegemonialstellung in Europa und vor allem die aggressive Wirtschaftspolitik des Dritten Reiches wurden in Washington überdies zunehmend als unmittelbare Bedrohung amerikanischer Interessen interpretiert. Diese Entwicklung war 1933/34 allerdings noch nicht eindeutig zu erkennen.

1. Die amerikanische Reaktion auf die Machtergreifung Hitlers

Zunächst waren es die innenpolitischen Vorgänge in Deutschland, die in den USA zu überaus heftigen Reaktionen führten. Bereits im

November 1932 hatte Botschafter von Prittwitz unter dem Eindruck des Anwachsens der nationalsozialistischen Bewegung die möglichen Rückwirkungen innenpolitischer Vorgänge in Deutschland auf das deutsch-amerikanische Verhältnis betont.[3] Nach der Machtergreifung zeigte sich dann vor allem die amerikanische Öffentlichkeit von der nationalsozialistischen Zwangspolitik schokkiert. Die nationalsozialistische Judenpolitik, die Aufhebung liberaler Grundfreiheiten, die innenpolitische Gleichschaltung sowie der Terror der SA einschließlich der Mißhandlungen amerikanischer Staatsbürger während der ,,Revolution" führten in der amerikanischen Publizistik zu überaus scharfen Stellungnahmen. Die deutsche Botschaft in Washington ließ die Reichsregierung in ihrer umfangreichen Berichterstattung über diese negativen Reaktionen der amerikanischen Öffentlichkeit keinesfalls im Zweifel. Das Auswärtige Amt hatte aus diesen Berichten den ,,Gesamteindruck" gewonnen, ,,daß die Einstellung der amerikanischen öffentlichen Meinung dem nationalen Regime gegenüber durchweg ungünstig, zum Teil leidenschaftlich ablehnend ist".[4] Daß sich diese gegenüber dem Dritten Reich ablehnende Haltung nicht allein in Kommentaren erschöpfte, zeigt etwa der Versuch, in den USA einen Boykott gegen deutsche Waren zu organisieren. Angesichts dieser Entwicklung mußte es dem Regime besonders ungelegen sein, daß Botschafter von Prittwitz aus Protest gegen die nationalsozialistische Politik von seinem Amt zurücktrat und diesen Schritt auch gegenüber der amerikanischen Öffentlichkeit begründete.

Allerdings wurden die heftigen Reaktionen der amerikanischen Öffentlichkeit und die sich vor allem in amerikanischen Pressekommentaren artikulierende ideologische Frontstellung gegen das nationalsozialistische System für die Regierung Roosevelt zunächst nicht zum Bestandteil ihrer Deutschlandpolitik. Die politischen Führungsspitzen machten aus ihrer Abneigung gegen das nationalsozialistische Regime in internen Debatten zwar keinen Hehl, zumal die Berichte des Generalkonsulats und der Botschaft ein genaues Bild über die innerdeutsche Entwicklung vermittelten. Angesichts der engen ökonomischen Verflechtung der beiden Staaten stellte sich für die Washingtoner Diplomatie zunächst das Problem, zur nationalsozialistischen Regierung "working relations" herzustellen. Offensichtlich wollte es die amerikanische Diplomatie vermeiden, die Möglichkeiten zur Wahrnehmung amerikanischer Interessen durch eine ideologische Frontstellung negativ zu präjudizieren. Es lag auf der Linie der pragmatischen Politik Roosevelts, wenn er bald nach seiner Amtsübernahme die von seinen Amtsvorgängern aus ideologischen Gründen verweigerte Anerkennung der Sowjetunion einleitete, offenbar in der Hoffnung auf eine Belebung amerikanischer Exporte in die Sowjetunion.

Angesichts der Tatsache, daß die Vereinigten Staaten von der Weltwirtschaftskrise am stärksten betroffen waren, kann es nicht überraschen, daß wirtschaftliche Fragen für Roosevelt nach seiner Wahl zunächst im Mittelpunkt auch seiner außenpolitischen Überlegungen standen. Zwar hatte der neue Präsident in seiner Antrittsrede betont, daß die Wirtschaftskrise primär mit nationalen Maßnahmen zu bekämpfen sei, zugleich aber auch der Außenwirtschaft in seiner Krisentherapie eine wichtige Funktion zugeordnet. Vor allem sein Engagement bei der Vorbereitung der Londoner Weltwirtschaftskonferenz demonstriert, daß Roosevelt ungeachtet der Priorität nationaler Maßnahmen die Strategie zur Überwindung der weltweiten Depression vor allem mit den europäischen Staaten zu synchronisieren wünschte. Die Bedeutung Deutschlands als einer der führenden Industriestaaten sowie die enge deutsch-amerikanische wirtschaftliche und politische Kooperation der 20er Jahre legten es nahe, die Möglichkeiten einer wirtschaftspolitischen Zusammenarbeit auch mit dem nationalsozialistischen Deutschland zu erkunden. Die aus innen- und außenpolitischen Gründen vom nationalsozialistischen Regime zunächst verfolgte vorsichtige Politik gegenüber den USA schien überdies Ansätze für eine solche wirtschaftliche Kooperation zu bieten.

2. Die vorsichtige Amerikapolitik nach der Machtergreifung

Präsident Roosevelt drängte nach seiner Amtsübernahme im März 1933 auf einen schnellen Beginn der auf der Lausanner Konferenz

1932 beschlossenen und vom Völkerbund für 1933 nach London einberufenen Weltwirtschaftskonferenz. Das zwang die Reichsregierung, die schon Anfang März zur Vorbereitung der Konferenz mit Washington in Fühlung getreten war, ihre Wünsche insbesondere auch hinsichtlich des Konferenzbeginns zu präzisieren, ein Problem, das Reichsbankpräsident Schacht unter richtiger Einschätzung des persönlichen Engagements des amerikanischen Präsidenten als eine ,,hochpolitische Frage" wertete.[5] Ungeachtet der Widerstände von Reichswirtschaftsminister Hugenberg hatte Hitler bereits in seiner Reichstagsrede vom 23. März den Plan einer Weltwirtschaftskonferenz grundsätzlich begrüßt, sich mit ihrem baldigen Zusammentritt einverstanden erklärt und die Bereitschaft der Reichsregierung unterstrichen, an der Konferenz ,,mitzuarbeiten, um endlich positive Ergebnisse zu erlangen".[6] Hans Luther, der neue deutsche Botschafter in Washington, teilte der amerikanischen Regierung in der zweiten Aprilhälfte offiziell mit, daß die deutsche Regierung an einem frühen Beginn der Konferenz (,,je eher desto besser") interessiert sei.[7] Der neue Botschafter hatte bei Außenminister Hull überdies den Eindruck hinterlassen, daß mit einer konstruktiven deutschen Mitarbeit auf der Konferenz zu rechnen sei. Ansätze zu einer solchen Kooperation ergaben sich für Hitler etwa in einer Verständigung der ,,maßgebenden Industrie-Nationen" über eine Exportbegrenzung von Produktionsmitteln. Werde die Ausfuhr von Produktionsmitteln ,,ins Uferlose fortgesetzt, so höre die Lebensvoraussetzung für die europäische Industrie einfach auf".[8]

Bei der Formulierung der deutschen Verhandlungsposition traten rein wirtschaftliche Erwägungen allerdings hinter außenpolitischen Rücksichtnahmen zurück. Namentlich in der Wilhelmstraße wurde die Londoner Konferenz im Kontext der gesamten außenpolitischen Konstellation des nationalsozialistischen Regimes gesehen und insbesondere als wichtiger Faktor für die Entwicklung der deutsch-amerikanischen Beziehungen interpretiert. Der von Hugenberg zur schnellen Realisierung rein autonomer wirtschaftspolitischer Maßnahmen empfohlene Obstruktionskurs erfüllte daher das Auswärtige Amt ,,aus politischen Gründen" mit ,,lebhafter Besorgnis", und es wurde eindringlich davor gewarnt, mit einer solch negativen Haltung auf die Konferenz zu gehen. Schließlich sei die Teilnahme an der Weltwirtschaftskonferenz für die Regierung Hitler „gewissermaßen ihre erste Visitenkarte bei den übrigen Regierungen". Diese erste „Visite" dürfe aber, wenn „das internationale Standing, die Vertrauenswürdigkeit und Verhandlungsfähigkeit dieser Regierung nicht von Anfang an einen verhängnisvollen und nicht wieder gut zu machenden Stoß erleiden soll, nicht den Eindruck zurücklassen, daß diese Regierung mit nicht ernsthaften Vorschlägen taktische Manöver macht".[9]

Wie sehr die Reichsregierung bemüht war, insbesondere zur amerikanischen Regierung keinen Gegensatz aufkommen zu lassen, demonstriert auch die gegen den Widerstand des Reichswirtschaftsministeriums durchgesetzte Zustimmung Berlins zu dem von Washington angeregten Zollwaffenstillstand. Neben der sachlichen Seite sei auch hier die „taktisch-politische" Komponente zu berücksichtigen, argumentierte Außenminister Neurath. So würde im Falle der Ablehnung auf die deutsche Regierung das „Odium" fallen, die Weltwirtschaftskonferenz von Anfang an „sabotiert" zu haben. Hinzu komme, daß angesichts des amerikanischen Engagements die Regierung in Washington und Roosevelt selber ein glattes „Nein" von deutscher Seite „auch ganz besonders auf sich beziehen" müßten. Es sei aber gerade auch im Interesse Berlins, durch seine Zustimmung dem Programm des amerikanischen Präsidenten „mit zur Geltung zu verhelfen". Aufgrund seiner außenpolitischen Lage könne es sich Deutschland einfach nicht leisten, als einziges Land den Vorschlag abzulehnen. Mit der am 12. Mai vom Kabinett beschlossenen Zustimmung zum Zollwaffenstillstand wollte die Reichsregierung „insbesondere gegenüber dem Präsidenten Roosevelt" einen „erneuten Beweis" der Kooperationsbereitschaft erbringen, was dann in Washington auch einen „guten Eindruck" machte, wie Reichsbankpräsident Schacht nach seiner Rückkehr aus den USA berichtete.[10]

Schacht war in der ersten Maihälfte als Vertreter der Reichsregierung zu bilateralen Besprechungen mit der amerikanischen Regierung, zu denen Roosevelt im Hinblick auf die bevorstehende Weltwirtschaftskonferenz zahlreiche Regierungschefs – darunter auch

Hitler – eingeladen hatte, in die USA gereist. Abrüstungsfragen, das deutsch-amerikanische Handelsvolumen, die nationalsozialistische Judenpolitik, die ökonomische Situation in den USA und die Schuldenfrage bildeten die Hauptthemen der deutsch-amerikanischen Gespräche. Damit waren im wesentlichen die Probleme genannt, die seit Mitte der 30er Jahre die deutsch-amerikanischen Beziehungen zunehmend belasten sollten. Zwar ließ Roosevelt schon in seinem ersten Gespräch keinen Zweifel daran, daß er allein in der deutschen Haltung ein Hindernis für Abrüstungsvereinbarungen sehe, doch läßt sich aus den bilateralen Gesprächen der ,,fundamentale Gegensatz zwischen der Ideologie des neuen deutschen Regimes und den Idealen der Vereinigten Staaten" noch keineswegs ableiten.[11] Im Gegenteil: zunächst fallen die positiven Äußerungen Roosevelts über den neuen deutschen Reichskanzler auf. Gerade wenn es auf die schnelle Realisierung von Regierungsmaßnahmen ankomme, so betonte der Präsident gegenüber Schacht, gebe es nicht überall so ,,handlungsfähige Faktoren" wie sie ,,Mussolini, Hitler und Roosevelt darstellen".[12]

Die sachliche Atmosphäre der ersten Gespräche Schachts mit Roosevelt und Vertretern des State Department darf freilich nicht darüber hinwegtäuschen, daß die Washingtoner Regierung entschlossen war, auf die Verletzung amerikanischer Interessen energisch zu reagieren. Das wurde deutlich, als Schacht in einer – von der amerikanischen Verhandlungsführung fraglos begünstigten – Fehleinschätzung der Washingtoner Position in der Schuldenfrage Berlin die schnelle Verkündung des von der Reichsregierung schon vor seiner Reise prinzipiell beschlossenen Transfermoratoriums empfahl. Präsident Roosevelt zeigte sich "profoundly shocked", die ,,Stimmung" war ,,total umgeschlagen".[13] Im Interesse der von ihr gegenüber den USA verfolgten Politik der Konfliktvermeidung sah sich die Reichsregierung genötigt, das Transfermoratorium zunächst ganz zurückzustellen und erst zu einem späteren Termin modifiziert in Kraft zu setzen (1. 7. 33). Unter dieser Voraussetzung konnte Schacht seine Gespräche fortsetzen, denn namentlich Hull war daran interessiert, die deutsche Zustimmung zum Zollwaffenstillstand nicht zu gefährden.

Nicht zuletzt die schroffe Reaktion Roosevelts und Hulls in der Schuldenfrage mochte Hitler, der ebenso wie Schacht das Schuldenproblem auch als außenpolitisches Instrument einzusetzen wünschte, dazu bestimmt haben, in seiner sogenannten Friedensrede vom 17. Mai die Rooseveltsche Initiative in der Abrüstungsfrage überaus positiv zu bewerten. Hitler ging sogar so weit, die von Roosevelt angedeutete Möglichkeit zu ,,begrüßen, die Vereinigten Staaten als Friedensgaranten in die europäischen Verhältnisse einzubeziehen". Der Vorschlag des amerikanischen Präsidenten zu einer Rüstungsbeschränkung verpflichte die deutsche Regierung zu ,,warmem Danke", denn auch sie sei der Auffassung, ,,daß ohne die Lösung der Abrüstungsfrage auf die Dauer kein wirtschaftlicher Wiederaufbau denkbar ist". Berlin sei bereit, sich an ,,diesem Werke der Inordnungbringung der politischen und wirtschaftlichen Verhältnisse der Welt" uneigennützig zu beteiligen.[14] Die in den Monaten vor der Londoner Konferenz gegenüber Washington verfolgte Politik konnte dann während der Konferenz (trotz der von Hugenberg gegen den Willen der deutschen Delegation veröffentlichten Forderung nach Autarkie und Lebensraum im Osten) um so leichter durchgehalten werden, als konkrete Ergebnisse nicht zu erwarten waren und die Differenzen der USA mit England und Frankreich in der Währungsfrage dominierten. Nach Auffassung des Völkischen Beobachters wurde die Konferenz sogar ganz von ,,den starken Gegensätzen zwischen England und Amerika beherrscht". Die Zeitung stellte sich dabei eindeutig auf die amerikanische Seite, wenn sie schrieb: ,,Vernünftig hat außer Deutschland, das sich sehr zurückgehalten hat, nur Amerika gehandelt", doch ,,Amerikas richtige Taktik scheint zu scheitern". Dies sei ein Zeichen dafür, ,,daß die Art, wie Frankreich und England der Weltwirtschaftskrise beikommen wollen, falsch ist". ,,Vielleicht ergibt sich", spekulierte der Völkische Beobachter, ,,daß Deutschland seine Wirtschaft am besten im Einklang mit dem Staate aufbauen kann, der ähnliche wirtschaftspolitische Methoden verfolgt. Und das ist Amerika".[15] Auch die deutsche Botschaft in Washington knüpfte an den Verlauf der Londoner Verhandlungen die Hoffnung auf eine deutsch-amerikanische wirtschaftliche Zusammenarbeit.

Es sei durchaus damit zu rechnen, daß die Vereinigten Staaten aus der Besorgnis einer wirtschaftlichen Isolierung gegenüber Westmächten ihre wirtschaftliche Aktivität gegenüber Deutschland verstärken möchten. Außenminister Neurath verwies in einer Rundfunkansprache an das amerikanische Volk sogar auf die Ähnlichkeit der in Deutschland und den USA zu lösenden ökonomischen Probleme und folgerte, daß auch ,,wahrscheinlich die Heilmittel gleich sein müssen".[16]

Diese hier von deutscher Seite unterstellte Kongruenz der deutschen und amerikanischen Wirtschaftsinteressen schien in der Erklärung Roosevelts vom 3. Juli ihre Bestätigung zu finden, als der Präsident in seiner sogenannten "bombshell message" die Stabilisierung des Dollars mit dem Hinweis auf die Priorität nationaler Wirtschaftsmaßnahmen ablehnte. Damit war das Schicksal der Konferenz besiegelt.

Nach dieser einseitigen Erklärung des amerikanischen Präsidenten, der die Hullschen Pläne zur Liberalisierung des Welthandels zunächst scheitern ließ, wurde auf die amerikanische Delegation außerordentlicher Druck ausgeübt, um die Vereinigten Staaten in der Stabilisierungsfrage zu Konzessionen zu bewegen. Eine Verständigung wäre auf der Konferenz jetzt aber nur noch durch Zugeständnisse seitens der europäischen, namentlich der französischen und britischen Regierungen möglich gewesen, denn Roosevelt hielt an seiner Entscheidung fest. Zwar sah er keinen Widerspruch zwischen seinem New Deal und einer internationalen Kooperation zur Wiedererlangung der Prosperität in der ganzen Welt, doch wünschte er die ersten Ansätze eines wirtschaftlichen Aufschwungs in den USA nicht zu gefährden. Hitler war schon vor der Konferenz der Meinung gewesen, daß das Londoner Treffen ergebnislos verlaufen würde, da die einzelnen Staaten vornehmlich damit beschäftigt seien, ihre ,,nationalen Volkswirtschaften in Ordnung zu bringen und ihren Autarkiebestrebungen Fortgang zu geben".[17] Die deutsche Delegation enthielt sich jedoch bewußt ,,jeder Einmischung in die grundsätzliche Haltung der Amerikaner", wie Schacht betonte.[18]

Nach dem Scheitern der Konferenz wünschte sich Schacht im

Völkischen Beobachter zwar „Nie wieder Gequassel", doch richtete sich dieser negative Kommentar nicht gegen die amerikanische Regierung. Er sei dem amerikanischen Präsidenten für seine Absage an die Konferenz ausgesprochen „dankbar", fügte er hinzu, denn Roosevelt habe grundsätzlich „denselben Gedanken, den Hitler und Mussolini zur Tat gemacht" hätten: „Nehmt euer Wirtschaftsschicksal selbst in die Hand und ihr helft nicht nur euch, sondern der ganzen Welt".[19] Das Propagandaministerium gab an die Presse, die schon die Washingtoner Vorbesprechungen mit wohlwollenden Kommentaren begleitet hatte, wiederholt die Parole aus, „vor allen Dingen Angriffe gegen Amerika" zu vermeiden: „Mit aller Eindringlichkeit bittet die Regierung, bei den Kommentaren anläßlich der Vertagung oder des Abbruchs der Konferenz dringend, Angriffe gegen die Regierung der Vereinigten Staaten und den Präsidenten Roosevelt dringend zu unterlassen".[20]

Unter strikter Befolgung dieser Richtlinien wurde das Scheitern der Konferenz nicht der amerikanischen Regierung angelastet, sondern als natürliche Konsequenz der von den einzelnen Staaten vorrangig zu lösenden innenpolitischen Probleme gedeutet. Diese vorsichtige Amerikapolitik des Jahres 1933 fügte sich in die auf eine außenpolitische „Abschirmung der inneren Machtentfaltung von 1933/34" (Bracher) abgestellte Strategie organisch ein. Daher wird man die USA im Berliner außenpolitischen Kalkül nach der nationalsozialistischen Machtergreifung keineswegs als „quantité négligeable" einstufen können.[21] Hinzu kommt, daß eine konstruktive Politik gegenüber der neuen Regierung in Washington ein wichtiges Propagandainstrument zur innenpolitischen Legitimierung der nationalsozialistischen „Revolution" bot. Kommentare der gelenkten Presse machen dies deutlich.

Die mit Hitlers Machtergreifung eingeleiteten innenpolitischen Zwangsmaßnahmen hatten in der amerikanischen Publizistik überaus scharfe Stellungnahmen gegen das nationalsozialistische Regime hervorgerufen. Diese negativen Kommentare beantwortete die nationalsozialistische Publizistik allerdings nicht ihrerseits mit einer allgemeinen Verurteilung der amerikanischen Verhältnisse, vielmehr zeigte sie sich bemüht, die amerikanische Kritik durch „Aufklärung" abzufangen und der „Entfremdung" im Bereich der öffentlichen Meinung entgegenzuwirken.[22]

Es lag ganz auf der Linie der hier am Beispiel der Weltwirtschaftskonferenz aufgezeigten vorsichtigen Politik gegenüber den USA, wenn sich bis Anfang 1936 in der Presse und in den Wochenschauberichten überwiegend positive Kommentare über den New Deal und insbesondere über Roosevelt selbst finden. Das wirtschaftspolitische Vorgehen des amerikanischen Präsidenten stand im Mittelpunkt der Überlegungen. Unter Hinweis auf die Vollmachten, die der Kongreß Roosevelt in den ersten Monaten seiner Amtszeit erteilte, wurde die starke Position des neuen Präsidenten herausgestrichen. Unter der Überschrift „Roosevelts diktatorische Gesundungsmaßnahmen" kommentierte der Völkische Beobachter die New Deal-Gesetzgebung. Nach dem Zusammenbruch der „Periode der Prosperity, des hemmungslosen Spekulationstaumels", hätten die ökonomischen Ereignisse in den Vereinigten Staaten eine Entwicklung genommen, die „niemand für möglich gehalten hätte". Mit dem vorausgegangenen „Zusammenbruch von nie gekanntem Ausmaß" sei vom neuen Präsidenten jetzt eine „Riesenaufgabe" zu bewältigen. Zunächst habe Roosevelt „diktatorische Vollmachten" zur Überwindung der Krise gefordert. „Und Wunder über Wunder, Senat und Parlament erteilten ohne Widerspruch Blankovollmachten. Die Volksvertretung des demokratischsten aller Länder ließ sich gern ausschalten und überließ dem neuen Präsidenten die Verantwortung und gab ihm volle Handlungsfreiheit." Damit habe sich auch im „demokratischen Amerika", so betonte der Völkische Beobachter, das „Führerprinzip" durchgesetzt. Darüber hinaus schien es Roosevelt zu verstehen, sich zumindest zeitweise der parlamentarischen Kontrolle zu entziehen und schon während der ersten längeren Sitzungspause des Kongresses vom Juni 1933 bis zum Januar 1934 „praktisch Diktator der amerikanischen Wirtschaft" zu sein.[23]

Auffallend sind bei der Kommentierung der Rooseveltschen Politik insbesondere die häufigen Vergleiche zur deutschen Entwicklung seit der nationalsozialistischen Machtergreifung. Der Völkische Bobachter, der sich im Mai 1933 noch gescheut hatte, bei der

116

Analyse der amerikanischen Innenpolitik offen eine „Parallele zu Deutschland" zu ziehen, ging bereits einen Monat später in einer Rezension des Rooseveltschen Buches "Looking Forward" sogar so weit, bei der Analyse der wirtschaftspolitischen Vorstellungen Roosevelts den Vergleich mit nationalsozialistischen Ideen in den Mittelpunkt zu rücken: „Manche Sätze könnte ein Nationalsozialist geschrieben haben. Jedenfalls kann man annehmen, daß Roosevelt für das Gedankengut des Nationalsozialismus viel Verständnis besitzt". „Roosevelt würde sich wahrscheinlich dagegen wehren", hieß es an anderer Stelle, „ein Nationalsozialist genannt zu werden". Dennoch sei eine „unverkennbare Verwandtschaft mit der nationalsozialistischen Ideenwelt" nicht zu leugnen.[24]

Als der Völkische Beobachter das erste Jahr der Amtszeit Roosevelts resümierte, wurde die „selbst unter der amerikanischen Verfassung unerhörte Machtfülle" des Präsidenten herausgehoben. Sie habe Roosevelt überhaupt erst die Voraussetzung für die zahlreichen wirtschaftspolitischen Maßnahmen geschaffen, „die jede für sich in ihrer inneren Einstellung und in ihrem Ausgangspunkt Ungeheures für die Vereinigten Staaten bedeuteten", nicht nur, weil sie einen „völligen Bruch" mit der „altüberlieferten demokratischen Staatsform darstellten", sondern weil sie vor allem den „Durchbruch einer neuen Staats- und Wirtschaftsgesinnung vorbereiteten". Wenn eine „Volksströmung" Roosevelt zum „Führer" „kürte", dann sei dies aus der klaren Erkenntnis geschehen, daß sich die Verhältnisse in der ganzen Welt „grundlegend" geändert hätten. Die Welt befinde sich nicht nur in einem „erbitterten Ringen um ihre Existenz", sondern sie stecke auch in einer „tiefgreifenden revolutionären Krise auf politischem, ökonomischem, sozialem und kulturellem Gebiet", eine Entwicklung, die auch eine „Umstellung und Änderung der Menschen" bedinge. Aus dieser „inneren Einsicht heraus" habe Roosevelt den Schluß gezogen und mit den „überholten Idolen der vergangenen Hoover-Periode endgültig gebrochen". Wenngleich das Rooseveltsche „Führertum" im Vergleich zu Hitler weniger umfassend gesehen wurde, so hatte der Völkische Beobachter angesichts der dem Präsidenten vom Kongreß gewährten Vollmachten doch den Eindruck gewonnen, daß

Roosevelts Position der eines „Diktators nicht allzu unähnlich" sei. Die „Fiktion der Demokratie" bestehe zwar noch, hieß es in einem anderen Kommentar, aber die „Entwicklung zum autoritären Staat bahnt sich an". Wenn sich das „Führerprinzip" auch in dem „demokratischsten aller Länder" durchsetze, wenn auch in den Vereinigten Staaten der „Anbruch eines neuen Zeitalters" sich ankündige, dann wurde hierin ein Beweis dafür gesehen, daß das „parlamentarische System, die Regierung einer Vielheit ohne Kopf", sich nicht nur in Deutschland, sondern allgemein „überlebt" habe.[25]

Die einseitige Betonung auch in der historischen Analyse erkennbarer Parallelen in der deutschen und amerikanischen Entwicklung nach 1933 sowie insbesondere die Hervorhebung der Rooseveltschen „Führungsaufgabe" und einer vermeintlich antiparlamentarischen Stoßrichtung der Politik des Präsidenten machen deutlich, daß die nationalsozialistische Propaganda die innenpolitische Umwälzung in Deutschland nicht als spezifisch deutsche Entwicklung verstanden wissen wollte. Vielmehr sollte der Eindruck erweckt werden, als handele es sich hier um eine epochale Erscheinung, der sich selbst das demokratische Amerika nicht habe entziehen können. Bei dieser Zielsetzung kann es nicht überraschen, wenn die fundamentalen Unterschiede in der Politik Hitlers und Roosevelts bis Mitte der 30er Jahre nicht zur Debatte gestellt wurden. Gerade in der Phase der innenpolitischen Konsolidierung mußte die einseitige Betonung autoritärer Züge in der Rooseveltschen Politik für das nationalsozialistische Regime insbesondere deshalb von großer politischer Bedeutung sein, weil sich hier die Möglichkeit zu einer geschickten propagandistischen Legitimierung der innenpolitischen Zwangsmaßnahmen seit der Machtergreifung ergab. Auch deshalb wurde die vorsichtige Amerikapolitik in den ersten Jahren nach 1933 so konsequent verfolgt. Sie lag ebenso im Interesse der an die Weimarer Revisionspolitik anknüpfenden traditionellen Führungsschichten, wie sie den Notwendigkeiten einer spezifisch nationalsozialistischen, auf die Realisierung von Hitlers „Programm" gerichteten Innen- und Außenpolitik entsprach.

3. Der bilaterale Gegensatz in den Handelsbeziehungen

Ungeachtet der in der Anfangsphase des nationalsozialistischen Regimes verfolgten vorsichtigen Politik gegenüber den USA entwickelten sich bereits in den Jahren 1934/35 zwischen Washington und Berlin grundlegende Interessenkonflikte. Diese werden allerdings erst dann deutlich, wenn man die ökonomischen Antriebskräfte sowohl der deutschen als auch der amerikanischen Außenpolitik in die Analyse der Beziehungen voll einbezieht. Auch wenn man die innenpolitischen Antriebskräfte der deutschen Außenpolitik nach 1933 primär im ideologisch-machtpolitischen Bereich und vor allem in der Hitlerschen Programmatik sieht, wird man die ökonomischen Faktoren nicht ausklammern können. Das gilt besonders für die deutsch-amerikanischen Beziehungen. Schließlich war die wirtschaftliche Durchdringung Deutschlands ein wichtiges Motiv für die Washingtoner Kooperation mit der Weimarer Republik und zugleich das entscheidende Instrument der politischen Einflußnahme.

Hitler selbst hat die Überwindung der depressiven Entwicklung der deutschen Wirtschaft wiederholt zu seinen innenpolitischen Hauptaufgaben erklärt, da er in einer binnenwirtschaftlichen Stabilisierung eine Vorbedingung auch der politischen Stabilisierung des Regimes sah. Erst die Realisierung dieser Nahziele schuf die Voraussetzung auch für die außenpolitische Expansion des Dritten Reiches. Folgerichtig hat der neue Reichskanzler gleich nach der Machtergreifung zur Bekämpfung der Arbeitslosigkeit eine antizyklische Konjunkturpolitik inauguriert, die sich bereits im ersten Jahr im Vergleich zur Entwicklung in den anderen Industriestaaten als überaus erfolgreich erwies. Diese durch das Aufrüstungsprogramm entscheidend beschleunigte interne Expansionspolitik führte schnell zu einem Druck auf die Handelsbilanz, weil die Binnenkonjunktur einmal einen erhöhten Rohstoffbedarf und somit höhere Einfuhren zur Folge hatte. Überdies wurde der Exportdruck der deutschen Industrie insofern gemildert, als sich die Nachfrage auf dem Binnenmarkt wieder vergrößerte. So schloß die deutsche Handelsbilanz, die noch im Jahre 1932 einen Überschuß von über 1 Milliarde Reichsmark aufwies, bereits Ende 1934 mit einem Passivsaldo von 280 Millionen RM ab. Auf dem Hintergrund dieser Entwicklung sind die ständigen Aufrufe der Reichsregierung zur Verstärkung der Exportbemühungen zu sehen: ,,Die Aufrechterhaltung der gegenwärtigen Binnenkonjunktur ist nur möglich", so betonte Hitler etwa im März 1935, ,,wenn es gelingt, den Bedarf an lebensnotwendigen fremden Rohstoffen zu decken." Das sei aber nur dann gewährleistet, wenn die deutsche Ausfuhr auf einer ,,entsprechenden Höhe gehalten" werde. Das Auswärtige Amt erinnerte die Missionen Ende 1937 daran, daß die ,,Ausfuhr für das deutsche Wirtschaftsleben nach wie vor von überragender Bedeutung" sei. Hitler brachte die deutsche Exportabhängigkeit Anfang 1939 auf die dramatische Formel: ,,deutsches Volk lebe, d.h. exportiere, oder stirb".[26]

Im Gegensatz zur deutschen Wirtschaft, für die sich ein Exportzwang hauptsächlich als Voraussetzung für die zur Aufrechterhaltung der Binnenkonjunktur notwendige Rohstoffeinfuhr ergab, stellte sich für die USA primär das Problem, Exportmärkte zur Absorbierung der industriellen und landwirtschaftlichen Überschußprodukte zu erschließen. Mit monotoner Beharrlichkeit haben führende Angehörige der Regierung Roosevelt und der Präsident selbst die enge Verknüpfung von binnenwirtschaftlicher Entwicklung und überseeischer ökonomischer Expansion der amerikanischen Öffentlichkeit geradezu eingehämmert. Dieses Eintreten für eine expansive Außenwirtschaftspolitik macht deutlich, daß die Regierung Roosevelt die ökonomischen Probleme der USA in der Weltwirtschaftskrise nicht in der Isolation zu lösen suchte. Die expansive Außenwirtschaftspolitik der 1920er Jahre wurde nicht nur fortgesetzt, sondern unter dem Eindruck der Depression noch intensiviert. Damit steht auch die Rooseveltsche Politik in der Tradition amerikanischer Außenpolitik seit dem ausgehenden 19. Jahrhundert, deren ökonomische Antriebskräfte die neuere Imperialismusforschung überzeugend herausgearbeitet hat.

Eine Analyse der Rooseveltschen Außenpolitik, die sich nicht auf eine vordergründige, diplomatiegeschichtliche Darstellung beschränkt, sondern auch die binnenwirtschaftliche und innenpolitische Stabilisierungsfunktion der Außenwirtschaft berücksichtigt, wird keinesfalls zu dem Schluß gelangen, Roosevelt habe in den ersten Jahren seiner Amtszeit eine isolationistische Politik betrieben. So ist der von Roosevelt rigoros verfolgte Primat der Innenpolitik auch nicht als Isolationismus zu interpretieren. Übrigens hatte bereits kurz nach dem Scheitern der Londoner Konferenz die deutsche Botschaft in Washington davor gewarnt, Roosevelts Absage an die Weltwirtschaftskonferenz als einen Rückzug auf den nordamerikanischen Kontinent zu interpretieren: Schon wegen der ,,Abhängigkeit eines wesentlichen Teils der amerikanischen Wirtschaft vom Außenhandel" könnten die USA auf eine aktive Außenpolitik kaum verzichten.[27] In diesem Zusammenhang ist besonders auf die mit dem "Reciprocal Trade Agreements Act" vom Juni 1934 inaugurierte Handelsvertragspolitik zu verweisen, die in ihrer Zielsetzung auf eine Liberalisierung des Handels, d. h. auf die weltweite Durchsetzung der 1899/1900 formalisierten Open Door Policy gerichtet war. In dieser Politik der ,,Offenen Tür" erblickten die Führungsspitzen von Wirtschaft und Politik zugleich die Möglichkeit auch der informellen politischen Einflußnahme mittels ökonomischer Durchdringung.

Zur Hullschen Außenhandelskonzeption, die sich nach internen Auseinandersetzungen innerhalb der Roosevelt Administration Mitte 1934 durchgesetzt hatte, stand die bereits von der Regierung Brüning anvisierte und seit 1933 immer konsequenter verfolgte bilaterale Außenhandelspolitik Deutschlands, die in Schachts Neuem Plan vom September 1934 ihren Höhepunkt fand, in diametralem Gegensatz. Während die Washingtoner Handelspolitik darauf abzielte, bilateral vereinbarte Handelserleichterungen durch die Meistbegünstigungsklausel multilateral auszuweiten, wünschte Berlin Aus- und Einfuhren bilateral mit den einzelnen Handelspartnern abzuwickeln. Trade Agreements Act und Neuer Plan, so wird man in der historischen Perspektive feststellen können, waren prinzipielle Weichenstellungen der amerikanischen bzw. deutschen Handels- und Außenpolitik und damit zugleich ein wichtiger Einschnitt für die Entwicklung der deutsch-amerikanischen Beziehungen seit 1934/35. Das beweist vor allem eine Analyse der deutsch-amerikanischen ökonomischen Konfrontationen in Drittländern, läßt sich aber auch an der Verschlechterung der bilateralen Handelsbeziehungen klar ablesen.

Der Wert Deutschlands als Abnehmer amerikanischer Produkte – ein wichtiges Motiv für die Washingtoner Stabilisierungspolitik der 1920er Jahre – war im Verlauf der Weltwirtschaftskrise zunächst noch angewachsen. So nahm Deutschland im Jahre 1933 8,4% der gesamten US-Exporte auf und war damit wie im Jahre 1929 (7,8%) der wichtigste Abnehmer amerikanischer Produkte auf dem europäischen Festland. Der Bedeutung des deutschen Marktes, auf die Außenminister Hull im Mai 1933 ausdrücklich verwiesen hatte, stand seit der Konjunkturbelebung auch das starke Interesse der Reichsregierung an Importen amerikanischer Rohstoffe gegenüber, und so bemühte sich Berlin schon vor der Verabschiedung des "Trade Agreements Act" intensiv um Wirtschaftsverhandlungen mit den Vereinigten Staaten. Eine ,,direkte wirtschaftliche Verständigung" zwischen den USA und Deutschland würde nicht nur einen ,,sehr erheblichen Beitrag zur Lösung des Weltwirtschaftsproblems" leisten können, sie liege auch insofern im unmittelbaren Interesse Washingtons, argumentierte Schacht, als ,,man an malayische Kulis nicht so viel verkaufen kann wie an hochqualifizierte deutsche Fabrikarbeiter".[28] Ziel dieser deutschen Initiativen war neben der Sicherstellung von Rohstoffimporten insbesondere ein Ausgleich der Handelsbilanz, deren Passivität gegenüber den USA (etwa 1 : 2) der Reichsregierung angesichts der Devisensituation nicht mehr tragbar erschien. Letztlich wünschte die Reichsregierung eine Bilateralisierung der deutsch-amerikanischen Handelsbeziehungen zu erreichen und die amerikanische Regierung für das deutsche System von Einfuhrkontingenten und Devisenzuteilungen zu gewinnen. Washington war aber nicht bereit, auf derartige Vorschläge, die der Hullschen Außenwirtschaftskonzeption prinzipiell entgegenstanden, einzugehen und damit auf die im deutsch-amerikanischen Handelsvertrag von 1923 festgelegte Meistbegünstigung zu verzichten. Vor allem die Meinungsverschiedenheiten zwischen Washington und Berlin über die Auslegung der Meistbegünstigung haben dazu beigetragen, daß die Reichsregierung den deutsch-amerikanischen Handelsvertrag im Oktober 1934 zum 14. Oktober 1935 kündigte.

Es sollte sich allerdings als Illusion erweisen, wenn die Reichsregierung glaubte, dadurch handelspolitische Gespräche mit den USA erzwingen zu können, um bei einer Neufassung des Vertrages die Bestimmungen der Meistbegünstigung der ,,veränderten Entwicklung", d. h. aus Berliner Sicht: den deutschen Interessen anpassen zu können. Es lag auf der Linie ihrer vorsichtigen Amerikapolitik, wenn die Reichsregierung, die die Kündigungsnote überaus zurückhaltend formuliert hatte, alles zu vermeiden suchte, was den deutschen Schritt als eine prinzipielle Herausforderung der amerikanischen Handelsvertragspolitik erscheinen ließ. So wurde der Regierung in Washington bedeutet, daß es Berlin ,,politisch erwünscht" sei, wenn bei einer etwaigen Presseverlautbarung Washingtons zur Kündigung deren ,,vorsorglicher Charakter" zum Ausdruck gebracht würde, um auf diese Weise ,,Mißdeutungen" des deutschen Schrittes zu vermeiden.[29] Dennoch war die Reaktion von Regierung und Öffentlichkeit in den USA überaus ungünstig. Namentlich von Außenminister Hull wurde der deutsche Schritt als ,,eine Art Angriffshandlung gegen das gesamte amerikanische Handelsvertragssystem empfunden".[30] Die Warnungen der Botschaft, daß eine Kündigung des Handelsvertrags die Aufnahme von Wirtschaftsverhandlungen eher erschweren als begünstigen werde, wurden durch die Entwicklung der folgenden Jahre voll bestätigt: Die zahlreichen weiteren Versuche Berlins, Washington zu Wirtschaftsgesprächen mit Deutschland zu bewegen, erwiesen sich als erfolglos. Unter richtiger Einschätzung der neuen Washingtoner Handelsvertragspolitik berichtete der im Oktober 1935 in den USA weilende Leiter der Handelspolitischen Abteilung des Auswärtigen Amtes nach Berlin, daß die Zeit gegen Deutschland arbeite und die deutsche Stellung ,,taktisch und praktisch" mit dem Abschluß von weiteren Handelsverträgen durch die amerikanische Regierung mit anderen Staaten immer mehr erschwert werde. Ähnlich beklagte auch der Industrielle von Schnitzler, daß sich die Kündigung der Meistbegünstigung ,,offenbar mehr gegen uns als gegen die USA" auswirke.[31]

In einer zusammenfassenden Beurteilung des Auswärtigen Amtes vom März 1938 wurde die Geschichte der Handelspolitik mit den Vereinigten Staaten dann sogar als „eine ununterbrochene Reihe folgenschwerer Beschlüsse" charakterisiert: „Mit der Kündigung des Handels- und Freundschaftsvertrages von 1923 im Oktober 1934, kurz nach der großen Wende der amerikanischen Handelspolitik, verloren wir die Meistbegünstigung in Amerika, die für uns je länger, desto wichtiger wurde. Amerika hat seither nacheinander mit 16 Staaten bedeutende Zollermäßigungen vereinbart, und noch weitere Ermäßigungen mit der Tschechoslowakei, mit Großbritannien und den Dominions stehen bevor. Die Deutsche Botschaft in Washington hat seinerzeit dringend vor dieser Kündigung gewarnt und schon damals mit Nachdruck auf die Gefahr aufmerksam gemacht, daß sie schwer verstimmen, uns wichtiger und nahe bevorstehender Zollermäßigungen berauben, die Gefahr der Diskriminierung des deutschen Handels und wahrscheinlich auch die Erhebung von Zuschlagzöllen auf die deutsche Einfuhr nach den verschiedenen Dumpingbestimmungen heraufbeschwören würde. Die Aussichten, mit der Amerikanischen Regierung nachher wieder ins Gespräch zu kommen, wurden für absehbare Zeit als sehr unwahrscheinlich bezeichnet." Diese Warnungen der Botschaft „haben sich leider restlos erfüllt".[32]

Die negative Entwicklung der Handelsbeziehungen mit den USA schlägt sich in der Statistik eindrucksvoll nieder: Die deutschen Importe aus den USA, die im Jahre 1928 über 2 Milliarden RM betragen hatten, waren im Jahre 1936 auf 232 Millionen RM geschrumpft; sie stiegen aufgrund deutscher Rohstoffkäufe für das Rüstungsprogramm 1938 allerdings wieder auf 406 Millionen RM an. Die deutschen Ausfuhren in die USA gingen von 796 Millionen RM (1928) auf 149 Millionen RM im Jahre 1938 (1936 = 172 Millionen) zurück.

Durch die Kündigung des Handelsvertrages hatte die Reichsregierung entscheidend dazu beigetragen, daß die beiderseitigen Handelsbeziehungen so schnell in einen offenen handelspolitischen Gegensatz mündeten, der durch die deutsche Haltung in der Schuldenfrage eine erhebliche Verschärfung erfuhr. So wurde die mit der

Kündigung des Handelsvertrages (der Mitte 1935 ohne sein Kernstück, der Meistbegünstigung im Warenverkehr, verlängert wurde)
zeitlich zusammenfallende Beschränkung des Zinsendienstes für
Kapitalschulden, insbesondere für die Dawes- und Younganleihen,
von den USA als „planmäßiges Vorgehen und als einseitige Diskriminierung amerikanischer Interessen aufgefaßt".[33] Namentlich die
von der Reichsregierung praktizierte Verknüpfung der Schuldenfrage mit handelspolitischen Zielsetzungen stieß in den USA auf
erbitterten Widerstand. So erblickte die Washingtoner Regierung in
der von der Reichsregierung praktizierten Bevorzugung der Gläubiger Hollands und der Schweiz eine Bedrohung ihrer auf formale
Gleichstellung aller Partner ausgerichteten Politik.

Diese also auch im finanzpolitischen Bereich erkennbare prinzipielle Divergenz der deutschen und amerikanischen Außenwirt-
schaftskonzeptionen ist insbesondere von Angehörigen des State
Department bei der Diskussion der handelspolitischen Vorstöße
Berlins immer wieder hervorgehoben worden. Ob es gelingen
würde, diese unterschiedlichen Außenwirtschaftsprogramme zu einer Kompromißlösung zu verschmelzen, bezeichnete der Vorsitzende der New Yorker "Foreign Policy Association" dann unter
dem Eindruck des amerikanischen Konjunkturrückschlags seit
Mitte 1937 als eine zentrale Frage der amerikanischen Außenpolitik
des Jahres 1938.[34]

4. Economic Appeasement: Das amerikanische Konzept
zur Eindämmung der nationalsozialistischen Expansion

Bei der Einschätzung der Möglichkeiten eines handelspolitischen
Kompromisses Washingtons mit dem Dritten Reich wird man zu
beachten haben, daß das Hullsche Außenwirtschaftsprogramm
nicht nur ein essentieller Bestandteil der Rooseveltschen Krisentherapie, sondern zugleich ein wichtiges Instrument der Washingtoner
Außenpolitik vor dem Kriegsausbruch war. Assistant Secretary of
State Messersmith verwahrte sich gerade unter Hinweis auf die

große Bedeutung der amerikanischen Handelsvertragspolitik gegen die Behauptung, die USA verharrten in einer selbstgewählten Isolation und betrieben keine aktive Außenpolitik.[35] Mit ihrem Außenwirtschaftsprogramm leiste die amerikanische Regierung einen wichtigen Beitrag zum Abbau wirtschaftlicher Spannungen, so lautete die Argumentation, und die Lösung ökonomischer Probleme impliziere automatisch auch eine politische Entspannung, dadurch werde zugleich die Gefahr militärischer Konfrontationen erheblich reduziert. Diese Vorstellungen hat Außenminister Hull besonders pointiert vorgetragen: "There will not be military disarmament without economic appeasement", erklärte der Außenminister etwa im Februar 1938.[36] Das Weiße Haus bekannte sich in einer Presseerklärung ausdrücklich zu dieser Hullschen Konzeption: "... the promotion of peace through the finding of means for economic appeasement".[37]

Es sei ,,nicht überraschend", kommentierte der deutsche Geschäftsträger, Hans Thomsen, die amerikanische Außenpolitik, daß Außenminister Hull an die ,,Doktrin glaubt, daß alle politischen Probleme von der wirtschaftlichen Seite her lösbar" seien; diese ,,Präponderanz des Wirtschaftlichen über das Politische" ergebe sich aus der ,,Verflechtung des amerikanischen Handels mit der ganzen Welt". Der Wohlstand der USA beruhe ,,trotz weitgehender Selbstversorgung ganz wesentlich auf den wirtschaftlichen Beziehungen Amerikas zu den übrigen Mächten", weshalb eine ,,Isolation Amerikas vom übrigen Weltgeschehen nicht möglich" sei, denn ,,jede Veränderung im politischen und damit auch im wirtschaftlichen Feld berührt amerikanische Interessen". Das ,,natürliche Interesse" Washingtons liege daher in der ,,möglichst weitgehenden Förderung des internationalen Handels und in der Erhaltung des Friedens. Beide Interessen hält es durch die totalitären Mächte für bedroht." Daher sei die Washingtoner Politik ,,zwangsläufig darauf gerichtet", den ,,Vormarsch der totalitären Staaten zu einer Machtstellung aufzuhalten, die entscheidende Bedeutung bekommen könnte". Diese vorzügliche Analyse bestätigt, in welch großem Maße die Hullsche Außenwirtschaftskonzeption auch als Instrument der Außenpolitik zu verstehen ist.

126

Allerdings unterscheidet sich das amerikanische Konzept des "economic appeasement" grundlegend von der britischen Vorstellung eines "economic appeasement". Während die Londoner Deutschlandpolitik aus binnenwirtschaftlichen Gründen einen wirtschaftspolitischen Kompromiß mit dem nationalsozialistischen Regime in der Hoffnung anstrebte, damit auch einen Beitrag zur politischen Entspannung zu leisten,[39] setzten sich im State Department diejenigen Kräfte durch, die gegenüber Deutschland aus wirtschaftlichen und politischen Erwägungen eine kompromißlose Haltung befürworten und die Voraussetzungen eines "economic appeasement" allein nach den Bedingungen des neuen Washingtoner Außenwirtschaftsprogramms erzwingen wollten. Die Ende 1937/ Anfang 1938 im State Department geführte Debatte über die Washingtoner Deutschlandpolitik läßt den fundamentalen Unterschied in der britischen und amerikanischen Strategie klar erkennen. Anlaß für diese internen Überlegungen waren die Versuche des nationalsozialistischen Regimes, mit den USA zu einem handelspolitischen Arrangement zu gelangen.

Berlin hatte im Oktober 1937 den USA erneut einen handelspolitischen Modus vivendi offensichtlich in der Hoffnung vorgeschlagen, Washington werde unter dem Eindruck des Konjunkturrückschlags seit Mitte 1937 eher zum Einlenken bereit sein. Die aus einem handelspolitischen Arrangement auch für die USA zu erwartenden kurzfristigen ökonomischen Vorteile sind dann innerhalb des State Department auch zur Debatte gestellt worden.[40] Im Interesse der amerikanischen Wirtschaft, der an einer weiteren Schrumpfung des Warenaustausches nicht gelegen sein könne, forderte die Handelsvertragsabteilung eine handelspolitische Verständigung mit Deutschland. Ein solcher Schritt sei auch deshalb notwendig, weil die Ausweitung des amerikanischen Handelsvertragsprogramms Berlin zunehmend das Gefühl einer ökonomischen Einkreisung vermitteln müsse. Ökonomischer Druck könne aber nicht das Ziel des amerikanischen Handelsvertragsprogramms sein, wenn es von Washington als Instrument zum Abbau wirtschaftlicher Spannungen verstanden werde. Außerdem sei zu berücksichtigen, daß die fortschreitenden Autarkietendenzen in Deutschland der Berliner Regierung eine Rückkehr zu einer liberalen Außenwirtschaftspolitik zunehmend erschweren müßten. Die hier zur Diskussion gestellte Kompromißbereitschaft entsprach zwar auch den Vorstellungen zahlreicher Wirtschaftsführer, die ungeachtet der ideologischen und politischen Differenzen mit dem Dritten Reich für eine wirtschaftliche Zusammenarbeit plädierten, die Befürworter eines harten Kurses vermochten sich jedoch schnell durchzusetzen. Politische und langfristige ökonomische Überlegungen standen hier im Mittelpunkt.

Eine handelspolitische Verständigung mit Deutschland, so argumentierte die Europaabteilung, würde die deutsche Aufrüstung und damit eine aggressive deutsche Außenpolitik eher begünstigen als hemmen. Demgegenüber stelle der Ausschluß des nationalsozialistischen Deutschland vom amerikanischen Handelsvertragsprogramm ein wirksames Mittel zur Eindämmung der nationalsozialistischen Expansionsbestrebungen dar. Die Bedeutung dieses außenpolitischen Instruments würde mit dem Abschluß weiterer Handelsverträge ständig zunehmen: "The development of our trade agreement program will automatically put economic pressure on Germany and in this we have a ready forged weapon in hand to induce Germany to meet general world trade and political sentiment".[41] Besonders konsequent ist diese Konzeption von dem hervorragenden Deutschlandexperten Messersmith vertreten worden.[42] Man dürfe in den USA nicht der Illusion erliegen, daß Deutschland überhaupt Konzessionen machen könne. Denn bereits durch kleinere handelspolitische Zugeständnisse würde das nationalsozialistische Regime sein gesamtes Kontroll- und damit Wirtschaftssystem gefährden. Es sei für Washington folglich nur dann sinnvoll, mit Berlin zu verhandeln, wenn sich in der deutschen Politik ein grundsätzlicher Kurswechsel vollzogen habe, da eine wirtschaftspolitische Verständigung mit Deutschland für die USA nur nach den Prinzipien des Washingtoner Außenwirtschaftsprogramms denkbar sei. Schon Verhandlungen mit Deutschland würden die Glaubwürdigkeit des amerikanischen Außenwirtschaftsprogramms unterminieren und damit langfristig dessen ökonomischen und politischen Erfolg gefährden. Messersmith hat wiederholt – und im Zusammenhang mit der Konferenz von München besonders nachdrücklich – die Auffassung formuliert, daß handelspolitische Konzessionen es dem NS-Regime letztlich nur erleichtern würden, die Hegemonialstellung in Europa zu erringen; eine solche Vormachtstellung in Europa werde es Hitler schließlich ermöglichen, auch seine Weltherrschaftspläne zu realisieren. Demgegenüber gebe ein harter Kurs die Möglichkeit, das nationalsozialistische Deutschland ökonomisch und politisch zu schwächen und damit der nationalsozialistischen Expansion zu begegnen.

Ähnlich argumentierte übrigens auch Heinrich Brüning, wenn er die amerikanische Regierung beschwor, aus politischen Gründen an der 1934 inaugurierten Handelsvertragspolitik festzuhalten: Wenn das NS-Regime aufgrund ökonomischen Drucks gezwungen sein werde, sein gegenwärtiges Wirtschaftssystem grundlegend umzuwandeln, erläuterte der frühere Reichskanzler im Januar 1938 gegenüber Messersmith, dann stünden in Deutschland Menschen bereit, um auch die notwendigen politischen Veränderungen herbeizuführen.[43]

Die politisch-ökonomische Doppelfunktion der amerikanischen Handelsvertragspolitik manifestiert sich am deutlichsten im englisch-amerikanischen Handelsvertrag vom November 1938. Die wirtschaftliche Bedeutung des Vertrages ergibt sich schon aus der Handelsbilanz der Vertragspartner: etwa ein Drittel der Weltimporte entfiel im Jahr 1936 allein auf England und die Vereinigten Staaten (zwei Fünftel einschließlich Empire). 1937 gingen 41% aller amerikanischen Exporte nach England und in die Länder des Empire. Zugleich war der Abschluß des Vertrages mit England ein wichtiger prinzipieller Erfolg der Hullschen Außenwirtschaftskonzeption. Angesichts seiner großen ökonomischen Bedeutung mußte der Handelsvertrag zwangsläufig auch die außenwirtschaftlichen Interessen des Dritten Reiches berühren. Bereits im März 1938 war Deutschland „geographisch durch die Hull'sche Handelspolitik nahezu völlig eingekreist", wie das Auswärtige Amt resignierend feststellte.[44]

Der englisch-amerikanische Handelsvertrag ist in London und Washington zugleich auch als wichtiger außenpolitischer Schritt bewertet worden. Führende Angehörige des State Department haben den Vertrag sogar als Kernstück amerikanischer Außenpolitik bezeichnet. Außenminister Hull sah in dem Vertragswerk ein wichtiges Mittel, um vor allem der deutschen Expansion zu begegnen. Unter Hinweis auf die europäische Entwicklung vertrat Hull gegenüber dem britischen Botschafter, Lindsay, die Auffassung "that much more important than all that has been said and done to promote and preserve peace in Europe during recent months would be the announcement of a trade agreement between Great Britain and this country, to say nothing of a further trade agreement between Canada and this country, and it was my profound feeling that such agreements would go further to stabilize both the economic and political or peace conditions in Europe by far than any other single development".[45] Für die Londoner Regierung stand die politische Bedeutung des Handelsvertrages sogar ganz im Mittelpunkt. So kam das britische Kabinett im Juli 1938 überein "to place on record the importance that they attached, from a political and international point of view, to the conclusion of a Trade Agreement with the United States".[46] Die unveröffentlichten Akten des Londoner Foreign Office lassen diese politische Komponente besonders deutlich erkennen.

Die außenpolitische Tragweite des englisch-amerikanischen Handelsvertrages ist auf deutscher Seite klar rezipiert worden. So hatte etwa Botschaftsrat Thomsen kurz vor Abschluß des Vertrages auf dessen ,,über das Wirtschaftliche weit hinausgehende Bedeutung" verwiesen. Die Regierung der USA habe sich lange gehütet, die ,,Grenzlinie zwischen handelspolitischen und rein politischen Unterhandlungen zu überschreiten", kommentierte der nationalsozialistische Publizist Giselher Wirsing, jetzt sei Washington jedoch in eine ,,offene Bündnispolitik eingeschwenkt", man habe lediglich vermieden, ,,dem Kind seinen wahren Namen zu geben". Vor allem in wirtschaftswissenschaftlichen Analysen wurde der Vertrag als ,,Instrument der hohen Politik", als ,,Symbol der amerikanisch-englischen Zusammenarbeit auf allen Gebieten", interpretiert.[47] Die Reichsregierung legte jedoch großen Wert darauf, diese politischen Implikationen in der breiteren Öffentlichkeit nicht zu diskutieren, damit nicht der Eindruck entstehe, Berlin sehe sich einer englisch-amerikanischen Front gegenüber. So war bereits im November 1937 an die Presse die Weisung ergangen, der bevorstehende Handelsvertrag dürfe „trotz seiner großen Bedeutung nicht zum Anlaß von Kombinationen über einen engeren politischen Zusammenschluß der westlichen Demokratien genommen werden". Nach Vertragsabschluß wurde der Presse auf Anregung des Auswärtigen Amtes noch einmal ausdrücklich verboten, gegen den Vertrag „zu polemisieren, um nicht den Eindruck zu erwecken, als betrachteten wir das als einen Sieg der Demokratien". Vertraulich wurden die Pressevertreter allerdings von der Regierung bereits im Juni 1938 unterrichtet, daß die „politische Parallelität" zwischen London und Washington schon Realität sei.[48]

Mit der im Handelsvertrag sichtbar gewordenen außenpolitischen Annäherung der USA an Großbritannien reagierte Washington offensiv auf die sich zunächst primär im ökonomischen Bereich entwickelnde Bedrohung durch das nationalsozialistische Deutschland. Die Gefährdung vitaler amerikanischer Interessen war zunächst das Ergebnis der deutschen Außenwirtschaftspolitik; mit der von Hitler eingeleiteten offenen Expansionspolitik seit 1938 erhielt diese ökonomische Konfrontation für Washington eine immer bedrohlichere Dimension.

5. Der ideologisch-politische Gegensatz

Der sich zunächst im ökonomischen Bereich manifestierende Gegensatz zwischen dem Dritten Reich und den USA wurde durch ideologische Konflikte verschärft, wie sie etwa aus der Tätigkeit nationalsozialistischer Gruppen in den USA resultierten.[49] Die Versuche des „Bundes der Freunde des Neuen Deutschland" und seiner Nachfolgeorganisation (seit 1936) „Amerikadeutscher Volksbund", das Deutschtum in den USA gleichzuschalten und es zum Vehikel nationalsozialistischer Außenpolitik zu machen, blieben letztlich Wunschdenken einiger nationalsozialistischer Aktivisten. Dennoch führte das lautstarke Auftreten des „Bundes" in der zweiten Hälfte der 30er Jahre zu einer Belastung der deutsch-amerikanischen Beziehungen. Der amerikanische Geschäftsträger in Berlin, Gilbert, äußerte Ende 1937 seine Besorgnis über die „empfindlichen und störenden Rückwirkungen" auf die deutsch-amerikanischen Beziehungen, welche von dem Verhalten der Deutschen in den Vereinigten Staaten ausgingen. Gesteigert würde diese „Unruhe" in den USA durch „Umzüge von Deutschen in braunen Uniformen, durch antidemokratische Äußerungen" sowie durch „angeblich von Berlin aus versandte Fragebogen über die Privatverhältnisse der deutschen Staatsangehörigen". Angesichts dieser negativen Auswirkungen nationalsozialistischer Agitation in den USA auf die Beziehungen Berlin–Washington sah sich die Reichsregierung Anfang 1938 genötigt, vom „Bund" offiziell abzurücken, um so der amerikanischen Öffentlichkeit und der Regierung in Washington zu demonstrieren, wie sehr sich Deutschland bemühe, die an sich „unbefriedigenden Beziehungen zwischen Deutschland und den Vereinigten Staaten zu verbessern".[50] Freilich bedeutete dieser Schritt weder einen völligen Verzicht Berlins auf eine Deutschtumsarbeit in den USA noch eine Beendigung deutscher Propagandaaktionen. In den USA wurde der „Bund" dann auch weiterhin als ein vom Dritten Reich gelenktes Propagandainstrument verurteilt.

Außerdem wurden die innenpolitischen Zwangsmaßnahmen des NS-Regimes Ende der 30er Jahre von führenden amerikanischen Politikern zunehmend auch in der Öffentlichkeit kritisiert. Erster Höhepunkt dieser Entwicklung war die Reaktion Roosevelts auf die nationalsozialistischen Judenpogrome vom November 1938. Der amerikanische Missionschef in Berlin, Wilson, wurde zur Berichterstattung nach Washington zurückgerufen (er kehrte auf seinen Posten nicht mehr zurück), und der Präsident erklärte öffentlich: "The news of the past few days from Germany has deeply shocked public opinion in the United States. ... I myself could scarcely believe that such things could occur in a twentieth-century civilization".[51] Diese entschiedene Stellungnahme Roosevelts in der Öffentlichkeit erfolgte allerdings zu einem Zeitpunkt, als die Grundsatzentscheidungen über die Deutschlandpolitik gefallen waren und Deutschland hinreichend demonstriert hatte, daß es gegenüber den

USA zu Konzessionen im ökonomischen Bereich nicht bereit war. Die Reichsregierung reagierte auf den Rooseveltschen Schritt, indem sie ihren Botschafter, Dieckhoff, ebenfalls zur Berichterstattung nach Deutschland zurückrief. An einem Abbruch der diplomatischen Beziehungen war jedoch beiden Seiten nicht gelegen. Die Experten der Wilhelmstraße befürchteten, daß die USA in einem solchen Falle ihren ökonomischen Druck auf Deutschland noch verstärken könnten und damit insbesondere auch die deutschen Wirtschaftsinteressen in Lateinamerika treffen würden. Demgegenüber wollte man sich in Washington die völkerrechtliche Basis zur Wahrnehmung amerikanischer Interessen in Deutschland erhalten.

Formell blieben die diplomatischen Beziehungen zwischen Berlin und Washington also bestehen. Ansätze für eine Milderung des ideologischen Gegensatzes und der zunehmend auch ideologisierten ökonomischen Konfrontation hat es nicht mehr gegeben. Im Gegenteil: Die nationalsozialistische Publizistik, die sich bis ins Jahr 1938 hinein bemüht zeigte, in kritischen Amerikakommentaren Roosevelt und Hull nach Möglichkeit nicht persönlich anzugreifen, sah sich jetzt veranlaßt ,,etwas Fraktur zu reden", wie Goebbels im Völkischen Beobachter formulierte.[52] Die Roosevelt zugeschriebene, von ihm allerdings dementierte Äußerung, die amerikanischen Grenzen lägen am Rhein, benutzte die nationalsozialistische Propaganda zu energischen Angriffen auf den Präsidenten. Am 20. Februar erhielt die Presse dann die Anweisung, ,,den Wahnsinn der Rooseveltschen Panikpolitik zu unterstreichen und immer wieder darauf hinzuweisen, daß er es eigentlich sei, der offensichtlich Europa nicht zum Frieden kommen lassen wolle".[53]

Den deutschen Einmarsch in Prag beantwortete Washington mit ökonomischen Repressalien (der Erhebung von Zuschlagzöllen auf deutsche Waren). Den Angriff Italiens auf Albanien nahm Roosevelt zum Anlaß, an Hitler und Mussolini einen Friedensappell zu richten, dem Hitler in seiner Reichstagsrede vom 28. April 1939 jedoch eine klare Absage erteilte, indem er den amerikanischen Präsidenten gleichzeitig lächerlich zu machen suchte. Hitler verwahrte sich gegen die ,,Einmischung" Roosevelts in die Außenpolitik der Achsenmächte Deutschland und Italien. Mit demselben Recht könne von deutscher Seite an den ,,Herrn Präsidenten der amerikanischen Republik" die Frage gerichtet werden, welche Ziele die Washingtoner Politik beispielsweise in Mittel- und Südamerika verfolgte, doch werde sich Roosevelt dann sicher auf die Monroe-Doktrin berufen und gegen die ,,Einmischung in die inneren Angelegenheiten des amerikanischen Kontinents" verwahren. ,,Genau die gleiche Doktrin" beanspruchte Hitler für Europa, ,,auf alle Fälle aber für den Bereich und die Belange des Großdeutschen Reiches".[54] Mit dieser kompromißlosen Reaktion Hitlers auf den Rooseveltschen Friedensappell hatten die Spannungen zwischen Berlin und Washington im Frühjahr 1939 ihren ,,Höhepunkt" erreicht.[55]

6. Vom deutschen Angriff auf Polen bis zum Kriegseintritt der USA

Trotz der ökonomischen, ideologischen und politischen Konfrontation zwischen Berlin und Washington fand der Faktor Amerika allerdings bei den Vorbereitungen für den Angriff auf Polen in den strategischen Überlegungen Berlins kaum Berücksichtigung. Das dürfte in erster Linie mit Hitlers Blitzkriegskonzeption zu erklären sein. Ein schneller Sieg über Polen ließ es nicht als notwendig erscheinen, das strategische Potential der USA in die Planungen einzubeziehen. Überdies ging Hitler von der Prämisse aus, England werde auch diesmal abseits stehen und die von Hitler anvisierte Lokalisierung des deutschen Polenfeldzuges tolerieren. Diesem politischen Kalkül wurden auch die USA unterworfen, deren Deutschlandpolitik offensichtlich als Funktion der Londoner Politik interpretiert wurde.[56]

Bei einer derartigen Analyse war es selbstverständlich, daß die von Roosevelt beeinflußte Entscheidung der britischen Regierung, einer weiteren deutschen Expansion entschiedener zu begegnen, Berlin zwingen mußte, auch die Rolle der USA zu überdenken. Die Kriegserklärung Englands und Frankreichs vom 3. September 1939 markiert insofern gerade auch in bezug auf die USA einen wichtigen Wendepunkt in den strategischen Überlegungen Hitlers. Mochte Hitler lange der Illusion erlegen sein, er könne den Ausbau der deutschen Hegemonialstellung in Europa vollenden, während die USA als „der fixierte Hauptgegner der ferneren Zukunft" abseits bleiben würden, seit der britischen Kriegserklärung war auch eine kurzfristige Einbeziehung des Faktors Amerika in die strategischen Überlegungen notwendig.[57] Das hatte wiederum eine entscheidende Rückwirkung auf die Kriegsführung in Europa. Der „immer wieder anklingende drohende Ton der Telegramme, Noten und Anfragen des Herrn Roosevelt", erläuterte Hitler gegenüber Mussolini, sei „Grund genug", um „vorsorglicherweise so schnell wie möglich das Ende des Krieges herbeizuführen". Im Dezember 1940 gelangte Hitler zu der Auffassung, daß „wir 1941 alle kontinental-europäischen Probleme lösen müßten", da die USA ab 1942 „in der Lage wären, einzugreifen".[58]

Aus Hitlers Sicht war es nur konsequent zu versuchen, den Kriegseintritt der USA soweit wie möglich hinauszuschieben, bzw. ein vorzeitiges militärisches Eingreifen nicht zu provozieren. Diesem Ziel suchte Berlin auf mehrfache Weise zu entsprechen. So wurde die deutsche Propagandatätigkeit in den USA ganz darauf abgestellt, die isolationistischen Tendenzen in den USA zu stärken. Höhepunkte dieser Entwicklung waren die Versuche zur Beeinflussung des amerikanischen Präsidentschaftswahlkampfes von 1940 und die Unterstützung des Ende 1940 gegründeten "America First Committee".[59] Freilich waren diese Bemühungen von einer grotesken Überschätzung isolationistischer Impulse auf die Formulierung der Washingtoner Außenpolitik gekennzeichnet und letztlich wirkungslos. Größeres Gewicht kam in diesem Kontext Hitlers Politik der Konfliktvermeidung zu. Hier sind insbesondere die Restriktionen zu erwähnen, die Hitler der deutschen Seekriegsleitung auferlegte, um Zwischenfälle, die den USA einen Anlaß zur Intervention hätten bieten können, unbedingt zu vermeiden. Im Gesamtrahmen dieser Politik gegenüber den USA mußte Hitler daran gelegen sein, auch im diplomatischen Bereich vorsichtig zu taktieren. So hat er sich gegen die verschiedenen amerikanischen Friedenssondierungen, wie beispielsweise die Mission von Under Secretary of State Sumner Welles, nicht von vornherein prinzipiell gesperrt. Neuere Forschungen lassen allerdings keinen Zweifel daran, daß die verschiedenen diplomatischen Kontakte zwischen Berlin und Washington eine reale Erfolgschance nicht gehabt haben, da Roosevelt wie Hitler nicht bereit waren, ihre Zielsetzungen zu modifizieren: Während Hitler an seinen Kriegszielen festhielt, war Roosevelt keinesfalls bereit, eine nationalsozialistische Hegemonialstellung in Europa zu tolerieren.

Zu der auf die Vermeidung von Konflikten abgestellten Politik gegenüber den USA trat seit dem Frühjahr 1941 allerdings eine gegenläufige Tendenz: Als Hitler trotz des Bündnisses mit Japan fürchten mußte, Japan könne sich einer militärischen Auseinandersetzung mit den USA entziehen, sah er sich nicht zuletzt auch unter dem Eindruck der stagnierenden Offensive im Osten veranlaßt, Tokio zu einem Kollisionskurs mit den USA zu drängen. Hier offenbart sich eine innere Widersprüchlichkeit der Hitlerschen Konzeption, derzufolge vor der Auseinandersetzung mit den USA die Beherrschung Kontinentaleuropas realisiert sein sollte, denn mit der Intensivierung der Japanpolitik hatte Hitler die Genesis jener Konstellation beschleunigt, in der sich das Potential der USA voll gegen Deutschland richtete und die Niederlage unausweichlich machte.

Allerdings wird man in diesem Zusammenhang die Bedeutung Japans nicht überschätzen dürfen, denn die USA hätten die Niederwerfung Kontinentaleuropas keinesfalls abgewartet, wie es dem Hitlerschen Programm entsprach. Hitler mochte „bei der für sein politisches Denken kennzeichnenden Gleichsetzung von politischen und territorialen Interessen in jeder Großmachtpolitik" davon ausgehen, daß die Etablierung deutscher Herrschaft über Kontinentaleuropa „keine Überschneidung deutscher mit britischen und amerikanischen Interessen" implizierte;[60] für Washington war die Bedrohung vitaler amerikanischer Interessen durch das nationalsozialistische Deutschland jedoch bereits seit Mitte der 30er Jahre Realität. Besonders deutlich läßt sich das an der Reaktion der USA auf die deutsche wirtschaftliche Durchdringung Lateinamerikas ablesen.

7. Die deutsch-amerikanische Rivalität in Lateinamerika

Die lateinamerikanischen Staaten waren seit 1934 vor allem aus ökonomischen Gründen stärker als zuvor in das Blickfeld der Berliner Diplomatie gerückt. Insbesondere wegen des gestiegenen deutschen Rohstoffbedarfs schien der Reichsregierung eine Wiederbelebung des im Verlauf der Weltwirtschaftskrise gesunkenen deutschen Warenaustausches mit Lateinamerika (um 75 % im Jahre 1932 gegenüber 1929) dringend geboten. Auftakt der von der historischen Forschung lange kaum beachteten wirtschaftlichen Durchdringung Lateinamerikas seit 1934/35 war die Entsendung der „Deutschen Handelsdelegation für Südamerika" mit der Hauptaufgabe, den devisenfreien Import von Rohstoffen aus Südamerika zu sichern. Ungeachtet aller Schwierigkeiten in Einzelfragen gelang es der Delegation, die während ihrer siebenmonatigen Reise sämtliche südamerikanischen Staaten außer Bolivien und Paraguay besuchte, die Widerstände der Verhandlungspartner gegen einen devisenfreien Warenaustausch zu überwinden. Hervorzuheben ist insbesondere der Abschluß von Handelsverträgen oder Zentralbankvereinbarungen mit Argentinien, Brasilien, Chile und Uruguay, die den devisenfreien Bezug lebenswichtiger Rohstoffe ermöglichten. Die Handelsbeziehungen zu den übrigen lateinamerikanischen Staaten wurden Ende 1934 mit der Einführung des sogenannten „Ausländersonderkontos" durch Erlaß der Reichsstelle für Devisenbewirtschaftung von deutscher Seite autonom geregelt. Der Delegationsleiter, Gesandter Otto Kiep, hielt es angesichts dieser Neuregelungen im Warenaustausch mit Lateinamerika sogar für möglich, statt des bisherigen deutschen Devisenaufwands (300 bis 400 Millionen Reichsmark pro Jahr), durch zusätzliche deutsche Exporte einen Devisenüberschuß erwirtschaften zu können. Zu diesen handelspolitischen Erfolgen kam ein gewisser propagandistischer Effekt: So hatte die Delegation „den Eindruck gewonnen, daß ihre Entsendung überall in den beteiligten Ländern als Auszeichnung und als Ausdruck der freundschaftlichen Einstellung der deutschen Politik ihnen gegenüber gewertet wurde".

Die mit der Rundreise der deutschen Handelsdelegation inaugurierte „neue deutsche Südamerikapolitik" wurde bereits Mitte 1935 in der Wilhelmstraße eingehend analysiert.[61] Unter Hinweis auf die schon zu diesem Zeitpunkt erkennbaren deutschen Exporterfolge und die dadurch geschaffenen Möglichkeiten des devisenlosen Kaufs wichtiger Rohstoffe (Baumwolle, Wolle, Leinsaat, Felle, Ölkuchen, Rohtabak, Kakao) konnte das Auswärtige Amt völlig zu Recht feststellen, „daß sich Verrechnungssystem und -Methoden gegenüber Südamerika gut bewährt haben". Besonders der Vergleich des deutsch-südamerikanischen Warenverkehrs mit der Entwicklung des gesamten deutschen Außenhandels verdeutlicht die geradezu spektakulären Erfolge der deutschen Wirtschaftsdiplomatie in Lateinamerika: Während die deutsche Gesamteinfuhr im Jahr 1935 gegenüber dem Vorjahr um 6,57% zurückging, stieg die Einfuhr aus Südamerika im gleichen Zeitraum um 37,48%. Dem Zuwachs der deutschen Gesamtausfuhr von 2,47% stand eine Ausweitung der Exporte nach Südamerika von 45,31% gegenüber. Daß es sich hier um einen für Deutschland bedeutenden außerwirtschaftlichen Vorgang handelt, beweist der Anteil Südamerikas am gesamten deutschen Außenhandel: er hatte sich bereits im Jahre 1935 auf 9,40% gegenüber 5,23% im Jahre 1932 erhöht. Bei der Einschätzung der weiteren Entwicklungsmöglichkeiten der deutsch-südamerikanischen Handelsbeziehungen vertrat Hans Kroll (Sachbearbeiter des Auswärtigen Amtes für südamerikanische Wirtschaftsfragen) die Auffassung, daß „es bei elastischer Taktik und geschicktem und planvollem Einsatz der deutschen Kaufkraft und deutschen Kaufbereitschaft sowie der an der Fortführung dieser Politik interessierten südamerikanischen Interessenkreise gelingen sollte, zu einer Verlängerung der geltenden Abkommen und der Fortführung unserer handelspolitischen Beziehungen zu Südamerika auf der Grundlage der Verrechnung zu kommen".

Die mit der Bildung der „Deutschen Handelsdelegation für Südamerika" eingeleitete deutsche Exportoffensive mußte zwangsläufig zu einer Interessenkollision mit den Vereinigten Staaten führen, denn die Washingtoner Lateinamerikapolitik verfolgte ebenfalls primär wirtschaftliche Ziele. Die mit dem Namen von Präsident

Roosevelt verknüpfte Good Neighbor Policy bedeutete lediglich einen Methodenwandel der traditionell von ökonomischen Zielsetzungen bestimmten Lateinamerikapolitik der USA. Daher wurde die deutsche Wirtschaftsoffensive in Lateinamerika in den USA von Anfang an mit größtem Mißtrauen verfolgt. Zunächst schlug sich das in zahlreichen Protestschreiben von Exporteuren und Exportorganisationen an das State Department und das Commerce Department nieder. Diese Proteste richteten sich in erster Linie gegen die Methoden der deutschen Außenwirtschaftspolitik, die durch Exportsubventionen, eine selektive Abwertung der Verrechnungsmark, Kompensationsgeschäfte und überhöhte Preise für lateinamerikanische Rohstoffe die nordamerikanische Konkurrenz auf den Märkten Süd- und Mittelamerikas häufig ausschalten konnte. Eine in der Lateinamerikaabteilung des State Department 1936 erstellte Analyse der deutschen Exportoffensive in Mittel- und Südamerika ließ bereits für das Jahr 1935 das volle Ausmaß der erfolgreichen Konkurrenz mit nordamerikanischen Exportprodukten erkennen: "This analysis shows that in 1935 only in Peru and in three comparatively 'sheltered' markets, Cuba, Mexico and Panama, did United States exports keep pace with Germany's exports, while in the other 14 Republics under consideration United States trade either declined absolutely or relatively (or both) vis-à-vis Germany." Die entsprechenden Vergleichszahlen für 1936 zeigten eine weitere Verschärfung der deutsch-amerikanischen ökonomischen Rivalität in Lateinamerika. So gelang es der deutschen Wirtschaftsdiplomatie sowohl in Brasilien als auch in Chile, bei den Importanteilen den ersten Platz zu erringen, eine Position, die zuvor die USA innegehabt hatten. Angesichts der traditionell starken Position Englands in Argentinien bedeutete das deutsche Vordringen in Brasilien und Chile, daß die USA im Jahre 1936 in allen drei ABC-Staaten handelspolitisch auf den zweiten Platz verwiesen wurden.

Dieser bereits Mitte der 30er Jahre ausgeprägten handelspolitischen Konfrontation zwischen Berlin und Washington in Lateinamerika kommt deshalb eine so große ökonomische und auch politische Bedeutung zu, weil die Regierung Roosevelt, wie bereits dargelegt wurde, die Überwindung der Depression als zentrale

politische Aufgabe ansah, die auch durch Einbeziehung der Außen-
märkte gelöst werden sollte. Den lateinamerikanischen Märkten
kam im Washingtoner Kalkül traditionell eine hervorragende Rolle
zu. Wegen der politischen Entwicklung in Europa und Asien seit
Mitte der 30er Jahre wurde diese Bedeutung Lateinamerikas für die
USA noch weiter verstärkt. Deshalb hatte die Hullsche Handelsvertragspolitik hier auch einen Schwerpunkt. Die deutsche Wirtschaftsoffensive stellte einmal Washingtons Open Door Empire in
Lateinamerika grundlegend in Frage. Zum anderen unterminierte
die „neue deutsche Südamerikapolitik" nicht nur das Washingtoner
Außenwirtschaftskonzept, sondern in ihren Rückwirkungen auf die
binnenwirtschaftliche Entwicklung der USA die Rooseveltsche
Krisentherapie: "Every blow at our foreign trade is a direct thrust at
our economic and social life", so hat ein Angehöriger des State
Department die von der deutschen Lateinamerikapolitik ausgehende Bedrohung für die USA prägnant formuliert.[62]

Das erklärt die Entschlossenheit, mit der die Washingtoner Diplomatie der deutschen Konkurrenz zu begegnen suchte. Die deutschen Missionen in den lateinamerikanischen Ländern berichteten
dann auch laufend über den „Wirtschaftsdruck" Washingtons, den
Kampf der Vereinigten Staaten „gegen die wirtschaftlichen Interessen Deutschlands", und sie ließen keinen Zweifel daran, daß
„Nordamerika handelspolitisch sehr scharf gegen Deutschland
drückt". Es fehle nicht an Anhaltspunkten, berichtete der deutsche
Missionschef in Mexiko, daß die „Botschaft und der Handelskom-
missar der Vereinigten Staaten mit allen Mitteln gegen uns arbeiten", und der deutsche Geschäftsträger in Washington meldete
ebenfalls einen „Druck" der USA gegen den deutschen Verrech-
nungsverkehr mit Lateinamerika. Das Auswärtige Amt verwies
zusammenfassend auf die „planmäßige Aktion der Vereinigten
Staaten gegen die handelspolitische Stellung Deutschlands in Süd-
und Mittelamerika". Der „Abwehrkampf" gegen diese Politik
müsse mit allen Kräften aufgenommen werden, wenn die „in den
letzten Jahren in Süd- und Mittelamerika erzielten handelspolitischen Fortschritte nicht wieder verloren gehen sollen".[63]

Die sich an binnenwirtschaftlichen Notwendigkeiten orientie-

rende ökonomische Durchdringung Lateinamerikas ist vom Auswärtigen Amt und vom Reichswirtschaftsministerium in ständiger
interner Auseinandersetzung mit der Auslandsorganisation der
NSDAP konsequent durchgehalten worden. Ungeachtet der aus
der Tätigkeit der Auslandsorganisation der NSDAP sich ergeben-
den außenpolitischen Schwierigkeiten, das gilt vor allem für das
deutsch-brasilianische Verhältnis, erwies sich die deutsche Wirtschaftsdiplomatie in Lateinamerika als überaus erfolgreich; das spie-
gelt sich in der Statistik klar wieder: Im Jahre 1938 waren die
lateinamerikanischen Staaten mit knapp 15% an der deutschen Gesamteinfuhr beteiligt, der entsprechende Anteil Südosteuropas betrug demgegenüber nur etwa 10%. Unter dem Eindruck dieser
Erfolge stellte Hitler im Januar 1939 mit Genugtuung fest: ,,Die
Beziehungen des Deutschen Reiches zu den südamerikanischen
Staaten sind erfreulich und erfahren eine sich steigernde wirtschaftliche Belebung.'' Im Hinblick auf die Bedeutung Lateinamerikas für
die deutsche Wirtschaft verwahrte sich Hitler gegen jede ,,Einmi-
schung'' in deutsche Angelegenheiten: ,,Ob Deutschland zum Beispiel mit süd- oder zentralamerikanischen Staaten wirtschaftliche
Beziehungen aufrechterhält und Geschäfte betätigt, geht außer diesen Staaten und uns niemand etwas an. Deutschland ist jedenfalls ein
souveränes und großes Reich und untersteht nicht der Beaufsichti-
gung amerikanischer Politiker''.[64]

Die in einer umfangreichen Analyse des State Department vom
Juni 1938 formulierte Hoffnung, die deutsche Wirtschaftsoffensive
in Lateinamerika werde sich abschwächen, erwies sich als Illusion.
Die ökonomische Konfrontation blieb mithin auch in der zweiten
Hälfte der 30er Jahre die entscheidende Komponente der deutsch-
amerikanischen Rivalität in Lateinamerika. Hinzu kam jetzt jedoch
eine ideologische Frontstellung, die sich in erster Linie aus der
Propagandatätigkeit der Auslandsorganisation der NSDAP ergab.
Seit Ende der 30er Jahre wurde die deutsche wirtschaftliche Durchdringung Lateinamerikas in Washington auch unter sicherheitspolitischen Gesichtspunkten beurteilt. Neuere Forschungen haben zwar
weder Belege für die Tätigkeit einer deutschen 5. Kolonne noch
Pläne für militärische Operationen in Lateinamerika zu Tage geför-

dert, entscheidend ist jedoch, daß die sich primär im ökonomischen Bereich manifestierende deutsch-amerikanische Konfrontation in Lateinamerika in der subjektiven Einschätzung vor allem der Öffentlichkeit der USA auch als ideologische und militärische Bedrohung der Westlichen Hemisphäre interpretiert wurde.[65]

Nach dem Kriegsausbruch in Europa war der Warenaustausch mit Lateinamerika infolge der britischen Blockademaßnahmen praktisch unterbrochen, lediglich in Einzelfällen war es möglich, Lieferungen auf neutralen Schiffen durchzuführen. Mit diesem Ausfall des deutschen Marktes für lateinamerikanische Produkte war Berlin seines wichtigsten Instruments einer aktiven Lateinamerikapolitik beraubt. Die deutsche Seite sah sich daher gezwungen, durch diplomatische Schritte und Propagandaoffensiven die Attraktivität des deutschen Marktes dadurch aufrechtzuerhalten, daß ein schnelles Kriegsende suggeriert und die deutsche Absicht zu einer möglichst raschen Wiederaufnahme des Warenaustausches bekundet wurde. Um der nach Kriegsausbruch von den deutschen Missionen in Lateinamerika wiederholt erklärten Bereitwilligkeit, ,,die bisherigen Handelsbeziehungen aufrecht zu erhalten und – wenn möglich – zu vertiefen", Nachdruck zu verleihen, hielt es auch das Reichswirtschaftsministerium für geboten, daß die vor Kriegsausbruch abgeschlossenen und noch nicht abgewickelten Ausfuhrgeschäfte ,,im Rahmen des irgendwie Möglichen durchgeführt werden". Besonders gegenüber Argentinien und Brasilien sollte eine ,,Störung der deutschen politischen und handelspolitischen Bemühungen im Augenblick auf jeden Fall vermieden werden". Der hohe Stellenwert Brasiliens im Kalkül des Auswärtigen Amtes manifestierte sich etwa in dem Bestreben der Wilhelmstraße, die 1937/38 mit der Regierung in Rio de Janeiro abgeschlossenen Waffenlieferungen wenigstens teilweise zu erfüllen.[66]

Die militärischen Erfolge Hitlers in Europa und namentlich die Niederlage Frankreichs führten zu einer erneuten Intensivierung der Berliner Lateinamerikapolitik. ,,Der völlige Zusammenbruch der englischen Hoffnungen auf Unterstützung auf dem europäischen Kontinent" ließ nach Auffassung von Außenminister Ribbentrop erwarten, daß sowohl England als auch die USA ,,ihre Arbeit gegen

Deutschland in Mittel- und Südamerika verstärken" würden, dementsprechend müsse die deutsche „Abwehr" gesteigert werden. Hier sah Ribbentrop in der wirtschaftlichen Bedeutung Deutschlands als Lieferant und Abnehmer „eindrucksvolle Argumente", denn die „großen Vorteile, die schon vor dem Kriege der Handel mit Deutschland für die ibero-amerikanischen Staaten bot, könnten bei dem zu erwartenden gewaltigen wirtschaftlichen Aufschwung des Reiches nach dem Kriege in ganz erheblichem Ausmaß erhöht werden". Deutschland könne nach „Bevölkerungszahl und Aufnahmefähigkeit den lateinamerikanischen Staaten einen größeren Absatzmarkt bieten als irgendein anderes Land und mit seinen gesteigerten Produktionsmöglichkeiten allen Bezugsbedürfnissen gerecht werden".

Als Gegenlieferungen für den deutschen Rohstoffbedarf kamen insbesondere auch deutsche Rüstungslieferungen in Frage. Berlin legte daher „größten Wert darauf", bei der künftigen Aufrüstung der südamerikanischen Länder weitgehend beteiligt zu werden. Deutschland werde nach Kriegsende „praktisch unbeschränkt lieferfähig sein und allen Wünschen hinsichtlich Waffen deutscher Erzeugung entsprechen können", informierte die Wilhelmstraße einige ihrer Missionen in Südamerika im August 1940 und forderte sie auf, „sogleich über solche Lieferungen zu verhandeln". Daß es sich hier um konkrete Planungen handelte, unterstreicht etwa die Tatsache, daß die Firma Krupp bereits die Führung des Lieferkonsortiums für Waffengeschäfte mit Argentinien übernommen hatte. Was die prinzipielle Verhandlungsführung anbelangte, so orientierte sich die deutsche Diplomatie weitgehend an den in den 30er Jahren erfolgreichen Methoden. Der „Absatzdruck" der lateinamerikanischen Staaten wurde als „Hebel" für die Vergabe von Aufträgen an Deutschland angesetzt. Die auf dem Hintergrund der militärischen Erfolge vom Sommer 1940 formulierten wirtschaftspolitischen Zielsetzungen und die mit einigen lateinamerikanischen Staaten geführten konkreten Verhandlungen lassen es fraglich erscheinen, ob die Konferenz von Havanna vom Juli 1940 wirklich schon „das Ende jedes wirksamen Einflusses des Reiches auf dem amerikanischen Kontinent" bedeutete.[67]

Allerdings wirkte sich die Fortdauer des Krieges immer stärker zugunsten der USA aus, worüber sich die deutsche Diplomatie auch im klaren war. Solange ein „baldiges Kriegsende nicht sicher" sei, betonte die deutsche Botschaft in Rio de Janeiro, begünstigte ein „wachsender Absatzdruck zwangsläufig und ausschließlich nordamerikanische Wirtschaftsabsichten".[68] Im weiteren Verlauf des Krieges verlor die deutsche Politik in den lateinamerikanischen Staaten dann auch zunehmend an Glaubwürdigkeit, und Washington vermochte den Einfluß des Dritten Reiches in der Westlichen Hemisphäre schrittweise zu liquidieren. Der Kriegseintritt der USA machte vollends deutlich, daß es für die lateinamerikanischen Regierungen zur wirtschaftlichen und schließlich auch zur politischen Annäherung an die USA keine Alternative gegeben hat. Damit wurde es Washington möglich, auch Südamerika immer stärker in die militärisch-strategischen Abwehrmaßnahmen gegen das nationalsozialistische Deutschland einzubeziehen. Höhepunkt dieser Entwicklung war die Entsendung brasilianischer Truppen auf den europäischen Kriegsschauplatz.

Wenngleich es der deutschen Politik nach Kriegsbeginn nicht gelang, an die spektakulären handelspolitischen Erfolge der 30er Jahre anzuknüpfen und sie sich im wesentlichen auf Propagandaaktionen beschränken mußte, so hat der auch nach dem Kriegsausbruch in Europa nicht aufgegebene Anspruch des Dritten Reiches auf eine wirtschaftliche Durchdringung Lateinamerikas den deutsch-amerikanischen Gegensatz weiter verschärft und politischmilitärische Gegenmaßnahmen der USA provoziert. Damit manifestiert sich auch in der deutschen Lateinamerikapolitik seit September 1939 eine gegenläufige Tendenz zu der erwähnten Hitlerschen Taktik der Konfliktvermeidung gegenüber den USA. Die bereits 1935/36 ausgeprägte deutsch-amerikanische Rivalität in Lateinamerika macht besonders deutlich, warum die Regierung Roosevelt eine deutsche Hegemonialstellung in Europa nicht akzeptieren würde und der nationalsozialistischen Expansion auch in Europa zu begegnen suchte. Allerdings vermochte die Washingtoner Diplomatie den Aufbau der deutschen Vormachtstellung auf dem europäischen Kontinent in den 30er Jahren nicht zu verhindern, wie vor

allem der Ausschluß der USA von der nationalsozialistischen Großraumwirtschaft in Südosteuropa demonstriert.

8. Der Ausschluß der USA vom deutschen „Informal Empire"
in Südosteuropa

Seit Beginn der Weltwirtschaftskrise waren die südosteuropäischen
Agrarstaaten aus wirtschaftlichen und politischen Gründen stärker
als in der sogenannten Stabilisierungsphase in das Blickfeld der
Berliner Außenpolitik gerückt. Das gilt in ganz besonderem Maße
für das Kabinett Brüning. Mit wirtschaftlichen Mitteln, insbesondere mit dem Abschluß von Präferenzverträgen wünschte die
Reichsregierung Südosteuropa ökonomisch und politisch an
Deutschland zu binden, um auf diese Weise den französischen Einfluß im Donauraum zurückzudrängen. In ihrem Kern zielte die
Brüningsche Politik auf die Schwächung des französischen Sicher-
heitssystems und die Etablierung eines deutschen „Informal Empire" in Südosteuropa ab. Die Realisierung dieser Politik ist allerdings zunächst am Widerstand der USA gescheitert. Die Washingtoner Regierung war nicht bereit, auf ihre im deutsch-amerikanischen Handelsvertrag von 1923 festgelegten Meistbegünstigungs-
rechte zu verzichten. Die im Sommer 1931 mit Rumänien und
Ungarn abgeschlossenen Präferenzverträge wurden daher nicht in
Kraft gesetzt, denn die Reichsregierung war aus reparationspolitischen Erwägungen nicht bereit, einen handelspolitischen Konflikt
mit den USA zu riskieren.

An die namentlich vom Kabinett Brüning konzipierte Südosteuropapolitik hat die nationalsozialistische Politik dann erfolgreich
angeknüpft; Außenminister Neurath empfahl dem Kabinett im
April 1933 eine wirtschaftliche und politische Doppelstrategie: Gerade angesichts der Tatsache, daß „über die Tschechoslowakei der
politische Einfluß Frankreichs" in Südosteuropa wieder gestärkt
worden sei, müsse Berlin versuchen, „Rumänien und Jugoslawien
in wirtschaftlicher Hinsicht zu unterstützen, einmal, um politischen
Einfluß zu gewinnen, und ferner, um dieses wichtige Absatzgebiet

für unsere Ausfuhr zu erhalten".[69] Im deutsch-jugoslawischen Handelsvertrag vom 1. Mai 1934 fand diese Politik ihren sichtbaren Niederschlag. Die hier von der Reichsregierung dem Vertragspartner gewährten Präferenzen waren auch in den folgenden Jahren das entscheidende Vehikel zur wirtschaftlichen und politischen Durchdringung Südosteuropas.

Die deutsche Präferenzpolitik gegenüber Südosteuropa ist von den USA von Anfang an als Bedrohung des amerikanischen Meistbegünstigungsprinzips aufgefaßt worden. Bereits im September 1933, als Berlin bei der Kontingentierung deutscher Agrarimporte Jugoslawien bevorzugte und sich damit über die Meistbegünstigungsklausel des deutsch-amerikanischen Handelsvertrags hinwegsetzte, zeigte sich Außenminister Hull sehr beunruhigt: es gehe hier nicht nur um die Benachteiligung eines bestimmten amerikanischen Exportsektors, sondern um die prinzipielle Gefährdung der amerikanischen Außenwirtschaftspolitik. Im Mai 1934 beschäftigte sich Botschafter Luther mit der amerikanischen Reaktion auf die deutsche Präferenzpolitik gegenüber den südosteuropäischen Staaten. Innerhalb der amerikanischen Regierung spreche man bereits davon, daß die deutsche Handelspolitik darauf abziele, „die Staaten Mitteleuropas vor den deutschen Wirtschaftswagen zu spannen". Zu dieser Beurteilung der deutschen Südosteuropapolitik hätte neben der Diskussion über den deutsch-jugoslawischen Handelsvertrag zum Teil auch die in der deutschen Presse „etwas überreichliche Verwendung des Begriffes ‚Großraumwirtschaft'" beigetragen. Luther befürchtete in diesem Zusammenhang vor allem negative Rückwirkungen auf die deutsch-amerikanischen Handelsbeziehungen. Da die USA an dem Prinzip der Meistbegünstigung festhielten, stelle sich die Frage, „wie wir das von uns gegenüber Jugoslawien ... vertretene Prinzip der Präferenzbewilligung mit jenem Meistbegünstigungsprinzip in Einklang bringen können oder wollen".[70]

Hier war ein Kernproblem der deutsch-amerikanischen Beziehungen berührt, denn der „Widerspruch der Vereinigten Staaten gegen deutsche Präferenzverträge mit Südost-Staaten" implizierte, wie es ein Angehöriger des Auswärtigen Amtes formulierte, „die

Unmöglichkeit für Deutschland, mit europäischen Staaten zu einer Großraumwirtschaft zu gelangen".[71] Tatsächlich ist der schnelle Aufbau der deutschen Hegemonialstellung in Südosteuropa bei einer strengen Beachtung des Meistbegünstigungsprinzips nicht vorstellbar. Die Etablierung eines deutschen „Informal Empire" in Südosteuropa steht daher zu der Entwicklung der deutsch-amerikanischen Beziehungen in einem engen funktionalen Zusammenhang. Dabei ging es für die amerikanische Regierung nicht in erster Linie um Marktanteile, sondern um die Abwehr der prinzipiellen Herausforderung des amerikanischen Handelsvertragsprogramms durch die deutsche Hegemonialpolitik in Südosteuropa.

Die deutsche Vormachtstellung in Südosteuropa war allerdings bereits Mitte der 30er Jahre so weit abgesichert, daß sich für Washington kaum noch Möglichkeiten zur wirksamen Verteidigung der amerikanischen Außenwirtschaftskonzeption ergaben. Messersmith hat in seinen Analysen diese für Washington negativen Rückwirkungen der deutschen Hegemonialstellung in Südosteuropa wiederholt herausgearbeitet. "The developments have a very real interest to us for these countries in Southeastern Europe have been looking forward to our trade agreements with us as a part of a constructive movement towards economic peace", formulierte er im Februar 1938 in einem Memorandum für Außenminister Hull. "Germany feared our trade agreements program in Southeastern Europe and now that she is embarking upon this course of expansion, I see small prospect for our progress in Southeastern Europe. Even though we negotiated agreements they would have very little value for what is the use of our making arrangements between independent States when an international gangster at the point of a gun is forcing economic subjection? I see the trade agreements program in general seriously menaced for these events in Southeastern Europe will have a disturbing and upsetting influence generally".[72]

Diese Analyse wurde durch die weitere Entwicklung voll bestätigt. Zwar gelang den USA im März 1938 der Abschluß eines Handelsvertrages mit der Tschechoslowakei, die daran geknüpften ökonomischen und auch politischen Erwartungen haben sich allerdings nicht erfüllt. Dieser Mißerfolg des amerikanisch-tschechoslo-wakischen Vertrages unterstreicht, daß der Ausschluß der Vereinigten Staaten von der nationalsozialistischen Großraumwirtschaft schon weitgehend vollzogen war noch bevor Deutschland auch die formelle, militärische und politische Beherrschung Ost- und Südosteuropas einleitete. Zwar schien den USA Anfang 1939 mit dem Abschluß eines Handelsvertrages mit der Türkei ein Einbruch in das deutsche „Informal Empire" gelungen zu sein, doch trotz dieses Vertrages vermochte die amerikanische Diplomatie ihre Außenwirtschaftsprinzpien nicht durchzusetzen, denn der sich auf die türkisch-amerikanischen Handelsbeziehungen negativ auswirkende deutsch-türkische Clearingverkehr konnte nicht ausgeschaltet werden.

Von deutscher Seite wurden die wirtschaftspolitischen Erfolge des nationalsozialistischen Regimes in Südosteuropa auch als Bestandteil der handelspolitischen Auseinandersetzung mit den USA gesehen. In dem deutsch-rumänischen Wirtschaftsvertrag vom März 1939 sicherte sich Deutschland einen „überragenden Einfluß mit spezifisch deutschen Methoden, ohne auf die alten Mittel der Handelspolitik mit unbedingter Meistbegünstigung und Goldwährung zurückgreifen zu müssen", urteilte im Februar 1939 Helmuth Wohlthat, der mit den deutsch-rumänischen Wirtschaftsverhandlungen beauftragte Mitarbeiter Görings. Die Stabilisierung der Kurse zwischen Reichsmark und den betreffenden Landeswährungen eröffne „neue Möglichkeiten für die internationale Geltung der Reichsmark", und die Anhebung des Lebensstandards in den südosteuropäischen Staaten würde in „direkter Beziehung zu Großdeutschland" erfolgen. Damit könne die deutsche Position bei der „Auseinandersetzung mit den Wirtschaftsinteressen des Britischen Weltreiches und Nordamerikas . . . gestärkt werden". Das Auswärtige Amt stellte dann auch mit Zufriedenheit fest, daß der Abschluß des deutsch-rumänischen Vertrages auf die amerikanische Öffentlichkeit einen „großen Eindruck" gemacht habe. Der Vorschlag der Politischen Abteilung, diesen Eindruck noch zu verstärken und „insbesondere der Opposition gegen Roosevelt weiteres Material zu liefern", wurde zunächst jedoch nicht weiter verfolgt. Die Handelspolitische Abteilung wünschte keine Störung der inoffiziellen Kontakte zwischen Berlin und Washington über eine ,,Milderung" der durch die bereits erwähnte Einführung amerikanischer Zuschlagzölle (18. März 1939) weiter verschärften bilateralen Wirtschaftsbeziehungen. Aus dem Stab des Außenministers erging allerdings Ende März die Weisung, ,,bei nächster sich bietender Gelegenheit" die ,,positive Handelspolitik Deutschlands mit der negativen, weil ideologisch verkrampften Handelspolitik" der USA öffentlich zu vergleichen; der ,,destruktiven" Handelspolitik der USA sei die ,,konstruktive" deutsche Außenwirtschaftspolitik gegenüberzustellen.[73]

Es lag auf der Linie dieser Argumentation, wenn Georg von Schnitzler (IG Farben) in einem im Juni 1940 in der amerikanischen Zeitschrift Atlantic Monthly erschienenen Aufsatz zu dem Thema ,,Deutschland und der Wiederaufbau der Weltwirtschaft nach dem Kriege" die seit 1934 entscheidend vorangetriebene Intensivierung der deutsch-südosteuropäischen Wirtschaftsbeziehungen als eine auch für die USA vorteilhafte Entwicklung darzustellen suchte, um dem Widerstand Washingtons gegen die nationalsozialistische Großraumwirtschaft zu begegnen.[74] In seinem in enger Abstimmung mit dem Auswärtigen Amt entstandenen Aufsatz, der von der deutschen Botschaft in Washington wegen seiner ,,grundsätzlichen Bedeutung" an über tausend ,,ausgesuchte Persönlichkeiten des amerikanischen Wirtschaftslebens" versandt wurde, verwahrte sich Schnitzler gegen den Vorwurf, Deutschland verfolge in Südosteuropa ,,kapitalistische" oder ,,imperialistische" Ziele. Die Bilateralisierung des Warenverkehrs sei vielmehr auf beiden Seiten zu einem ,,Musterbeispiel volkswirtschaftlicher Zweckmäßigkeit" ausgebaut worden. Die deutsche Industrialisierungshilfe bewirke eine Anhebung des Lebensstandards in Südosteuropa; die ,,guten, aber gerechten Preise, die Deutschland als Abnehmer für landwirtschaftliche Produkte zahle", steigerten ebenfalls die Kaufkraft dieser Staaten. Von dieser Entwicklung profitiere aber nicht nur Deutschland, denn die Anhebung des Lebensstandards in den südosteuropäischen Agrarstaaten werde zu einem ,,nicht unbeträchtlichen Teile auch anderen Industrieländern, auch den Vereinigten

Staaten, in ihren Liefermöglichkeiten von großem Nutzen sein".
Zugleich meldete Schnitzler für die Nachkriegszeit den deutschen
Anspruch auf eine wirtschaftliche Durchdringung Lateinamerikas
an. Aber gerade derartige Hinweise waren nicht dazu angetan, in
den USA die Furcht vor einer deutschen Hegemonialstellung in
Kontinentaleuropa zu zerstreuen.

9. Das Scheitern der amerikanischen Eindämmungsstrategie

Die deutsch-amerikanische Rivalität in Südosteuropa und vor allem
in Lateinamerika verdeutlichen, warum die Regierung Roosevelt
eine deutsche Hegemonialstellung in Europa auf die Dauer nicht
akzeptieren konnte und deshalb eine aktive Gegenpolitik mittels
ökonomischen Drucks und einer sich im wirtschaftlichen Bereich
manifestierenden politischen Annäherung an London entwickelte.
Die Washingtoner Politik gegenüber dem Dritten Reich unterscheidet sich damit fundamental von der britischen Deutschlandpolitik
der 30er Jahre. Man wird die amerikanische Deutschlandpolitik vor
dem Zweiten Weltkrieg daher auch keinesfalls als Appeasementpolitik charakterisieren dürfen, wie dies der amerikanische Historiker
Offner wiederholt getan hat.[75]
   Allerdings erwies sich auch die von amerikanischen Politikern als
"economic appeasement" bezeichnete Eindämmungsstrategie gegenüber der nationalsozialistischen Expansion als ebenso erfolglos
wie die britische Appeasementpolitik. Das hat im wesentlichen
zwei Gründe. Einmal hat der amerikanische Konjunktureinbruch
von 1937/38 die ökonomische Attraktivität der amerikanischen
Handelsvertragspolitik für zahlreiche Staaten wieder relativiert; damit hat das Handelsvertragsprogramm die vor allem vom State
Department erhoffte Wirkung im wirtschaftlichen und politischen
Bereich nicht voll entfalten können. Zum anderen blieb die amerikanische Eindämmungsstrategie der 30er Jahre zu stark dem traditionellen Mittel der indirekt-ökonomischen Einflußnahme und
dem Prinzip der ,,Offenen Tür" verhaftet, sie war damit der aggres-
siven deutschen Wirtschaftspolitik und der zunehmend sich auch

auf militärische Maßnahmen stützenden außenpolitischen Expansion des Dritten Reiches zunächst unterlegen.

Die vor allem von der deutschen Rüstungspolitik ausgehende Asymmetrie der Mittelwahl bei der Durchsetzung der jeweiligen außenpolitischen Ziele der beiden Mächte ist von Präsident Roosevelt seit 1936/37 auch klar diagnostiziert worden. Allerdings fehlten der Washingtoner Regierung zunächst die innenpolitischen Voraussetzungen, um zu dem Konzept eines "economic appeasement" eine Alternative zu entwickeln. Die isolationistischen Tendenzen in der amerikanischen Öffentlichkeit und vor allem die Neutralitätsgesetzgebung des Kongresses seit 1935 haben eine direkte politische Einflußnahme auf die europäische Entwicklung oder die Vorbereitung militärischer Maßnahmen bis 1938/39 unmöglich gemacht. Das erklärt zugleich, warum die Regierung Roosevelt, die ungeachtet der innenpolitischen Konstellation eine aktive Außenpolitik betrieb, ihrem Außenwirtschaftsprogramm auch eine so zentrale politische Bedeutung beimaß, denn die Wirtschaftspolitik war bis 1939 das einzige Instrument, das der Exekutive zur außenpolitischen Einflußnahme zur Verfügung stand. Auch aus diesem Grund kann es kaum überraschen, wenn sich der deutsch-amerikanische Gegensatz zunächst im ökonomischen Bereich entwickelte.

Eine Analyse der Beziehungen zwischen den USA und dem Dritten Reich, die sich nicht auf das sichtbare diplomatische Geschehen beschränkt, vielmehr die ökonomischen Konflikte der beiden Staaten voll berücksichtigt, offenbart ein grundlegendes Dilemma der nationalsozialistischen Außenpolitik. Der Aufbau der deutschen Hegemonialstellung in Europa und die zur Kriegsvorbereitung notwendige Mobilisierung der wirtschaftlichen Ressourcen implizierte bereits Mitte der 30er Jahre eine essentielle Bedrohung amerikanischer Interessen; das gilt sowohl in politischer als auch in wirtschaftlicher Hinsicht. Einmal bedeuteten die wirtschaftspolitischen Methoden und vor allem die handelspolitische Offensive in Lateinamerika eine Zurückdrängung wirtschaftspolitischer Interessen der USA. Dieser Vorgang war zugleich in doppelter Hinsicht auch von politischer Bedeutung. Mit der Zurückdrängung des amerikanischen Außenhandels vor allem in Lateinamerika bedrohte das Dritte Reich letztlich das liberal-kapitalistische System in den USA, zumindest aus der subjektiven Perspektive der amerikanischen Führungseliten. Zum anderen bedeutete die Unterminierung des amerikanischen Handelsvertragssystems einen Angriff auf das einzige außenpolitische Instrument der Regierung Roosevelt. Die sich im ökonomischen Bereich manifestierenden Interessenkonflikte stellten mithin die Erfolge der vorsichtigen deutschen Amerikapolitik nach der Machtergreifung ebenso in Frage, wie sie nach dem Kriegsausbruch das strategische Kalkül Hitlers durchkreuzten.

Die Hitlersche Außenpolitik hat in ihren Auswirkungen bereits seit Mitte der 30er Jahre jene außenpolitische Konstellation provoziert, die nach der Mobilisierung des militärisch-strategischen Potentials der USA die Erfolge der Hitlerschen Herrschaftspläne von vornherein zum Scheitern verurteilt hat. Es gehört zu der großen Fehleinschätzung Hitlers, wenn er der Illusion erlag, daß sich ein bewaffneter Konflikt mit den USA solange hinausschieben lassen werde, bis die deutsche Vorherrschaft auf dem gesamten europäischen Kontinent gesichert war.

Manfred Knapp

Politische und wirtschaftliche Interdependenzen im Verhältnis USA – (Bundesrepublik) Deutschland 1945–1975

1. Wandlungsprozesse in den deutsch-amerikanischen Nachkriegsbeziehungen

Es war keineswegs selbstverständlich oder das Ergebnis historischer Zwangsläufigkeiten, daß sich nach dem Ende des Zweiten Weltkriegs zwischen den Vereinigten Staaten von Amerika und dem größeren westlichen Teil Deutschlands ein so dauerhaftes, freundschaftliches Verhältnis entwickelte. Zweifellos wäre es eine wichtige historiographische Aufgabe, im einzelnen die Entwicklungsgeschichte dieses deutsch-amerikanischen Nachkriegsbündnisses zu rekonstruieren.[1] Doch soll in diesem Beitrag versucht werden, mit Hilfe eines politikwissenschaftlichen Forschungsansatzes problemorientierte Längs- und Querschnitte durch den Beziehungskomplex USA – (Bundesrepublik) Deutschland zu legen. Der Anfang des Untersuchungszeitraums ist durch den Einschnitt des Zweiten Weltkriegs festgelegt, zur Gegenwart hin läßt eine Reihe international bedeutsamer Vorgänge eine Analyse bis zum Jahr 1975 als sinnvoll erscheinen. In der ersten Hälfte der siebziger Jahre war unter anderem zu beobachten: erstens das offensichtliche Ende der Nachkriegsphase der amerikanischen Deutschlandpolitik, zweitens eine tiefgreifende Erschütterung der weltpolitischen Führungsposition der Vereinigten Staaten, drittens eine wachsende Positionsstärkung der Bundesrepublik Deutschland im internationalen System, viertens eine Krise des westeuropäischen Integrationsprozesses, fünftens eine einschneidende Strukturkrise des kapitalistischen

Weltwirtschaftssystems, nachdem die prosperierenden Wiederaufbauprozesse abgeschlossen waren und das seit dem Ende des Zweiten Weltkriegs anhaltende Wirtschaftswachstum 1974/75 einen starken Rezessionseinbruch erlitten hatte. Die politikwissenschaftliche und zeitgeschichtliche Forschung schenkte der herausfordernden Koinzidenz der vorerwähnten Faktoren wie überhaupt dem Verhältnis zwischen den USA und der Bundesrepublik bislang noch relativ wenig Beachtung, so daß es genug Gründe gibt für den Versuch, die deutsch-amerikanischen Nachkriegsbeziehungen unter diesen Perspektiven zu analysieren.[2]

Dabei stellt vom Standpunkt der Theorie der internationalen Beziehungen das Verhältnis zwischen den USA und der BRD einen außergewöhnlich interessanten Untersuchungsgegenstand dar. Daß der deutsch-amerikanische Beziehungskomplex auch für die politische Praxis der beiden verbündeten Staaten und darüber hinaus für die internationale Politik eine große Bedeutung hat, steht außer Frage. Das Bündnis mit Amerika, so stellte ein bekannter deutscher Politiker fest, sei geradezu das zweite Grundgesetz der Bundesrepublik geworden.[3] Ein angesehener amerikanischer Wirtschaftswissenschaftler plädierte angesichts des durch die Bundesrepublik repräsentierten Wirtschaftspotentials sogar dafür, daß sich beide Staaten zur Lösung der anstehenden Probleme des Weltwirtschaftssystems zu einer ökonomischen ,,Bigemony'', also einer Art hegemonialer Doppelführerschaft, zusammentun sollten.[4]

Das Verhältnis der beiden Bündnispartner zeichnete sich seit seiner Begründung nach dem Zweiten Weltkrieg nicht nur durch eine beachtliche Stabilität aus, vielmehr durchlief die Dyade USA-BRD nicht minder bedeutende Wandlungsprozesse, die diesem Zweierbündnis innerhalb des westlichen Staatensystems spezifische Qualitäten verliehen. Eine Besonderheit der deutsch-amerikanischen Beziehungen liegt schon in dem Umstand, daß die beiden Bündnispartner durch die sich nach 1945 entwickelnde internationale Konfliktlage im Zeichen des Kalten Kriegs rasch zusammengeführt wurden, – obwohl sie sich zunächst mit extrem ungleichem Status in der Nachkriegssituation vorfanden. Als die außenpolitisch führenden Kreise innerhalb und außerhalb der Regierung der mächtigsten Siegermacht des Zweiten Weltkriegs die große zukünftige ökonomische, strategische und politische Bedeutung des besiegten Kriegsgegners Deutschland in dem sich verschärfenden Antagonismus zwischen West und Ost erkannt hatten, legten die USA ihre Europapolitik zielstrebig auf eine enge Zusammenarbeit mit dem ehemaligen Feindstaat an, – soweit er in den amerikanischen Einflußbereich einbezogen werden konnte.

Mit Recht wurde hervorgehoben, die Bundesrepublik sei somit zunächst als Produkt der amerikanischen Strategie ins Leben getreten.[5] Die verantwortlichen politischen Repräsentanten in den westlichen Besatzungszonen meinten jedoch der Aufforderung zur Weststaatsbildung und Westorientierung entsprechen zu müssen, weil sie mit diesem Schritt in Anlehnung an den Westen – und dies hieß schon damals wie auch später, vor allem an die USA – am ehesten Möglichkeiten und Chancen zu einer liberaldemokratischen Neuordnung und zu einem baldigen wirtschaftlichen Wiederaufbau in Deutschland nutzen zu können glaubten. Die Furcht, die neugewonnene Freiheit unter Umständen für eine neue Diktatur stalinistischer Provenienz wieder verlieren zu müssen, veranlaßte sie jedenfalls, wenn auch mit etwas zwiespältigen Gefühlen und unter Vorbehalten, eine belehnte Eigenstaatlichkeit in Gestalt eines westdeutschen Bundesstaates unter der Kontrolle der westlichen Besatzungsmächte und deren Vormacht USA zu akzeptieren.

Das anfängliche Vasallentum[6] des neuen westdeutschen Staatsgebildes konnte indes schon bald mit der stufenweisen Erlangung von Souveränitätselementen und Gleichberechtigung abgebaut werden, da die damalige Bundesregierung unter Adenauer in der Hoch-Zeit des Kalten Kriegs dem westlichen Lager ökonomisch-militärische Verstärkung zu politischen Preisen anbieten konnte. Unterdessen vermochte sich die Bundesrepublik im Innern zu konsolidieren und wuchs nach einem vor allem durch amerikanische Hilfen beschleunigten Wiederaufbau zum politisch und wirtschaftlich wichtigsten Partner der USA in Europa heran.

Der Emanzipationsprozeß des deutschen Bündnispartners gegenüber der Bündnisführungsmacht (und natürlich auch im Verhältnis zu den beiden anderen westlichen Sieger- und Besatzungsmächten) war indessen für die Deutschen von einer bitteren Entwicklung des Deutschlandproblems begleitet. Hatten noch die drei Mächte ihrem deutschen Partner im Rahmen des sogenannten Deutschlandvertrags (1952/54) zugesagt, mit ihm zusammenwirken zu wollen, um mit friedlichen Mitteln ein wiedervereinigtes Deutschland mit einer freiheitlich-demokratischen Verfassung herbeizuführen, so wurde, nachdem dieses Versprechen im Zusammenhang mit dem Beitritt der Bundesrepublik zur NATO eine rechtsverbindliche Form angenommen hatte, immer mehr deutlich, daß einer Verwirklichung dieser proklamierten Zielvorstellung mit der Vertiefung der Teilung Deutschlands jede realpolitische Basis fehlte. Die Westmächte, namentlich die USA, richteten sich denn auch schon seit Mitte der fünfziger Jahre auf die Respektierung des Status quo in Zentraleuropa und mithin auch auf die deutsche Zweistaatlichkeit ein; sie gingen in ihrer Außenpolitik viel früher, als sie mit Rücksicht auf Bonn öffentlich zuzugeben bereit waren, von der Existenz zweier deutscher Staaten aus.

Nachdem im Zuge der Entspannungspolitik anfangs der siebziger Jahre auch die Bundesrepublik die eigene Staatsqualität der DDR anerkannt hatte, bedeutete die im Anschluß daran im September 1974 vollzogene völkerrechtliche Anerkennung Ost-Berlins durch die USA einen gewissen Abschluß der Nachkriegsphase der amerikanischen Deutschlandpolitik. Nicht von ungefähr hatte diese Periodisierung ein gutes halbes Jahr später, Ende Juli/Anfang August 1975, mit dem Abschluß der Konferenz über Sicherheit und Zusammenarbeit in Europa eine Entsprechung.

Der Zeitpunkt scheint somit günstig für eine kritische Analyse dieses dreißigjährigen Entwicklungsablaufs der deutsch-amerikanischen Nachkriegsbeziehungen, um, wie noch näher auszuführen ist, einige wesentliche Prozeß- und Strukturmuster dieses spezifischen dyadischen Beziehungssystems aufzuklären. Dabei soll versuchsweise einem neueren Forschungsansatz gefolgt werden, an den einige neue Fragestellungen zu knüpfen sind, welche über die schon fast kanonisierten Interpretationsschemata des Kalten Kriegs hinauszuführen geeignet erscheinen.

2. Zum Problem der Analyse komplexer Interdependenzen zwischen hochentwickelten Industriestaaten

Die nachfolgenden Ausführungen basieren auf der Annahme, daß die hinter der Ereignisgeschichte der deutsch-amerikanischen Nachkriegsbeziehungen möglicherweise vorhandenen und erkennbaren Beziehungsmuster mit Hilfe des Interdependenz-Begriffs ermittelt und transparent gemacht werden können. Diese Hypothese ist näher zu erläutern.

Der Interdependenz-Begriff gehört zweifellos zu den gängigsten Begriffsbildungen. Auch bei der Beschreibung von Vorgängen im weiten Feld der internationalen Beziehungen scheint man ohne diesen Terminus kaum auskommen zu können. Er bringt nämlich, wenn auch präzisionsbedürftig, ein komplexes Erscheinungsbild auf den Begriff, das in immer stärkerem Maße zum hervorstechenden Charakteristikum der modernen zwischenstaatlichen und zwischengesellschaftlichen Politik geworden ist. Jedenfalls sind in vielen Weltregionen, insbesondere im atlantisch-westeuropäischen Raum, die dort angesiedelten Staaten und Gesellschaften durch ein hohes Maß grenzüberschreitender Transaktionen und wechselseitiger politischer und ökonomischer Abhängigkeiten geprägt. Mehr noch: Die jüngsten Erfahrungen mit den sich augenscheinlich verdichtenden weltwirtschaftlichen Beziehungen und die wachsende Verflechtung der einzelnen Volkswirtschaften untereinander scheinen geradezu eine weltpolitische Interdependenz globalen Ausmaßes zur krisenhaften Realität gemacht zu haben.[7]

Für die Brauchbarkeit des Interdependenz-Begriffs als analytische Kategorie spricht auch, daß mit der Feststellung von Interdependenzen zunächst nicht notwendigerweise schon Aussagen über die Zielrichtung oder über ein bestimmtes, vergemeinschaftetes Aggregationsniveau der interdependenten Einheiten verbunden sind, wie dies beispielsweise bei Begriffen wie ,,Integration'', ,,Partnerschaft'' oder ,,Atlantic Community'' zumindest suggeriert wird. Dementsprechend ist gegebenenfalls zwischen *positiver* und *negativer* Interdependenz zu unterscheiden, je nachdem, ob die interdependenten Einheiten durch Bündnis- oder Gegnerschaftsbeziehungen miteinander verbunden sind; eine hochgradige Interdependenz kann es also durchaus auch zwischen antagonistischen Staaten geben, wie die zwischen den USA und der Sowjetunion bestehende Interdependenz in bezug auf die Vermeidung eines Nuklearkriegs zeigt.[8]

Der weithin geteilten Ansicht, wonach sich der Grad der internationalen Interdependenz während der letzten beiden Jahrzehnte unaufhörlich erhöht habe, stehen indes auch einige kritische Meinungen gegenüber, die hinter derartige Trendanalysen einige Fragezeichen setzen.[9] Auch wegen der großen Ungleichgewichtigkeit der im internationalen System auftretenden Akteure müßten doch, so wurde eingewandt, gegenüber dem Interdependenz-Begriff zumindest Vorbehalte sowie ein gewisser Ideologieverdacht erhoben werden. Besonders in jenen internationalen Systemen, in denen die Vereinigten Staaten von Amerika mit ihrem übermächtigen militärischen und ökonomischen Potential ins Spiel kämen, könne der dominierende US-amerikanische Einfluß mit dem Interdependenz-Begriff unter Umständen allenfalls ideologisch verschleiert, schwerlich jedoch analysiert werden.[10]

In der Tat scheint es auf den ersten Blick sehr riskant zu sein, bei der Untersuchung der deutsch-amerikanischen Nachkriegsbeziehungen mit dem Interdependenz-Begriff zu arbeiten, wo doch das Verhältnis zwischen Westdeutschland und den USA nach dem Ende des Zweiten Weltkriegs zumindest anfänglich durch eine extreme Abhängigkeit des ersteren von der Supermacht jenseits des Atlantik gekennzeichnet war. Im übrigen ist es ja auch heute eine durchaus kontroverse Frage, bis zu welchem Maße, ungeachtet der inzwischen gewandelten Verhältnisse, vor allem angesichts des mächtigen Wirtschaftspotentials der USA und aufgrund des Angewiesenseins der Westeuropäer und insbesondere der Westdeutschen und Westberliner auf militärstrategische Sicherheitsleistungen der USA, letzten Endes nicht doch einseitige transatlantische Abhängigkeitsstrukturen vorhanden sind. Über die mit dieser Frage verbundenen Thesen und Gegenthesen haben in den letzten Jahren auch einige Marxisten heftig gestritten.[11]

In Kenntnis dieser Kontroversen und im Hinblick auf die große Bedeutung der USA für die Bundesrepublik scheint sich bei der Analyse des deutsch-amerikanischen Bilateralismus die Anwendung einer Begriffskategorie zu verbieten, die doch eher von einer stillschweigenden Gleichheit der interdependenten Einheiten, zumindest aber von einer gleichgewichtigen Solidarität gleicher Bedürftigkeiten oder Verwundbarkeiten auszugehen scheint. Es ist jedoch grundsätzlich zu fragen, ob die vorgebliche Gleichheit der Interdependenzpartner tatsächlich als ein entscheidendes Merkmal internationaler Interdependenz zu gelten hat. Es wird darauf ankommen, diesen Schlüsselbegriff genauer zu definieren: Bezogen auf ein bilaterales Verhältnis zwischen zwei Handlungseinheiten A und B kann Interdependenz im *Grenzfall* zur einseitigen Abhängigkeit des einen vom anderen Akteur ausarten und sollte dann sinnvollerweise als Dependenz bezeichnet werden. Hingegen ist die Tatsache nicht von der Hand zu weisen, daß eine bilaterale Interdependenz (erst recht eine multilaterale) nur im *Idealfall* völlig gleichgewichtig oder *symmetrisch* ist. In der politischen Praxis treten aber höchst bedeutsame wechselseitige Abhängigkeitsbeziehungen auch in *asymmetrischer* Gestalt auf, und dies ist sogar die Regel. Entscheidend für das Vorliegen einer Interdependenz ist nicht, daß die mutmaßlich interdependenten Einheiten gleichgewichtig sind, vielmehr ist von Interdependenzbeziehungen dann zu sprechen, wenn beide Parteien prinzipiell von Veränderungen der zwischen ihnen bestehenden ideellen und materiellen Verflechtungen und Transaktionen *empfindlich* betroffen werden.

In die hier vorgetragenen Überlegungen sind einige Definitionselemente eingegangen, die in den letzten Jahren von einer Reihe amerikanischer Wissenschaftler in die Diskussion eingebracht wurden.[12] Ich verwende in dieser Abhandlung den Begriff Interdependenz zur Bezeichnung von zwischen zwei (oder mehreren) Staaten oder Handlungseinheiten unterschiedlicher Staatszugehörigkeit bestehenden Beziehungsqualitäten, wenn diese durch wechselseitige (nicht notwendigerweise symmetrische), hochbewertete, aktuelle oder potentielle oder perzipierte Wirkungsfolgen charakterisiert sind. Danach sind weltpolitische Interdependenzen wechselseitige

zwischenstaatliche oder zwischengesellschaftliche Abhängigkeitsbeziehungen, "costly to break".[13]

Mit Hilfe dieser Arbeitsdefinition wird im vorliegenden Beitrag
ein erster Versuch gemacht, einige Fragestellungen über die Beziehungsstruktur der deutsch-amerikanischen Nachkriegsbeziehungen zu entwickeln und Antworten darauf zu geben. Die erste und
wichtigste Frage ist gleichzeitig auch die scheinbar trivialste: Weisen
die Beziehungen zwischen den USA und der Bundesrepublik eine
Interdependenzstruktur auf?

Von der Ausgangsfrage nach den grundsätzlichen Qualitäts-
merkmalen der Beziehungen lassen sich noch eine Reihe weiterer
Fragen ableiten. Wenn im Verhältnis zwischen den USA und der
Bundesrepublik Interdependenzen vorliegen, dann ist zu fragen,
seit wann diese Strukturmerkmale in der Dyade aufgetreten sind
und welche Zeitvariabilitäten, das heißt Prozeßmuster, auszumachen sind. Von großer Bedeutung wäre auch die Feststellung, auf
welchen Gebieten gegebenenfalls Interdependenzen nachweisbar
sind. Überhaupt wird die Grundfrage nur dann zu beantworten
sein, wenn der deutsch-amerikanische Beziehungskomplex zunächst analytisch aufgelöst wird in einzelne, empirisch handhabbare
Dimensionen. Dies soll hier durch eine Differenzierung nach primär politischen und primär ökonomischen Bereichen geschehen,
wodurch freilich die möglicherweise vorhandenen Interdependenzen in anderen Bereichen, beispielsweise auf kulturellem Gebiet,
keineswegs als uninteressant oder bedeutungslos hingestellt werden
sollen. Mit der Konzentration auf die politischen und wirtschaftlichen Sachgebiete wäre natürlich interessant zu wissen, ob es signifi-
kante Unterschiede in der Beschaffenheit der vermuteten politischen und ökonomischen Interdependenzen gibt. Ein nächster
Schritt wäre die Frage nach der ,,Interdependenz der Interdependenzen", also nach der Frage, wie politische und ökonomische
Interdependenzen ihrerseits zusammenhängen; sind sie gegeneinander aufzurechnen, gewisserweise ,,konvertierbar"?

Schließlich stellt sich eine weitere, äußerst wichtige Frage nach
den Bezugseinheiten für Interdependenzen. In den vorangegange-
nen Bemerkungen zur Begriffsklärung von Interdependenz war

nicht nur von Staaten, sondern auch von „Handlungseinheiten" als den Trägern beziehungsweise Stiftern von Interdependenzbeziehungen die Rede. Auf einer hohen Abstraktionsebene könnten die Staaten, vertreten durch ihre Regierungen, als interdependente Einheiten ermittelt werden. Aber bestehen in der westlichen Welt nicht auch grenzüberschreitende Interdependenzen zwischen nichtstaatlichen, nichtgouvernementalen Akteuren, beispielsweise zwischen privatwirtschaftlichen Verbänden, etwa zwischen den sogenannten Multinationalen Konzernen? Welche Rückwirkungen haben solcher Art bestehende transnationale Interdependenzen auf das Gesamtverhältnis zwischen den beiden Staaten und der sie tragenden Gesellschaften? In diesem Zusammenhang könnte letztlich auch noch die Frage aufgeworfen werden, ob das die Dyade USA-BRD charakterisierende Strukturmuster nur spezifisch für den deutsch-amerikanischen Bilateralismus gültig ist, oder ob es darüber hinaus eine generelle Systemqualität des atlantisch-westeuropäischen Industriestaatensystems darstellt.

Bereits diese erste vorläufige Auflistung einiger mit Hilfe des Interdependenz-Begriffs abgeleiteter Fragenansätze zeigt, daß aus dieser Begriffskategorie ein fruchtbarer, heuristischer Ansatz zu gewinnen ist, mit dem nun die empirischen Hauptdaten der deutsch-amerikanischen Nachkriegsbeziehungen zu analysieren sind. An den Schlüsselbegriff Interdependenz knüpft sich auch die erste Hauptthese dieser Abhandlung. Sie lautet: Aufs Ganze gesehen, ist eine charakteristische Kennlinie im Beziehungsmuster zwischen den beiden Staaten während der vergangenen drei Jahrzehnte die Entwicklung der Dependenz Westdeutschlands von den USA zu einer asymmetrischen Interdependenz auf politischem und ökonomischem Gebiet. Diese These ist nun näher zu begründen.

3. Politische Interdependenzen

Vorab muß jedoch eine Verständigung über die zu treffende Unterscheidung zwischen den politischen und wirtschaftlichen Sachbereichen herbeigeführt werden. Für die Zwecke dieser Abhandlung ist es sinnvoll, die Grundfragen der Wirtschaftsordnung eines staatlich organisierten Herrschafts- und Gesellschaftsverbandes, das heißt die Auseinandersetzungen über die ein Wirtschaftssystem charakterisierenden Systemelemente, dem politischen Fundamentalbereich der in Frage stehenden Einheit zuzurechnen. Danach sind also die zwischen den USA und den deutschen Repräsentanten nach dem Zweiten Weltkrieg auftauchenden Fragen nach der Grundstruktur des im Nachkriegsdeutschland einzurichtenden Wirtschaftssystems (ebenso wie die nach der Gesellschaftsordnung und nach dem Regierungssystem) dem politischen Bereich zuzuordnen, wohingegen alle übrigen ökonomischen Probleme in das Kapitel über die wirtschaftlichen Sachbereiche zu verweisen sind. Auf der Basis dieser Klärung können in einer Typologie potentieller politischer Interdependenzen vier Bereiche unterschieden werden, die natürlich aufs engste miteinander verknüpft sind:

1. Der politische Fundamentalbereich: Interdependenzen in bezug auf affine Gesellschafts-, Herrschafts- und Wirtschaftsordnungen in beiden Staaten, das heißt: das gemeinsame Festhalten an westlich-liberaldemokratischen Wertvorstellungen, repräsentativ-demokratischen Regierungssystemen und einem prinzipiell gleichen, nämlich privatkapitalistischen, marktwirtschaftlichen Wirtschaftssystem.

2. Der Bereich der Systemsicherung nach außen: Interdependenzen bei der Gewährleistung der äußeren Sicherheit in Relation zum antagonistischen, sozialistisch-kommunistischen Lager und dessen Vormacht, also der Sowjetunion. Mit anderen Worten: Es ist hier zu prüfen, ob politische Interdependenzen in Hinsicht auf eine gemeinsame Militär-, Bündnis- und Sicherheitspolitik im Kontext der Ost-West-Beziehungen bestehen.

3. Der Bereich der Systemordnung im Gebiet des engeren westlichen Industriestaatensystems: Abgesehen von der besonderen Rolle Japans, auf die hier nicht eingegangen werden kann, ist vor allem die Organisation der Ordnung innerhalb der atlantisch-europäischen Region und die Europapolitik der beiden Staaten auf etwa bestehende Interdependenzrelationen hin zu untersuchen.

4. Der Bereich der globalen Systemordnung, insbesondere im Verhältnis zur Peripherie: Es ist zu untersuchen, ob auch im Ver-

hältnis zur Staatenwelt außerhalb des engeren europäisch-amerikanischen und des sozialistischen Systems, das heißt vor allem im Kontext der Nord-Süd-Beziehungen, also im Verhältnis zu den Entwicklungsländern, globale Interdependenzbeziehungen zwischen den USA und der Bundesrepublik anzutreffen sind.

3.1 Im Fundamentalbereich

Bei der Untersuchung der vier analytisch unterscheidbaren Dimensionen politischer Interdependenz ist generell zu beachten, daß das Beziehungsnetz zwischen hochentwickelten westlichen Industriestaaten keineswegs nur mit konventionellen außenpolitischen Kategorien erfaßt werden kann. Diese Feststellung gilt insbesondere für den ersten, grundlegenden Interdependenzbereich und für die ersten Nachkriegsjahre der deutsch-amerikanischen Beziehungen. Obgleich es zu jener Zeit keine selbständige deutsche Außenpolitik gab, entwickelten sich gleichwohl westdeutsche Außenbeziehungen im Verhältnis zu den USA. In den ersten Jahren nach der Kapitulation des NS-Reiches waren die wirtschafts- und gesellschaftspolitische Neuordnung und außenpolitische Orientierung des sich später zur Bundesrepublik entwickelnden westlichen Teils von Deutschland unauflösbar miteinander verbunden und von den Interessen der USA abhängig. Die Abhängigkeit der Nachkriegsentwicklung in Deutschland von der amerikanischen Besatzungsmacht wurde in mehreren Untersuchungen klar belegt. Dabei hoben einige Autoren mit Recht hervor, daß es wesentlich dem Einfluß der amerikanischen Militärregierung zuzuschreiben war, daß auf deutscher Seite ursprünglich vorhandene Vorstellungen und Forderungen für eine weitergehende Neuordnung durch Sozialisierung bestimmter Industrie- und Wirtschaftszweige sowie durch andere Reformmaßnahmen gehemmt und nicht realisiert werden konnten.[14] Weitgehende Einigkeit bestand hingegen zwischen den US-Behörden und den wichtigsten deutschen politischen Kräften darin, den politischen Neuaufbau in Deutschland auf freiheitlich-demokratischer Basis im Sinne eines gewaltenteilenden, repräsentativ-demokratischen Rechtsstaates anzustreben.

Die amerikanische Besatzungspolitik wurde indes von einem Demokratieverständnis bestimmt, das an dem in den USA realisierten Modell der bürgerlichen Demokratie orientiert war. Kennzeichnend für dieses Gesellschaftsmodell und maßgebend für die Verfolgung der Besatzungsziele der USA war die Vorstellung, daß zwischen der politischen und wirtschaftlichen Ordnung eines Gemeinwesens ein enger Zusammenhang bestehe. War über diesen Punkt auch noch mit den Kritikern des von den USA repräsentierten Wirtschaftssystems ein Konsens herbeizuführen, so schieden sich die Geister an der Frage, ob die Gewährleistung liberaler Grundrechte und eines freiheitlichen Regierungssystems notwendigerweise mit einer freien, kapitalistischen Wirtschaftsordnung verknüpft sein müsse. Die führenden politischen Kreise in den USA waren nicht nur dieser festen Ansicht, sondern versuchten auch, aus ökonomischen Interessen beziehungsweise aufgrund ökonomischer Erfordernisse (langfristige Sicherung von Märkten und Investitionsgebieten) diese Prinzipien zur Richtschnur amerikanischer Außenbeziehungen zu machen, so daß sie nicht zuletzt auch in der amerikanischen Besatzungspolitik in Deutschland angewandt wurden. Wie Schwarz und andere darlegten, konnte in der amerikanischen Außen- und Deutschlandpolitik gerade jene Gruppe ,,antikommunistischer Realpolitiker" maßgeblichen Einfluß gewinnen, die sich aus Kreisen des Big Business, New Yorker Anwaltsfirmen, Bankiers mit internationalen Geschäftsverbindungen rekrutierte beziehungsweise, die als hohe Beamte und Militärs die spezifischen, außenwirtschaftlich orientierten Interessen dieser Kreise bei den in Deutschland zu treffenden Entscheidungen respektierten.[15] Dies hatte zur Folge, daß die amerikanischen Militärbehörden prinzipiell gleichgerichtete Ordnungsvorstellungen auf deutscher Seite zum Nachteil denkbarer und teilweise angestrebter alternativer Sozialmodelle durch entsprechende Besatzungsoktrois und durch eine Reihe flankierender ökonomischer Hilfsprogramme unterstützten, so daß sich schließlich in der Bundesrepublik die reformkapitalistische Variante einer freien Unternehmerwirtschaft (,,soziale Marktwirtschaft") auf der Grundlage einer im wesentlichen unveränderten sozialökonomischen Struktur durchsetzen konnte.

Zusammenfassend ist festzustellen, daß mit den Interventionen der amerikanischen Besatzungsmacht gegen die Sozialisierungsbestrebungen, mit der Einbeziehung der westlichen Besatzungszonen in den Marshallplan, mit dem Zusammenspiel und der Solidarität zwischen Vertretern der US-Wirtschaft (innerhalb und außerhalb der US-Militäradministration) und Führungskräften der deutschen Wirtschaft („ein Solidaritätsgefühl, das gleicher gesellschaftlicher Klassenlage entsprang"[16]), mit der von den Besatzungsmächten verfügten Währungsreform und dem von Erhard eingeschlagenen Kurs einer liberalen Wirtschaftspolitik die Grundlagen für die Wirtschaftsverfassung in Westdeutschland bereits vor der offiziellen Gründung der Bundesrepublik geschaffen waren.[17] Nachdem sich bei der Grundlegung der sozialökonomischen und politischen Ordnung in Westdeutschland eine gewisse Dichotomie zwischen der unter erheblichem amerikanischen Einfluß fixierten Wirtschafts- und Sozialordnung und der politisch-institutionellen Verfassung entwickelt hatte, hatte sich die US-Militäradministration bei der Schaffung des Bonner Grundgesetzes auf die Vorgabe und Kontrolle der Einhaltung bestimmter Rahmenbedingungen beschränkt (insbesondere Sicherstellung der individuellen Rechte und Freiheiten, föderalistischer Staatsaufbau).

Trotz des überragenden amerikanischen Einflusses ist die zentrale Frage dieser Abhandlung auch an die frühen deutsch-amerikanischen Beziehungen unmittelbar nach dem Zweiten Weltkrieg zu stellen: weisen diese Beziehungen nicht doch einen Interdependenz-Charakter auf? Bei der Kompliziertheit des Zusammenwirkens zwischen der amerikanischen Besatzungspolitik und deutschen Neuordnungsansätzen und in Ansehung der internationalen Lage läßt sich die Frage mit dem Hinweis auf unbestreitbare deutsche Abhängigkeiten nicht ohne weiteres verneinen. Berücksichtigt man vielmehr, daß sich nach 1945 gerade in Deutschland eine internationale Konkurrenz zwischen zwei rivalisierenden wirtschafts- und gesellschaftspolitischen Ordnungssystemen herauszubilden begann, so wird man die Dependenz Westdeutschlands von den USA im Prozeß der Neuordnung des im Aufbau befindlichen westdeutschen Staates schwerlich anders als den besatzungspolitisch bedingten Grenzfall einer internationalen Interdependenz bezeichnen können. Die USA waren schon damals bei der Verwirklichung ihrer Deutschland- und Europapolitik auf die Loyalität und die Kooperationsbereitschaft der westdeutschen Bevölkerung angewiesen. Den verantwortlichen Politikern und den maßgeblichen politischen Kräften in den USA war zu jener Zeit jedenfalls sehr wohl bewußt, daß eine zum amerikanischen Muster konträre Systemänderung in Deutschland – bei der gegebenen Schlüsselstellung des ehemaligen Feindstaats in Europa – zumindest in langfristiger Perspektive systemgefährdende, also hoch zu bewertende Auswirkungen auf die USA und auf die im amerikanischen Interesse liegende Rekonstruktion der kapitalistischen Weltwirtschaftsordnung gehabt haben würde. Diese Zusammenhänge blieben während der gesamten Nachkriegszeit als fundamentaler Interdependenzbezug zwischen den beiden Staaten bestehen, wobei sich allerdings mit der Konsolidierung und dem Erstarken der Bundesrepublik das Element der Wechselseitigkeit verstärkte.

3.2 Bei der Systemsicherung nach außen

Mit der Gründung der Bundesrepublik wurde der während der unmittelbaren amerikanischen Besatzungsherrschaft grundgelegte deutsch-amerikanische Interdependenzbezug auch auf der zwischenstaatlichen Ebene relevant und somit in außenpolitischen Begriffen faßbar. In der Aufforderung an die Ministerpräsidenten der Westzonenländer, einen neuen Staat zu bilden (Frankfurter Dokumente 1. Juli 1948) stand amerikanischerseits das Ziel im Hintergrund, mit der Weststaatsgründung in Deutschland gleichzeitig eine Art antikommunistisches „Bollwerk" gegen eine potentielle Ausdehnung des sowjetischen Einflusses nach Zentraleuropa zu schaffen und in dieser Hinsicht mit Westdeutschland einen neuen Bündnispartner zu gewinnen.[18] Die erste Bundesregierung war bestrebt, schrittweise die Besatzungsherrschaft abzubauen, das gerade gegründete Staatswesen mit einer noch ungefestigten, teilweise umstrittenen Sozialordnung durch eine Annäherung und Einbindung in das System der westlichen Demokratien im Innern zu

stabilisieren und gleichzeitig nach außen gegenüber der Sowjetunion abzusichern. Damit zeichnete sich aber im Verhältnis zwischen den USA und der Bundesrepublik von vornherein ein gewisser Fundus paralleler Interessen ab, der eine Voraussetzung für die
Vertiefung politischer Interdependenz wurde. Bei der gegebenen
internationalen Lage mußte jede außenpolitische Bewegung der
Bonner Republik nach Westen zwangsläufig die Distanz zur Sowjetunion und zu der von ihr beherrschten „Zone" vergrößern und
damit auch den Ost-West-Konflikt verschärfen; bereits durch ihre
Gründung war die Bundesrepublik nolens volens „in ein politisches
Kräftespiel der Weltpolitik" eingeschaltet.[19]

Genau dieser Tatbestand verschaffte der Bundesregierung die
Möglichkeit, die Abhängigkeit von der Besatzungsmacht USA
Zug um Zug in eine sicherheits- und bündnispolitische Interdependenz mit der neuen Schutzmacht umzuformen. Es drang nämlich
alsbald an die Öffentlichkeit, daß die USA in ihren strategischen
Planungen den staatlich vereinigten drei Westzonen die Rolle eines
militärischen Bundesgenossen in dem im Aufbau befindlichen ame-
rikanisch-westeuropäischen Bündnissystem zugedacht hatten. Bekanntlich wünschten hohe amerikanische Militärs und Regierungs-
vertreter schon vor der offiziellen Gründung der Bundesrepublik,
das verfügbare deutsche Militärpotential in das zu errichtende US-
Sicherheitssystem einzubeziehen. Strittig war seit Achesons Verlangen nach einem westdeutschen Verteidigungsbeitrag vom
Herbst 1950 nicht mehr das Ob, sondern – mit Rücksicht auf die
anderen westlichen Verbündeten – nur noch das Wie.[20] Da die USA
damals innerhalb der NATO eine unangefochtene Vormachtstellung innehatten, wäre auch das von Frankreich ins Spiel gebrachte
Modell einer Europäischen Verteidigungsgemeinschaft (EVG) für
Washington akzeptabel gewesen, solange damit sichergestellt war,
daß die Wiederaufrüstung Westdeutschlands kontrollierbar war
und die geforderte Verstärkung des westlichen Lagers erbracht
hätte.

Die gleichzeitige Zugehörigkeit zu einer Militärallianz, noch
dazu einer von den Bindungsqualitäten der NATO, stellt für die
Bündnispartner eine besonders ausgeprägte Form politischer Inter-

dependenz unter der in diesem Fall gegebenen Voraussetzung dar, daß beide Partner wesentliche Bündnisleistungen erbringen.[21] Daß sich nach dem Scheitern der EVG durch die Eingliederung der Bundesrepublik in die NATO im Mai 1955 und der gleichzeitig erfolgten Aufhebung des Besatzungsstatuts ein schon vordem bestehendes, informelles deutsch-amerikanisches Bündnis in Richtung Interdependenz ("costly to break") veränderte, ist evident. An diesem Tatbestand ändert auch nichts der Umstand, daß die Bundesrepublik in dem Moment ihre Souveränität wiedererlangt hatte, als sie durch die volle Integration der aufzustellenden Bundeswehr in das Bündnis auf das klassische Souveränitätsattribut einer frei verfügbaren Streitmacht verzichtete und sich überdies diversen Rüstungsbeschränkungen zu unterwerfen hatte. Auch die in der Folgezeit zwischen den beiden Bündnispartnern gelegentlich aufgetretenen Meinungsverschiedenheiten und Friktionen über die einzuschlagende NATO-Strategie (siehe beispielsweise die Diskussionen über den Radford-Plan 1956, die Einführung der Strategie der „flexiblen Erwiderung", die Pläne zum Aufbau einer Multilateralen Atomstreitmacht, die Konzeptionen und Kosten der „Vorne-Verteidigung") vermochten nicht, die durch den Ost-West-Gegensatz erzeugten gegenseitigen Abhängigkeiten ernstlich in Frage zu stellen.[22]

Natürlich blieb das militär-, bündnis- und sicherheitspolitisch fundierte Interdependenzverhältnis weiterhin asymmetrisch, was nicht zuletzt auch in der Anwesenheit von US-Truppen (mit einer Stärke zwischen 200 000 und 280 000 Mann) in der Bundesrepublik zum Ausdruck kam. Gleichwohl ist seit 1955 eine gewisse Positionsverbesserung innerhalb dieser Interdependenzrelation zugunsten der Bundesrepublik zu beobachten. Indes ist es nicht ganz einfach, diese Gewichtsverschiebung exakt zu bestimmen, weil sie sich als das Ergebnis mehrerer, zum Teil gegenläufiger und sich überschneidender Entwicklungsprozesse darstellt. Sie ist einmal beeinflußt vom Wandel der internationalen Sicherheitslage. Die beiden Supermächte sahen sich vor allem aufgrund der höchst bedrohlichen nuklear-strategischen Pattsituation gezwungen, zunächst den Ost-West-Konflikt unter Kontrolle zu halten. Nach der kubanischen Raketenkrise vom Oktober 1962 versuchten sie eine Politik der Spannungsminderung in ihrem Verhältnis zueinander einzuschlagen, um unter allen Umständen einen nuklearen Konflikt auszuschalten. Dies führte verstärkt seit 1962 zu einer Reihe von Rüstungskontrollvereinbarungen und anderen Entspannungsmaßnahmen, womit sie oberhalb der von ihnen geführten Bündnissysteme eine direkte Verständigung, ja sogar eine partielle Kooperation miteinander auf der Basis übergeordneter Interessenkonvergenzen suchten. Dadurch relativierte sich nun der Wert des deutschen Bündnispartners für die USA im Rahmen des atlantischen anti-sowjetischen Defensivbündnisses. Hinzu kam, daß die Bundesrepublik wegen ihres langjährigen Beharrens auf unerfüllbaren deutschlandpolitischen Forderungen den sich anbahnenden Dialog der Supermächte beargwöhnte und punktuell beeinträchtigte; dies zeigte sich bereits sehr deutlich in der zweiten großen Berlin-Krise 1958–1962.[23]

Schließlich mußte die Bundesrepublik der veränderten Situation Rechnung tragen und auf den von den beiden Supermächten vorgezeichneten Entspannungskurs mit einer neuen Ost- und Deutschlandpolitik auf der Basis der Anerkennung des territorialen Status quo in Europa einschwenken. Zu Beginn des ostpolitischen Vorgehens der sozial-liberalen Koalition 1969/70 waren indessen erhebliche Irritationen zwischen Washington und Bonn aufgetreten. Diese wurden überwunden, und alsbald zeigte sich, daß auch in den siebziger Jahren eine bündnispolitische Interdependenz fortbesteht. Durch die verschiedenen Junktims zwischen den Bonner Ost-Verträgen und dem Berlin-Abkommen einerseits und andererseits den SALT-I-Verträgen (bis hin zur KSZE und den MBFR-Verhandlungen) manifestierten sich neue, zum Teil ambivalente Wechselbeziehungen im deutsch-amerikanischen Verhältnis.[24]

In der engeren Bündnispolitik innerhalb der westlichen Allianz blieb die Bedeutung der westdeutsch-amerikanischen Interdependenz, wenn auch in modifizierter Form, erhalten. Zwar war und ist die Bundesrepublik in ihrer exponierten Lage zur Gewährleistung ihrer und West-Berlins äußerer Sicherheit wie kein anderer NATO-Staat auf den amerikanischen Beistand angewiesen; die erforderliche Nuklearschutzgarantie kann ihr, wenn überhaupt, nur von den USA geboten werden.[25] Gleichzeitig blieb die Bundesrepublik auch und gerade unter den gewandelten internationalen Bedingungen für die USA ein wertvoller, ja der wichtigste Bundesgenosse. In der veränderten Kräftekonstellation eines empfindlichen militärischen Gleichgewichts zwischen Ost und West stellt das bundesdeutsche konventionelle Militärpotential, das von einer soliden ökonomischen Basis getragen ist, einen unersetzlichen Bündnisbeitrag dar.[26] Er wird von einem Partner erbracht, der angesichts der um sich greifenden Erosionserscheinungen in der NATO (1966 Ausscheiden Frankreichs aus der militärischen Integration, seit de Gaulles Abtreten Volksfrontdiskussionen; Schwächung der gesamten Mittelmeerflanke der NATO: griechisch-türkische Auseinandersetzungen, 1974 Rückzug Griechenlands aus der militärischen Integration, Labilität der Verhältnisse in Italien, Ungewißheit über die Zukunft Portugals; isländisch-britischer Konflikt) nach den USA zur wichtigsten Stütze der Systemsicherung des Westens nach außen geworden ist.[27]

3.3 Bei der Organisation des westeuropäisch-atlantischen Systems

Auch bei der Gestaltung der intersystemaren Beziehungen im westeuropäisch-atlantischen Raum sind wechselseitige Abhängigkeiten zwischen den beiden Schlüsselstaaten USA und BRD nachzuweisen. Sie sind zwar eng mit Fragen der Systemsicherung nach außen verknüpft, machen nichtsdestoweniger aber eine eigenständige Analyse erforderlich. Über den dreißigjährigen Nachkriegszeitraum hinweg betrachtet, ist auch in dieser Interdependenzkategorie eine charakteristische Verschiebung zugunsten der Bundesrepublik feststellbar. Dabei entwickelten sich auch diese politischen Interdependenzrelationen, ähnlich wie im engeren sicherheitspolitischen Bereich, von einem kraß asymmetrischen Ausgangspunkt nach dem Ende des Zweiten Weltkriegs. Sie bewegten sich jedoch während der letzten zehn Jahre einige Skalenstriche näher zur Mitte hin, als dies im Bereich der militär-strategischen Politik der Fall gewesen ist.

Die amerikanische Europapolitik war nach 1945 eng mit ihrer globalstrategischen Sicherheitspolitik verbunden, zeitweise stand sie sogar direkt in Funktion des amerikanisch-sowjetischen Konflikts. Ein Leitprinzip der amerikanischen Politik gegenüber Europa war der Gedanke, daß bei dem in Gang zu setzenden Wiederaufbau in Europa die deutsche Wirtschaft beteiligt werden müsse. Amerikanische Wirtschaftssachverständige und maßgebliche US-Politiker vertraten nachdrücklich die Überzeugung, daß die im amerikanischen Interesse liegende Rekonstruktion der europäischen Wirtschaft als unverzichtbarer Teilmarkt des gewünschten liberalen Weltwirtschaftssystems ohne die Nutzung und Einbeziehung des deutschen Potentials schlechterdings nicht möglich sei. Das US-Außenministerium und die amerikanischen Diplomaten verwandten einige Mühe darauf, diese Erkenntnis und unabdingbare Zielvorstellung der USA den europäischen Partnern, vor allem Frankreich, klarzumachen. Insoweit war der Marshallplan nicht nur ein ökonomisches Hilfsinstrument, sondern auch ein diplomatisches Werkzeug, mittels dessen die amerikanische Europapolitik – *vor* der definitiven Gründung des westdeutschen Staates – in die Wege geleitet und mit der US-Deutschlandpolitik verknüpft wurde.[28] Da bei der engen Verbindung der amerikanischen Deutschland- und Europapolitik die Verwirklichung der Europa-Konzeption der USA in entscheidendem Maße von der Kooperationsbereitschaft der Westdeutschen abhängig war, war die Voraussetzung für das sich entwickelnde deutsch-amerikanische Interdependenzverhältnis in diesem Bereich gegeben.

Natürlich war in der Europapolitik auch die Frage zu entscheiden, in welchen politisch-organisatorischen Formen die westlich orientierten und von den USA wieder aufgerichteten Staaten Europas ihre Beziehungen untereinander regeln sollten und auf welche Weise ein neugestaltetes Nachkriegseuropa mit den USA verbunden sein sollte. Diese Fragen betrafen nicht nur allgemein das Zusammenleben der Staaten außerhalb des sowjetischen Einflußbereichs, sondern speziell auch die Modalitäten der Einbeziehung Westdeutschlands. Auf seiten der Europäer gab es zu jener Zeit eine Reihe mehr oder weniger dezidierter Überlegungen und Vorschläge zu (west-)europäischen Zusammenschlüssen, die auch in West-deutschland, insbesondere im Konzept der Westintegration der ersten Bundesregierung unter Adenauer, entschiedene Unterstützung fanden.[29] Die USA förderten nicht nur die Ausgleichs- und Zusammenschlußbestrebungen westeuropäischer Staaten nach dem Zweiten Weltkrieg, sondern knüpften fortan ihre Wirtschaftshilfe, namentlich das ERP, geradezu an die Bedingung, daß sich die europäischen Staaten mit Einschluß Westdeutschlands zu einem gemeinsamen Aufbauprogramm zusammenschlössen, um ihre nationalstaatlichen Divergenzen zu überwinden und ökonomische Partikularinteressen systemstabilisierend zu vereinheitlichen.[30]

In den diesseits des Atlantiks vertretenen Europa-Konzeptionen gab es indessen einige Motive und Zielvorstellungen, die nicht unbedingt mit der amerikanischen Europapolitik deckungsgleich waren.[31] So hegten einige ,,Europäer der ersten Stunde" auch die Hoffnung, mit einem wie auch immer neuformierten (West-)Europa gegenüber den beiden Supermächten wenigstens eine Art europäischer Identität bewahren und längerfristig auch eine selbständige Rolle (,,Dritte Kraft") in den neuen weltpolitischen Machtkonstellationen spielen zu können.[32] Dadurch, daß die USA über den Marshallplan die materiellen Grundlagen für das europäische Wiederaufbauprogramm lieferten, und die Europäer zur Überwindung ihrer wirtschaftlichen Notlage bereitwillig die Hilfe von außen mit allen ordnungspolitischen Implikationen akzeptierten, wurde die vielschichtige Motivationsstruktur der europäischen Einigungsbestrebungen zeitweilig verdeckt. Im Zeichen des Ost-West-Konflikts blieb die Neuformation in Europa auf die westlichen Industriestaaten beschränkt, wobei die gemeinsame Perzeption einer Bedrohung durch die Sowjetunion einen wesentlichen Bedingungsfaktor für den Gemeinschaftsbildungsprozeß darstellte. Unter diesen Umständen trat speziell für die Bundesrepublik vorerst die Tatsache in den Hintergrund, daß auch in ihrer Westorientierung eigentlich zwei unterschiedliche, damals noch harmonische ,,Optionen", nämlich die ,,atlantische" und die ,,(west-)europäische", enthalten waren, deren Unterschiedlichkeit lediglich infolge der scharfen Frontenbildung im Kalten Krieg bis Mitte der fünfziger

Jahre mit bloßem Auge nicht immer erkennbar war. Da sich aber der Bonner Republik beide politische Optionen vor allem dank amerikanischer Unterstützung eröffneten und sie unter sicherheitspolitischen Gesichtspunkten den USA gegenüber besonders stark verpflichtet war, stellte die Bundesrepublik von vornherein ein die beiden Optionen verknüpfendes Interdependenz-Zentrum für die amerikanisch-europäischen Beziehungen dar. Diese Rolle wurde jedoch erst zu einem Zeitpunkt bedeutungsvoll, als sich in paralleler Entwicklung die beiden außenpolitischen Orientierungslinien (atlantische versus westeuropäische) quasi als Alternativen herausgestellt hatten und die Bundesrepublik zur ersten Wirtschaftsmacht in Westeuropa aufgestiegen war.

In der ersten Phase des europäischen Einigungsprozesses, die gleichzeitig auch die Hoch-Zeit des Kalten Kriegs war, verliefen die europäischen Zusammenschlußversuche zunächst noch ganz in den kontrollierten Bahnen der amerikanischen Strategie. Die USA begrüßten die nach der Verkündung des Schuman-Plans im April 1951 gegründete Montan-Union, weil die Europäische Gemeinschaft für Kohle und Stahl dem auch von Washington verfolgten Ziel der Einbindung und Kontrolle Westdeutschlands diente, der supranationale Zusammenschluß der ,,Sechs" im Montanbereich durchaus systemkonform nach kapitalistisch-marktwirtschaftlichen Prinzipien ablief und das westliche Lager wirtschaftlich zu stärken versprach.

Mit der sechs Jahre später erfolgten Gründung der Europäischen Wirtschaftsgemeinschaft (EWG) und der Europäischen Atomgemeinschaft verhielt es sich schon anders. Im Zuge der Nachkriegsentwicklung in Europa begann sich der ehedem bestehende Konnex zwischen einer atlantischen Sicherheitspolitik (institutionalisiert durch die NATO) und den wirtschaftlichen Dimensionen der europäisch-amerikanischen Beziehungen aufzulockern. Innerhalb des euro-amerikanischen Systems bildete sich mit der EWG ein gewichtiges Sub-System heraus, dessen Bedeutung die im Jahre 1960 zur transatlantischen OECD umgewandelte OEEC bei weitem übertraf. Infolge der Milderung der einstmals scharfen Ost-West-Konfrontationen und insbesondere auf der Basis der Wiedererstarkung Westeuropas wurde nun die hegemoniale Führungsposition der USA zunehmend in Frage gestellt, vor allem vom gaullistischen Frankreich. Die seit Anfang der sechziger Jahre bestehenden Auseinandersetzungen zwischen den USA und Frankreich über die Rolle Europas in der Weltpolitik beruhten jedoch keineswegs nur auf der Intransigenz des damaligen französischen Staatspräsidenten und dessen überzogenen nationalstaatlichen Visionen für Frankreich. Vielmehr stand dabei ein seitdem immer noch bestehendes, tiefgreifendes Strukturproblem der amerikanisch-europäischen Beziehungen im Hintergrund, das der Politologe Kissinger seinerzeit klar erkannt hatte (was ihn später als Außenminister aber nicht daran hinderte, dieser Erkenntnis im Umgang mit den Europäern gelegentlich zuwider zu handeln).[33] Als damals die Bundesregierung insbesondere wegen Enttäuschungen über die amerikanische (und britische) Haltung zur Deutschland- und Berlin-Frage demonstrativ engere Beziehungen zum Frankreich de Gaulles aufzunehmen bereit war, suchte die Kennedy-Administration mit dem forcierten Beitritt Großbritanniens zur EWG nicht zuletzt auch den etwas unsicher gewordenen deutschen Brückenpfeiler im transatlantischen System durch die britische EWG-Mitgliedschaft zu verstärken. Das Konzept scheiterte bekanntlich an de Gaulles Veto. Und bereits in der Ratifizierungsdebatte über den deutsch-französischen Vertrag vom Januar 1963 besann sich die Bundesrepublik auf ihr Sonderverhältnis zu den USA.[34]

Auch die eintretenden Verbesserungen in den deutsch-amerikanischen Beziehungen während der Johnson-Administration (insbesondere während der Zeit der Kanzlerschaft Erhards) vermochten an den sich vertiefenden Strukturproblemen der amerikanisch-europäischen Beziehungen nichts Wesentliches zu ändern. Seit Mitte der sechziger Jahre wurde die amerikanische Einstellung zu den weiterführenden westeuropäischen Integrationsbemühungen nämlich immer mehr ambivalent. Auf der einen Seite befürwortete Washington offiziell weiterhin die Fortentwicklung, Vertiefung und Erweiterung der Sechsergemeinschaft aus politischen Gründen, weil ein einheitlich formiertes Westeuropa einen größeren Verteidigungsbeitrag innerhalb eines eo ipso verstärkten westlichen

Lagers leisten sollte. Vor allem aber begrüßte man in den USA die europäischen Zusammenschlüsse im Hinblick auf die ökonomischen Vorteile, die ein attraktiver, großer Markt in Europa für amerikanische Waren, Dienstleistungen und Privatinvestitionen bot. Auf der anderen Seite suchten die USA entsprechend ihrer außenpolitischen Tradition jede wirtschaftliche Blockbildung zu verhindern und begannen im steigenden Maße, die Handelspolitik (insbesondere die Agrarpolitik) der EWG zu kritisieren sowie die ökonomische Konkurrenz der expandierenden EG (Präferenzabkommen) zu fürchten.

In dieser Situation mußte gerade die Bundesrepublik die Dichotomie ihrer Westbindung erfahren. Was sich seit der zweiten Hälfte der fünfziger Jahre bereits angekündigt hatte, wurde seit den sechziger Jahren zum Dauerproblem der bundesdeutschen Westpolitik. Die Bundesrepublik stand vor dem Dilemma und der Aufgabe, zwischen den divergierenden ,,atlantischen'' und ,,westeuropäischen'' Konzeptionen beziehungsweise Krisenbewältigungsstrategien vermitteln zu müssen. Dieses Geschäft wurde besonders schwierig, nachdem sich die amerikanisch-europäischen Beziehungen während der Nixon-Administration beträchtlich ,,aufgerauht'' hatten,[35] wobei sowohl die Widersprüche[36] der amerikanischen Europapolitik zutage getreten waren, als auch das Unvermögen der Westeuropäer, eine einheitliche, progressive Gemeinschaftspolitik zu verfolgen.[37] Die aufgetretenen Spannungen in den amerikanisch-europäischen Beziehungen während des Yom-Kippur-Krieges und der damit in Zusammenhang stehenden sogenannten Energie-Krise Ende 1973/Anfang 1974 waren für den Zustand des transatlantischen Verhältnisses symptomatisch.[38] – An einer Hauptschwierigkeit, die einem gemeinsamen Auftreten der EG-Staaten gegenüber den USA im Wege steht, konnte auch der Tindemans-Bericht über die Europäische Union vom Dezember 1975 nicht vorbeigehen: ,,Es ist zweifelhaft, daß die europäischen Staaten zu einer völlig identischen Beurteilung der Beziehungen zwischen den Vereinigten Staaten und Europa gelangen, solange ihre Analyse des Verteidigungsproblems zu entscheidend abweichenden Ergebnissen führt.''[39]

In den letzten Jahren versuchte Washington weiterhin, über Bonn Einflußmöglichkeiten in der europäischen Gemeinschaftsbildung zu behalten. Die Bundesrepublik bemühte sich, in ihrer Europapolitik europäische Regelungen und Entscheidungen zu verhindern, von denen sie annahm oder wußte, daß diese amerikanische Wünsche oder Interessen beeinträchtigten. Dieses Verhalten trug der Bundesrepublik gelegentlich Vorwürfe wegen angeblich zu großer Rücksichtnahmen auf Washington ein (Bundesrepublik als „Trojanisches Pferd" Amerikas[40]).[41] Umgekehrt wurde aber die Bundesrepublik aufgrund ihrer wichtigen Position in der EG zum Hauptpartner amerikanischer Europapolitik, was ihr gegenüber den USA ein gewisses politisches Manövriergewicht verlieh und in den deutsch-amerikanischen Interdependenzbeziehungen zu der mehrfach festgestellten politischen Gewichtsverlagerung führte.

Wie prekär und herausfordernd die Schlüsselstellung der Bundesrepublik in den europäisch-amerikanischen Beziehungen geworden ist, wurde in der anhaltenden Krisensituation der siebziger Jahre offenbar. Da der europäische Integrationsprozeß stagniert und die Entwicklungsgeschwindigkeiten sowie die sozio-ökonomischen Kennziffern zwischen den einzelnen EG-Partnern größere Unterschiede aufweisen als sie in den Relativbewegungen im deutsch-amerikanischen Bilateralismus zu verzeichnen sind, droht die Gefahr, daß der „Konvoi" der EG-Staaten auseinanderfährt. Die Bundesrepublik kann ihre Außenpolitik jedoch nicht allzu vorrangig auf den Ausbau der bundesdeutsch-amerikanischen Interdependenz gründen, weil sie dabei mißachten würde, daß sie mit den EG-Staaten durch nicht minder hochzubewertende politische und besonders ökonomische Interdependenzen verbunden ist.[42]

3.4 Im Global-System, insbesondere im Verhältnis zur Peripherie

Auch in den außereuropäischen Beziehungen sind wechselseitige politische Abhängigkeiten zwischen den USA und der Bundesrepublik feststellbar. Freilich sind diese Interdependenzen nicht so stark ausgeprägt, wie im hochverdichteten nordatlantisch-europäischen Interaktionsraum, aber sie gewinnen zunehmend an Bedeutung.

Aller Voraussicht nach wird die hier skizzierte Interdependenzkategorie in Zukunft nicht nur für den deutsch-amerikanischen Bilateralismus und für das Verhältnis USA-(West-)Europa, sondern auch für den immer wichtiger werdenden Nord-Süd-Komplex eine sehr große Rolle spielen.

Die Bundesrepublik stand jahrelang ganz im Bannkreis des Ost-West-Konflikts und beschränkte ihre auswärtige Politik zunächst schwerpunktmäßig auf die Pflege ihrer Beziehung zu den USA und zu den übrigen NATO-Staaten, wobei sie besondere außenpolitische Energien und Hoffnungen der Förderung der europäischen Einigung angedeihen ließ. Unterdessen hatte jedoch die westdeutsche Außenwirtschaft auch in Übersee beachtliche Positionen eingenommen. Seit Anfang der sechziger Jahre wurde die zu beträchtlichem Wohlstand gekommene und im Gegensatz zu anderen größeren NATO-Staaten von traditionellen Kolonialismus-Hypotheken unbelastete Bundesrepublik von den USA aufgefordert, auch auf den Entwicklungskontinenten eine größere politische Aktivität zu entfalten und zur gemeinsamen Sicherung westlicher Einflußpositionen mehr Entwicklungshilfe zu leisten. Auf diese Weise war das politische Auftreten Bonns in der überseeischen Staatenwelt anfänglich unter teilweiser amerikanischer Anleitung erfolgt (was sich beispielsweise auch in der Wahl ähnlicher regionaler Schwerpunktgebiete ausdrückte) und maßgeblich auch von sicherheits- und bündnispolitischen Erwägungen im Global-Maßstab bestimmt gewesen. Zudem konnte dieses Konzept relativ leicht meist noch in den Dienst einer spezifisch westdeutschen Motivationsvariante gestellt werden insofern, als nämlich die Vergabe von Entwicklungshilfe auch als Druckmittel zur weltweiten Durchsetzung der Hallstein-Doktrin eingesetzt werden konnte.[43]

Spätestens seit Mitte der sechziger Jahre wurde indessen klar, daß die Bundesrepublik für die im Umbruch begriffenen Weltzonen südlich des Wendekreises des Krebses eine angemessene, eigene „Außenpolitik" entwickeln müsse und sich dabei mit der Global-Präsenz der USA und deren Dritte-Welt-Politik – gegebenenfalls im Verein mit ihren westeuropäischen Partnern – auseinanderzusetzen haben würde. Wie problematisch deutsch-amerikanische Interdependenzen außerhalb des NATO-Bereichs werden konnten, zeigte sich im Vietnam-Konflikt, als einige Mitglieder des US-Kongresses vom deutschen Partner eine über die von der Bundesrepublik in Südostasien geleisteten humanitären Hilfsmaßnahmen hinausgehende Unterstützung auf der Seite Amerikas forderten. Soweit bekannt, zogen die Bundesregierungen dergleichen niemals ernsthaft in Betracht, obwohl die Regierung Erhard eine recht beflissene Gefolgschaftstreue gegenüber der amerikanischen Vietnampolitik demonstrierte. Die deutsch-amerikanischen Irritationen auf diesem Felde schwanden erst dann, als auch die meisten Amerikaner eingesehen hatten, daß das Eintreten für die Freiheit West-Berlins eben doch nicht mit der verfehlten amerikanischen Politik gegenüber Saigon gleichgesetzt werden konnte.[44]

Im letzten Jahrzehnt, insbesondere seit 1973, hatten die deutsch-amerikanischen Interdependenzen verstärkt die neue Dimension einer Globalisierung angenommen. Dies drückte sich unter anderem auch darin aus, daß mit der seit September 1973 bestehenden Vollmitgliedschaft der Bundesrepublik Deutschland in der UNO beide Staaten häufig vor gemeinsame weltpolitische Entscheidungssituationen gestellt wurden.

Vor allem waren die USA und die BRD in den letzten Jahren andauernd herausgefordert, zu den von Ländern der Dritten Welt vehement vorgetragenen Forderungen nach Änderungen der Struktur der Weltwirtschaftsordnung Stellung zu beziehen. Ohne Zweifel bestehen bei den Auseinandersetzungen zwischen Industriestaaten und Entwicklungsländern hoch zu bewertende wechselseitige Abhängigkeiten zwischen den beiden führenden Wirtschaftsmächten, die allein fast ein Viertel des Welthandels abwickelten. Als auf der 6. Sondersitzung der Generalversammlung der Vereinten Nationen im Mai 1974 mit der Proklamation einer „Neuen Weltwirtschaftsordnung" das große weltpolitische Thema einen deklaratorischen Ausdruck gefunden hatte, stellten die USA und die BRD in Vorbehaltserklärungen klar, daß sie etlichen von der Dritten Welt favorisierten Selbsthilfeorganisationen (insbesondere Erzeugerkartellen der rohstoffproduzierenden Entwicklungsländer) und neuartigen weltwirtschaftlichen Subventions- und Lenkungsmodellen ablehnend oder mit großer Skepsis gegenüberstehen.[45] Während auf der 7. UN-Sondergeneralversammmlung im September 1975 in den Voten der USA und der BRD nur leichte Positionsunterschiede zu verzeichnen waren,[46] nahmen die beiden Delegationen auf der vierten Session der Welthandels- und Entwicklungskonferenz (UNCTAD IV) im Mai 1976 in Nairobi zu den dort im Mittelpunkt stehenden Forderungen nach Schaffung eines „integrierten Rohstoffprogramms" mit einem „gemeinsamen Fonds" grundsätzlich den gleichen – ablehnenden – Standpunkt ein, der dann allerdings in letzter Stunde mit der Zustimmung zu vagen (vorwiegend) prozeduralen Kompromißformeln abgemildert wurde; in Nairobi zeigte sich, daß die Positionen Washingtons und Bonns in Weltwirtschaftsfragen deutlich enger beieinanderliegen, als dies beim Vergleich der Einstellungen der anderen westlichen Industriestaaten einschließlich der EG-Länder der Fall ist.[47]

Einerseits haben die USA und die BRD im Hinblick auf die Struktur der Weltwirtschaft zumindest parallele Interessen, welche sich im Grundkonsens zur Aufrechterhaltung und Entfaltung eines freien, kapitalistisch-marktwirtschaftlich ausgerichteten Welthandels- und Weltwirtschaftssystems ausdrücken.[48] Bei näherem Zusehen kommen jedoch andererseits im Verhältnis zwischen den USA und der BRD (und der EG) beträchtliche Interessenunterschiede zum Vorschein, die zum Teil in einer gänzlich unterschiedlichen Versorgungslage (zum Beispiel unterschiedliche Abhängigkeit vom Import-Öl und von anderen Rohstoffen) begründet sind. Somit weisen die politischen Interdependenzen außerhalb des engeren Allianzgefüges durchaus auch ambivalente Züge auf. Schließlich werden sich die beiden Partner trotz ihrer Interessenparallelitäten im Grundsätzlichen gerade wegen der Ähnlichkeit ihrer Wirtschaftssysteme auf den Weltmärkten verstärkt als Konkurrenten begegnen.[49] Die aus mancherlei Gründen heikle Lateinamerikapolitik der Bundesrepublik interferierte beispielsweise schon seit langem mit den nicht minder bedenklichen, gleichfalls traditionellen Penetrationsversuchen der USA in den südamerikanischen Republiken.[50] Das am 27. Juni 1975 unterzeichnete deutsch-brasilianische

Abkommen über die friedliche Nutzung der Kernenergie, das in den USA vor allem wegen der Proliferationsgefahren auf starke Kritik stieß, ist ein herausragendes Beispiel dafür, daß sich in den deutsch-amerikanischen Nachkriegsbeziehungen politische und ökonomische Interdependenzen im globalen Maßstab konfliktträchtig verknäulen können.[51]

4. Wirtschaftliche Interdependenzen

War bereits bei den deutsch-amerikanischen Interdependenzrelationen im politischen Bereich eine Tendenz zum Abbau der Asymmetrien erkennbar, so ist dieser Entwicklungtrend bei den Wirtschaftsbeziehungen noch stärker ausgeprägt: Auf die charakteristischen Unterschiede zwischen den politischen (besonders sicherheitspolitischen) und den ökonomischen Interdependenzen im Beziehungsmuster zwischen den USA und der BRD ist noch näher einzugehen. Doch sollen zunächst die wirtschaftlichen Interdependenzen im einzelnen dargestellt werden.

Die Verschiebung im Interdependenzmuster zugunsten einer Verbesserung der ökonomischen Position der Bundesrepublik zeigt sich einmal direkt im bilateralen Verhältnis zu den USA, darüber hinaus aber gleichzeitig auch indirekt im Verhältnis zu Drittstaaten beziehungsweise bei einer Untersuchung der Stellung der westdeutschen Wirtschaft auf dem Weltmarkt.

Gemessen am Bruttosozialprodukt, sind die USA allerdings noch immer mit einem weiten Vorsprung vor jedem anderen Land der mächtigste Industriestaat der Welt; in der Rangliste der wichtigsten westlichen Industriestaaten stand die Bundesrepublik im Jahre 1975 (1965) mit einer wirtschaftlichen Gesamtleistung von 423 (112) Mrd. Dollar nach Japan (488 beziehungsweise 89 Mrd. Dollar) als wirtschaftlich gewichtigster EG-Staat auf Platz 3, sie wurde aber von den USA mit einer Leistungsbilanz von 1516 (688) Mrd. Dollar immer noch um mehr als das Dreieinhalbfache (Sechsfache) übertroffen.[52] Betrachtet man die wirtschaftliche Leistungsfähigkeit je Einwohner im Vergleich der beiden Länder, so ist die Leistungssteigerung der Bundesrepublik in Relation zu den USA offenkundig: Betrug das deutsche Bruttosozialprodukt pro Kopf im Jahre 1965 nur rund 54% des amerikanischen, so hatte die Bundesrepublik die USA 10 Jahre später fast eingeholt (1975: 96%).[53]

Bedeutsam für die Veränderung im Kräfteverhältnis zwischen den USA und der BRD ist auch die Tatsache, daß der Anteil der Vereinigten Staaten an der Gesamtausfuhr der westlichen Staaten zwischen 1960 und 1972 zurückging, wohingegen der Ausfuhranteil der Bundesrepublik stieg.[54] In den Welthandelsstatistiken nimmt die Bundesrepublik direkt nach den USA und mit Abstand zu den übrigen Handelsländern den zweiten Platz ein;[55] die Anteile der BRD (der USA) betrugen im Jahre 1973 an der Welteinfuhr: 9,5% (12,0%), an der Weltausfuhr: 12,2% (12,8%).[56]

Obgleich im Jahre 1974 die Preise für die Rohölimporte sowie für andere wichtige Rohstoffe drastisch angehoben wurden, konnte die Bundesrepublik mit 50,8 Mrd. DM einen Rekordaußenhandelsüberschuß erzielen; mit einer wertmäßigen Steigerung des deutschen Exports gegenüber 1973 von 29% (dem Volumen nach um 12,5%) expandierte die Ausfuhr der Bundesrepublik 1974 etwa dreimal so stark wie das Volumen des gesamten Weltexports, so daß die Bundesrepublik ihren zweiten Platz hinter den USA weiter ausbauen konnte.[57] Wenn auch im Jahr 1975 im Außenhandel der Bundesrepublik erstmals nach dem Zweiten Weltkrieg ein Rückgang der Ausfuhr zu verzeichnen war (mit einem Exporteinbruch von –24% im Warenverkehr mit den USA), schloß die Außenhandelsbilanz immer noch mit einem Aktivsaldo von 37,2 Mrd. DM ab.[58]

Diese Hinweise auf die starke Wirtschaftskraft der Bundesrepublik werden noch unterstrichen, wenn man bedenkt, daß die großen Handelsbilanzüberschüsse der Bundesrepublik während der siebziger Jahre auf dem Hintergrund einer ständigen Aufwertung der D-Mark erreicht wurden. Die Kräfteverschiebung zwischen den USA und der BRD kommt nicht zuletzt auch in dem Umstand zum Ausdruck, daß seit 1968 die D-Mark gegenüber dem US-Dollar beträchtlich aufgewertet wurde (Devisenkurs 1968: 1 US-$ = 3,99 DM; 1974: 1 US-$ = 2,59 DM).[59]

Ein Schlaglicht auf die gestärkte ökonomische Auslandsposition der Bundesrepublik wirft eine Vergleichsbilanz der Gold- und Devisenbestände der Zentralbanken. Die Bundesrepublik verfügte am Jahresende 1973 umgerechnet über 27,018 (19,125) Mrd. Dollar an Gold- und Devisenreserven, während sich die Bestände der USA nur auf 11,660 (10,728) Mrd. Dollar beliefen (in Klammern die Vergleichsziffern für das Jahr 1972).[60] Am Jahresende 1975 hatte die Bundesrepublik immer noch Währungsreserven im Gegenwert von (netto) 72,745 Mrd. DM.[61] Sie war der Staat mit den höchsten Reservebeständen und (nach den USA) zum zweitwichtigsten Reservewährungsland geworden; mit Recht wurde hervorgehoben, daß die politische Bewältigung dieser neuen Rolle noch aussteht.[62]

Diese wenigen ökonomischen Vergleichsdaten zeigen, daß sich das Verhältnis zwischen den USA und der BRD während der vergangenen 20 Jahre merklich zugunsten der Bundesrepublik verändert hat.

Historisch gesehen, sind die ökonomischen Interdependenzen zwischen den USA und Deutschland älteren Ursprungs als die politischen. Eine Analyse der Entwicklung der deutsch-amerikanischen Wirtschaftsbeziehungen zeigt, daß bereits in der Zeit nach dem Ersten Weltkrieg, teilweise auch schon davor, eine sehr intensive wirtschaftliche Zusammenarbeit zwischen den USA und Deutschland bestanden hatte, die gewisse Erfahrungsschätze bereitstellte, an die die amerikanische Deutschlandpolitik nach dem Ende des Zweiten Weltkriegs anknüpfen konnte.[63] Die amerikanischen Planungen für die Nachkriegszeit begannen lange vor der mit Sicherheit erwarteten Kapitulation Hitler-Deutschlands und seiner Verbündeten. Sie waren weitgehend von ökonomischen Zielsetzungen bestimmt und an den Vorstellungen des US-Außenministers Hull (und der ihm nahestehenden Wirtschaftskreise) orientiert, denenzufolge nach dem Krieg zur Überwindung der internationalen Wirtschaftskonflikte und der Desintegration des Welthandels (durch Bilateralismus, strikte Kontingentierungen etc.) der dreißiger Jahre ein liberales Weltwirtschaftssystem errichtet werden sollte. Dieses neue System war in den Augen amerikanischer Planer eine unabdingbare Voraussetzung für die zu schaffende Weltfriedensordnung und enthielt als Kernstück ein multilaterales Handelssystem, das der mächtigsten Siegermacht des Zweiten Weltkriegs nahezu zwangsläufig eine Vormachtstellung sicherstellen sollte. Diese Zukunftsperspektiven der USA waren auch und gerade als notwendige amerikanische Sicherheitspolitik verstanden worden, denn in den Tagen ihrer größten militärischen Siege wurden sich die USA erneut ihrer Abhängigkeit von der übrigen Welt bewußt.

Indes fehlten nach der totalen Besiegung des nationalsozialistischen Deutschland für das Funktionieren einer liberalen, freihändlerischen Weltmarktordnung in Europa wichtige Voraussetzungen: Viele Produktionsstätten waren zerstört, die Reserven der meisten Volkswirtschaften durch den Krieg aufgezehrt, die regulären Handelsströme gedrosselt oder unterbrochen, es herrschte allenthalben ein empfindlicher Kapitalmangel, insbesondere ein Dollardefizit, und die prospektiven Partner einer Nachkriegsordnung waren auch politisch instabil. Vor allem aber trat mit der siegreichen Sowjetunion eine Gegenmacht auf den Plan, die sich nicht nur, wie einige amerikanische Kreise um den damaligen US-Finanzminister Morgenthau gehofft hatten, dem von den USA erstrebten System nicht assoziieren, schon gar nicht integrieren ließ, sondern auch noch eine entschiedene Gegenkonzeption verfocht und in Europa hegemoniale Ansprüche anmeldete.

Die USA waren deshalb zur außenwirtschaftlichen Absicherung ihres Wirtschaftssystems und zur Aufrechterhaltung beziehungsweise Wiederbelebung einer liberaldemokratischen Staatenordnung genötigt, ihr ursprüngliches Nachkriegskonzept insoweit zu modifizieren, als sie zunächst die wichtigsten europäischen Staaten durch gezielte staatliche Wirtschaftshilfen ökonomisch und damit politisch zu stabilisieren suchten.

Das große Problem war dabei die Zukunft Deutschlands und die Rolle, die diesem hochentwickelten, wenn auch kriegszerstörten und politisch diskreditierten Industrieland in der von den USA intendierten internationalen Nachkriegsordnung zugemessen werden sollte. Nachdem die Frage der Behandlung Deutschlands innerhalb der USA und der amerikanischen Regierung lange Zeit heftig umstritten war (u. a. Kontroversen über den sogenannten Morgen-thau-Plan) konnten sich seit 1946 die Befürworter einer konstrukti-ven Deutschlandpolitik immer mehr durchsetzen und diese auch offen vertreten (Abkehr von der restriktiven Besatzungs-Direktive JCS 1067). In ihrem Kalkül spielten ökonomische Überlegungen, die auf einen wirtschaftlichen Wiederaufbau Europas unter Einbe-ziehung und Nutzung des deutschen Wirtschaftspotentials konzen-triert waren, eine entscheidende Rolle. Während das GARIOA-Programm (Government and Relief in Occupied Areas, ein Hilfs-fonds zur Verwaltung und Unterstützung besetzter Gebiete) noch als ad hoc-Maßnahme zur Linderung akuter Mangel- und Notlagen dargestellt werden konnte – Westdeutschland erhielt aus diesem Programm insgesamt rund 1,62 Mrd. US-Dollar, größtenteils zur Einfuhr von Nahrungsmitteln[64] –, war die Entscheidung, das west-zonale Deutschland am koordinierten European Recovery Program (ERP), am sogenannten Marshallplan zu beteiligen, eine bewußte, zukunftsorientierte Strategie. Ohne die Einbeziehung West-deutschlands wären die Erfolgschancen des amerikanisch-europäi-schen Wiederaufbauprogramms erheblich geringer, wenn nicht gar minimal gewesen. Wie in neueren Untersuchungen nachgewiesen wurde, ist das Marshallangebot zur gemeinsamen Wiederingang-setzung des ökonomischen Verbundsystems der westeuropäischen Industriestaaten umgekehrt aber auch sehr stark vom Bestreben der USA zur Lösung des Deutschlandproblems bestimmt gewesen.[65] Mit dem Marshallplan gelang es den USA, auch die wirtschaftli-chen Probleme ihrer Besatzungspolitik in Deutschland in Verbin-dung mit der Bewältigung der ökonomischen Krise in Westeuropa zu lösen. Wie sehr die Deutschlandpolitik zum integralen Bestand-teil der amerikanischen Europapolitik nach 1945 geworden war, geht in prägnanter Weise aus einem zusammenfassenden Memoran-dum des State Department hervor, das im Sommer 1948, also kurze Zeit nach dem Anlaufen des Marshallplans niedergelegt wurde. Darin heißt es unter anderem: "[. . .]. US policy must be judged in the light of present realities. No ideal solution embracing the whole of Germany is at present possible. German policy is of necessity influenced by over-riding policy with respect to western Europe.

Such policy dictates that Germany must not be drawn into the Soviet orbit or reconstructed as a political instrument of Soviet policy. It requires that Germany be brought into close association with the democratic states of western Europe and that it be enabled to contribute to and participate in European economic recovery. [...]"[66]

Die Einschaltung Westdeutschlands in den Marshallplan hatte für die Deutschlandfrage und für den westdeutschen Staat weitreichende politische und ökonomische Folgen, die sich in ihren Wirkungen wechselseitig verstärkten.[67] In den vier Marshallplanjahren wurden Westdeutschland und West-Berlin von der ECA/MSA[68] Dollar-Mittel für Wareneinfuhren in folgender Höhe zugeteilt:[69]

1. Jahr (3. 4. 1948 – 30. 6. 1949)	613,500 Mill. $
2. Jahr (1. 7. 1949 – 30. 6. 1950)	457,133 Mill. $
3. Jahr (1. 7. 1950 – 30. 6. 1951)	384,758 Mill. $
4. Jahr (1. 7. 1951 – 30. 6. 1952)	106,000 Mill. $
	1 561,391 Mill. $
1952/53 (1. 7. 1952 – 31. 12. 1952)	23,787 Mill. $
Gesamte ECA/MSA-Mittel in der Zeit vom 3. 4. 1948 – 31. 12. 1952	1 585,178 Mill. $

Die bis zum 31. Dezember 1952 zugeteilten Dollar-Mittel waren an diesem Stichtag zu 97 v. H. ausgenutzt, das heißt, es waren bis zu diesem Zeitpunkt Warenlieferungen (und Dienstleistungen) im Werte von rund 1,537 Mrd. Dollar in das Bundesgebiet und nach West-Berlin erfolgt. Einschließlich der GARIOA-Lieferungen beliefen sich demnach die Hilfsleistungen der USA für Westdeutschland und West-Berlin von 1946–1952 auf rund 3,157 Mrd. Dollar.[70]

Das Startkapital aus dem ERP wurde zur Morgengabe für die neue Bundesrepublik und schuf Bindungen und Abhängigkeiten des westdeutschen Staates gegenüber den USA; bezeichnenderweise war die erste außenpolitische Gesetzesmaterie mit der sich der Bundestag zu befassen hatte, das ERP-Abkommen über die wirtschaftliche Zusammenarbeit zwischen der BRD und den USA vom

15. Dezember 1949, das das Bonner Parlament am 26. Januar 1950 ratifizierte. Mit den im Rahmen des Marshallplans gewährten Krediten konnten lebenswichtige oder notwendige Waren (großenteils aus den USA) nach Westdeutschland eingeführt werden. Außer der damit gegebenen Devisenhilfe wurde aus den von den deutschen Importeuren für die GARIOA- und ECA/MSA-Einfuhren zu zahlenden DM-Gegenwerten ein revolvierender Kapitalfonds (ERP-Sondervermögen) gebildet, aus dem in den ersten Jahren der Bundesrepublik im Einvernehmen mit amerikanischen ECA/MSA-Sonderdienststellen bedeutende Investitionskredite für die westdeutsche Wirtschaft vergeben wurden.[71]

Wie stark auch Westdeutschland anfänglich seine Abhängigkeit von der amerikanischen Besatzungsmacht verspürt haben mag, die USA waren bereits damals in den ersten Nachkriegsjahren, in globaler und europapolitischer Perspektive gesehen, ebenfalls von der Bonner Republik und deren Kooperationsbereitschaft abhängig, weil diese Wesentliches zum Erfolg oder Mißerfolg der amerikanischen Nachkriegsstrategie beizutragen hatte. Insofern waren die amerikanischen Wirtschaftshilfeprogramme für Westdeutschland eine der Grundlagen für die Interdependenzen erzeugende westdeutsch-amerikanische Wirtschaftssymbiose nach 1945.

Fürs erste stach jedoch noch in allen einschlägigen Statistiken die deutsche Dependenz ins Auge. Die Bundesrepublik erhielt zwar nicht viel weniger US-Wirtschaftshilfe als andere größere europäische Staaten, hatte aber einen höheren Rückzahlungsanteil zu leisten (rund ein Drittel der Nachkriegswirtschaftshilfe war rückzahlungspflichtig; 1966 wurde von der Bundesrepublik vorzeitig die letzte Rückzahlungsrate überwiesen). Außer den von der BRD dadurch zu tragenden Schuldenlasten behielten sich die drei Westmächte bei der Schaffung der Bundesrepublik anfangs gerade auch auf außenwirtschaftlichem Gebiet viele Sonderrechte vor, unter anderem bei der Festsetzung des Außenwerts der D-Mark und der gesamten Devisenwirtschaft, das heißt auch bei den Regulierungsmodalitäten des westdeutschen Außenhandels.

4.1 Handelsbeziehungen

Die USA verfolgten in ihrer Handelspolitik gegenüber Nachkriegsdeutschland ein zweifaches Ziel: Zum einen beabsichtigte Washington, den deutschen Markt für amerikanische Waren aufnahmefähig zu machen und wieder zu öffnen, zum anderen suchten die USA ihre außerordentlich weitreichenden Einwirkungsmöglichkeiten in Deutschland dazu auszunutzen, den Aufbau der internationalen Handelsbeziehungen nach 1945 im Sinne ihrer globalen ökonomischen Zielvorstellungen zu gestalten. Mit anderen Worten: Westdeutschland wurde für die USA zu einer Art Hebel beim Aufbau eines Welthandelssystems more americano, insbesondere zu einer Operationsbasis für die amerikanische Europapolitik. Schon im Bi-Zonenabkommen vom 2. Dezember 1946 suchten die USA mit dem Eintreten für eine „Lockerung der Handelshemmnisse" systemkonforme Handelspraktiken richtungsweisend wieder einzuführen; in dem Abkommen heißt es unter anderem: "[...] the exchange of full technical and business communications between Germany and other countries should be facilitated as soon as possible. Potential buyers of German goods should be provided access to both zones to the full extent that facilities permit, and normal business channels should be restored as soon as possible. [...]"[72]

Auf seiten der Bundesrepublik bestand ein vitales Interesse, mit Hilfe der USA möglichst rasch die „Rückkehr auf den Weltmarkt" zu bewerkstelligen. Eine aktive westdeutsche Außenhandelspolitik im Verein mit den USA war die unabdingbare Voraussetzung für die Lebensfähigkeit – und den Wirtschaftsaufschwung – der dichtbevölkerten, stark exportabhängigen Bundesrepublik; auf der Grundlage einer gewachsenen Industriestaats-Struktur machten die Kriegseinwirkungen und -folgen (Zerstörungen, Gebietsabtretungen, Aufnahme von Flüchtlingen und Vertriebenen, Teilung Restdeutschlands in Westzonen und SBZ) das binnenwirtschaftliche System Westdeutschlands um so mehr von entsprechenden außenwirtschaftlichen Umsätzen abhängig.[73]

Die grundsätzliche deutsch-amerikanische Interdependenz auf

dem (welt-)handelspolitischen Sektor war während der unmittelbaren Nachkriegszeit allerdings noch überlagert durch die kriegsbedingte Ausnahmesituation. Aufgrund besatzungspolitischer Direktiven oblagen zunächst sämtliche wirtschafts- und finanzpolitischen Transaktionen einschließlich der Export-Import-Regelungen der Verfügungsgewalt der Alliierten – und waren zugleich Gegenstand heftiger Kontroversen, nicht zuletzt deshalb, weil sie aufs engste mit den Reparationsproblemen verquickt waren. Die besonders starke außenhandelspolitische Abhängigkeit der angloamerikanischen Zonen schuf für die amerikanische und britische Militäradministration auch dann noch nahezu unüberwindliche Schwierigkeiten, als die gemeinsame bizonale Export-Import-Behörde die Versorgungsdefizite abzumildern suchte, und für die Bi-Zone im August 1947 ein revidierter ,,Industrieplan" veröffentlicht wurde. Darin war eine partielle Aufhebung der vordem verfügten Beschränkungen der deutschen (Export-)Industrie vorgesehen.[74] Selbst wenn man die verkappten Reparationen in Form unterbezahlter oder zwangsexportierter Kohle-, Holz- und Schrottausfuhren aus Westdeutschland in Rechnung stellt,[75] blieben die Handelsbeziehungen der westzonalen Gebiete stark passiv und wurden vorwiegend durch amerikanische Hilfen (GARIOA, hernach ERP) großenteils ausgeglichen; im Gründungsjahr der Bundesrepublik 1949 wurde noch fast die Hälfte der Einfuhren nach Deutschland durch amerikanische Mittel finanziert.[76] Dennoch blieb die Frage der Reglementierung der außenwirtschaftlichen Beziehungen Westdeutschlands (wie zuvor das Problem der im Potsdamer Abkommen statuierten Aufrechterhaltung der Wirtschaftseinheit des vierzonalen Deutschland) ein Streitpunkt auch unter den *West*alliierten, unter anderem deshalb, weil nicht nur Frankreich, sondern auch Großbritannien deutsche Konkurrenz möglichst lange vom Weltmarkt fernzuhalten suchte.

Gleichwohl gelang es den USA, den im Entstehen begriffenen westdeutschen Staat behutsam mit Hilfe des Marshallplans und seiner Folgeorganisationen auch handelspolitisch zu rehabilitieren und die westdeutsche Wirtschaft über den Außenhandel in den Westen einzubinden. Hervorzuheben ist, daß die USA schon früh-

zeitig die Beteiligung Westdeutschlands an den großen internationalen handels- beziehungsweise wirtschaftspolitischen Organisa-
tionen betrieben. Bereits vor der Gründung der BRD war Westdeutschland durch die Besatzungsbehörden in der Organisation für
Europäische Wirtschaftliche Zusammenarbeit (OEEC) repräsen-
tiert, eine Mitgliedschaft, die im Oktober 1949 auf die Bundesrepublik übertragen wurde und der Bonner Republik die Zugehörigkeit
zu der von der OEEC 1950 errichteten Europäischen Zahlungs-
union (EZU) eintrug. Die USA bereiteten auch, lange bevor die
Bundesrepublik im Oktober 1951 offiziell Mitglied des GATT
wurde, den Beitritt Westdeutschlands zum Allgemeinen Abkommen über Zölle und Handel vor,[77] und sie genehmigten zusammen
mit den beiden anderen Besatzungsmächten seit November 1949
den Abschluß von Handels- und Zahlungsabkommen.[78]

Von besonderer Bedeutung ist dabei, daß die USA ihre eigenen
Handelsbeziehungen mit der Bundesrepublik forcierten und diese
frühzeitig auf eine neue vertragliche Grundlage stellten. Bezeichnenderweise kam Bundeskanzler Adenauer bei seinem ersten offiziellen Besuch in den USA im April 1953 mit seinen amerikanischen
Verhandlungspartnern überein, den alten Handelsvertrag von 1923
vorläufig wieder in Kraft zu setzen,[79] worin ein bemerkenswertes
Kontinuitätselement der deutsch-amerikanischen Wirtschaftsbeziehungen zu sehen ist.[80] Der im darauffolgenden Jahr, am 29. Oktober 1954, von Adenauer und US-Außenminister Dulles unterzeichnete neue deutsch-amerikanische Freundschafts-, Handels- und
Schiffahrtsvertrag (er trat am 14. 7. 1956 in Kraft) bedeutete den entscheidenden Übergang in eine neue Phase der westdeutschen Außenhandelspolitik. Das Vertragswerk (mit den statuierten Prinzipien
der Meistbegünstigung und Gleichstellung von In- und Ausländern)
sollte nicht nur umfassend und langfristig die deutsch-amerikа-
nischen Wirtschaftsbeziehungen regeln, sondern auch beispielge-
bend für eine liberale internationale Wirtschaftspolitik wirken.[81]

Seit Anfang der fünfziger Jahre konnte sich die Bundesrepublik
eine zunehmend besser werdende Wettbewerbsposition auf den
internationalen Märkten erobern. Nachdem die Bundesrepublik im
Jahre 1950 noch ein Handelsbilanzdefizit von über 3 Mrd. DM zu

verzeichnen hatte und 1951 Export und Import nahezu ausgeglichen waren, erzielte sie in den folgenden Jahren mit einer ungewöhnlich starken Steigerung ihrer Außenhandelsumsätze große Ausfuhrüberschüsse und konnte gleichzeitig ihre einseitige handelspolitische Abhängigkeit von den USA abbauen.[82]

Aus den Tabellen 1 a und 1 b ist zu ersehen, daß sich die USA und die BRD wechselseitig zu den wichtigsten Liefer- und Abnehmerländern zu rechnen haben; sie wickeln jeweils erhebliche Teile ihres Außenhandels miteinander ab. Warenaustauschbeziehungen dieser Größenordnung begründen Interdependenzen, denn von Einschränkungen im Güterverkehr, das heißt bei merklichen Rückgängen in der Auslandsnachfrage, würden beide Volkswirtschaften, wenn auch im unterschiedlichen Maße, empfindlich betroffen werden. Obgleich die Prozentanteile der bilateralen Handelsumsätze an den Gesamtumsätzen beider Länder vergleichsweise[83] dicht beieinander liegen (siehe Spalten 3 und 4), sind die deutschen Exporte in die USA für die Wirtschaft der Bundesrepublik ,,sensitiver" und gesamtwirtschaftlich bedeutsamer, als dies umgekehrt bei den amerikanischen Ausfuhren in die BRD für die US-Wirtschaft der Fall ist. Dieser qualitative Asymmetrie-Effekt läßt sich am Beispiel der westdeutschen Automobilexporte demonstrieren, die im Export-Sortiment der Bundesrepublik nach den Maschinenbauerzeugnissen die zweitwichtigste Ausfuhrwarengruppe darstellen(1975: 13,4% der Ausfuhr[84]). Im Jahre 1974 wurde fast jedes vierte in der Bundesrepublik produzierte Auto in die USA exportiert.[85] Speziell der VW-Konzern, für den die USA nach dem Inlandsmarkt seit langem den zweitwichtigsten Markt darstellen (der Absatz in den USA hatte im Jahre 1970 einen Verkaufsanteil von 33,4%[86]), mußte in der ersten Hälfte der siebziger Jahre (nach der beträchtlichen Verschiebung des Wechselkurses der DM im Verhältnis zum Dollar) erhebliche Markteinbußen in den USA hinnehmen.[87] Der partielle Marktverlust trug wesentlich zur Verschärfung der damaligen VW-Krise und der Rezession in der Bundesrepublik bei (Gefährdung beziehungsweise Verlust der Arbeitsplätze) und führte im April 1976 zu der lange hinausgezögerten Entscheidung des VW-Konzerns, in den USA ein Montagewerk zu errichten.[88]

Aus den Tabellen 1 a und 1 b ist eine weitere Entwicklung der transatlantischen Handelsbeziehungen ersichtlich, die für die These vom Abbau der handelspolitischen Asymmetrien im deutsch-amerikanischen Verhältnis ins Feld zu führen, darüber hinaus aber auch für die Beziehung zwischen den USA und der EG von größter Bedeutung ist. Seit der Gründung der EWG zeigt sich ein klarer Trend zur Konzentration der Handelsströme innerhalb der Sechserbeziehungsweise Neunergemeinschaft, was in den USA zu gewissen Besorgnissen Anlaß gab (insbesondere in bezug auf den ,,protektionistischen Abschließungseffekt" auf dem Agrarsektor[89]). Im Falle der Bundesrepublik führte dieser innergemeinschaftliche Konzentrationsprozeß dazu, daß die USA im Kreis der wichtigsten Lieferanten seit 1967 vom ersten auf den fünften Platz (1975) abrutschten; während der Jahre 1965 bis 1975 sind die USA als drittwichtigster Abnehmer deutscher Waren ebenfalls auf Platz fünf abgefallen. Die größten Handelspartner der Bundesrepublik sind die EG-Staaten Frankreich, Niederlande, Belgien/Luxemburg und Italien; umgekehrt ist die Bundesrepublik nach Kanada und Japan für die USA der drittgrößte Handelspartner.[90]

Die Verschiebungen in den relativen Handelsvolumina zwischen den westlichen Industriestaaten haben zu etlichen Auseinandersetzungen geführt, zumal die von seiten der EG betriebene Assoziierungspolitik sowie deren Präferenzabkommen mit Drittländern die Handelsinteressen der USA tangieren. Die führenden Wirtschafts- und Außenpolitiker der Bundesregierungen betonten indes seit Adenauers erster Regierungserklärung bis zu den UNCTAD-IV-Verhandlungen in Nairobi im Mai 1976 immer wieder, daß ihre Außenwirtschaftspolitik an liberalen, multilateralen, marktwirtschaftlichen Grundsätzen orientiert sei, mithin den gleichen Leitprinzipien folge, wie die der USA (– bis hin zur Ostembargo-Politik der fünfziger und sechziger Jahre[91]). Zu diesen von den USA und der BRD hochgehaltenen Prinzipien einer freien, inzwischen in Frage gestellten Weltwirtschaftsordnung gehört aber nun einmal auch das Wettbewerbs- und Konkurrenzprinzip, das bereits in der deutschlandpolitischen Debatte während der ersten Nachkriegszeit Konfliktstoff bot.[92] Auch nach dem Trade Act von 1974, dem im

Januar 1975 in Kraft getretenen neuen US-Außenhandelsgesetz, werden protektionistische Strömungen in den USA und in der EG oder Beschwerden beiderseits des Atlantiks über angeblich „unlauteren Wettbewerb" beziehungsweise Auseinandersetzungen bei der Durchsetzung unterschiedlicher wirtschaftlicher Interessen nicht verschwinden.[93] Schon die ersten Erfahrungen eines vergleichsweise harmlosen „Hähnchen-Kriegs"[94] anfangs der sechziger Jahre zeigen, daß die transatlantischen Handelsbeziehungen keineswegs ohne weiteres zu harmonisieren waren.

4.2 Kapitalbewegungen – Direktinvestitionen – Multinationale Unternehmen

In den letzten 20 Jahren spielten in den Außenwirtschaftsbeziehungen der hochentwickelten westlichen Industriestaaten die Kapitalbewegungen eine immer größere Rolle. Dies gilt im besonderen Maße für die deutsch-amerikanischen Wirtschaftsbeziehungen. Vor allem die von den sogenannten Multinationalen Unternehmen außerhalb ihrer Basisländer angelegten Direktinvestitionen in der Energiewirtschaft, Grundstoffindustrie und neuerdings verstärkt auch in der verarbeitenden Industrie haben die traditionellen internationalen Handelsbeziehungen in ihrer Bedeutung relativiert (Exportsubstitution durch Auslandsproduktion).[95] Nach Schätzungen der UNO hatte die Auslandsproduktion der Tochtergesellschaften amerikanischer Unternehmen anfangs der siebziger Jahre die amerikanischen Warenexporte wertmäßig etwa um das Vierfache übertroffen.[96] Dieser Sachverhalt läßt sich auch im Verhältnis zwischen den USA und der Bundesrepublik belegen: Während sich beispielsweise der Wert der Ausfuhr der USA in die BRD im Jahre 1972 auf 3,34 Mrd. Dollar belief,[97] betrugen die Umsätze der in der Bundesrepublik ansässigen amerikanischen Tochterfirmen (in welchen die US-Mutterunternehmen wenigstens eine 50%ige Beteiligung hatten) in der verarbeitenden Industrie 14,68 Mrd. Dollar; rechnet man die Umsätze der US-Niederlassungen aller Industriebranchen einschließlich der mit 4,23 Mrd. Dollar stark ins Gewicht fallenden Mineralölindustrie zusammen, so ergibt sich ein Umsatz von

20,87 Mrd. Dollar.[98] Berücksichtigt man ferner, daß ein beachtlicher Teil der in den Außenhandelsstatistiken ausgewiesenen Handelsumsätze unternehmensinterne Transaktionen Multinationaler Konzerne darstellt, so wird die große Bedeutung dieser Unternehmen für das ökonomische Beziehungsgeflecht zwischen Industriestaaten und darüber hinaus auch für die Weltwirtschaft unterstrichen.

Die durch die Expansion Multinationaler Firmen bewirkte Internationalisierung der Produktion ist häufig als herausragendes Zeichen moderner weltwirtschaftlicher Interdependenz dargestellt worden. Indes ist der Interdependenzbegriff bei der durch die Direktinvestitionen hervorgerufenen internationalen Wirtschaftsverflechtung mit besonderer Vorsicht zu verwenden. Es zeigt sich nämlich, daß US-basierte Unternehmen mit großem Abstand an der Spitze der internationalen Investitionsstatistiken rangieren, wenngleich die privaten deutschen Direktinvestitionen im Ausland seit Ende der sechziger Jahre beträchtlich zugenommen haben. Mit einem Gesamtbestand am Jahresende 1975 von 41,992 Mrd. DM erreichten sie nahezu die Höhe der ausländischen Investitionen in der Bundesrepublik von 42,454 Mrd. DM.[99]

Für die Analyse der Beziehungsstruktur zwischen den USA und der Bundesrepublik Deutschland ist die Tatsache wichtig, daß die Bundesrepublik nach Kanada und Großbritannien zum drittwichtigsten Anlageland für amerikanische Direktinvestitionen geworden ist. Nachdem nach dem Zweiten Weltkrieg zunächst die staatlichen US-Kapitalhilfen (GARIOA und besonders ERP) dem Kapitalmangel in Westdeutschland abgeholfen und das westdeutsche Wirtschaftssystem stabilisiert hatten, begann seit den fünfziger Jahren, anfangs noch zurückhaltend, privates US-Kapital in die Bundesrepublik einzufließen, das zum Teil in den wieder produzierenden, alteingesessenen amerikanischen Firmen eine Anlagebasis fand.[100] Nach der Gründung der EWG stieg der Zustrom amerikanischen Kapitals in der Sechsergemeinschaft, insbesondere in der Bundesrepublik, sehr stark an: Im Zeitraum zwischen 1958 und 1972 stiegen die US-Direktinvestitionen (Buchwert an den Jahresenden 1958 und 1972) weltweit um 244%, in Großbritannien um

346%, in den europäischen Nicht-EWG-Ländern (einschließlich Großbritannien) um 466%, in Europa insgesamt um 574%, in den EWG-Ländern dagegen um 724%, in der Bundesrepublik sogar um 840%.[101] Die Entwicklung der US-Direktinvestitionen in der Zeit von 1950–1975 ist aus der Tabelle 2 zu ersehen.

Die Expansion der US-Investitionen in Form von Firmenaufkäufen, Beteiligungen und Industrieneugründungen war derart, daß in Westeuropa Ende der sechziger Jahre das Schlagwort von der „amerikanischen Herausforderung" die Runde machte.[102] Im Frankreich de Gaulles war zuvor (seit 1963) schon der Versuch unternommen worden, das amerikanische Anlagekapital gewissen Kontrollen zu unterwerfen, um einer ausländischen Überfremdung der französisch-nationalen Wirtschaft vorzubeugen. Französische Bemühungen, diese Restriktionsmaßnahmen auf die gesamte EWG auszuweiten, scheiterten nicht zuletzt am deutschen Widerstand.[103] Daß die amerikanischen Tochtergesellschaften viel zur Prosperität und Attraktivität des Gemeinsamen Marktes beitrugen, im übrigen aber in EG-Europa gut verdienten,[104] ist unbestritten. Der Einfluß der Multinationalen Unternehmen auf den Fortgang des westeuropäischen Integrationsprozesses ist hingegen eher als ambivalent anzusehen.[105]

Gleichwohl blieben im vergleichsweise liberalen Investitionsklima der Bundesrepublik den amerikanischen Investoren seit eh und je Tür und Tor geöffnet. So konnten auch im Jahre 1975 die direkten US-Kapitalanlagen mit einem Anteil von rund 40% (1974 = 40%, 1973 = 43%) unangefochten ihre Spitzenposition in der Bestandsstatistik ausländischer Direktinvestitionen in der Bundesrepublik behaupten; das Gesamtvolumen der US-Direktinvestitionen in der BRD betrug (nach deutschen statistischen Angaben) am Jahresende 1975 umgerechnet 17,135 Mrd. DM.[106] Zweifellos drücken die massiven amerikanischen Direktinvestitionen in der Bundesrepublik ein hohes Maß wirtschaftlicher Verflechtungen der beiden Volkswirtschaften aus.[107] Dagegen sagen sie noch nicht allzuviel über den damit möglicherweise verbundenen ökonomischen Interdependenzgrad aus, es sei denn, daß sie auf eine einseitige deutsche Abhängigkeit hinzuweisen scheinen. In der Tat zeigen sich beispielsweise bei einer eingehenderen Analyse der Präsenz amerikanischer Geschäftsunternehmen in der BRD in einigen Branchen (z. B. Mineralölverarbeitung, Autoindustrie, Datenverarbeitung) hohe Marktanteile und somit beträchtliche, schwer kontrollierbare Einflußpotentiale;[108] ein bekanntes Nachschlagewerk zur Ermittlung von Kapitalverflechtungen bei in der Bundesrepublik ansässigen Unternehmen führt in seiner 11. Auflage (1975) nicht weniger als 459 US-amerikanische Großaktionäre beziehungsweise Mutter-Konzerne und Gesellschafter auf, darunter die Branchenriesen EX-XON-Corporation, New York (Esso AG Hamburg), General Motors Corporation, Detroit (Adam Opel AG Rüsselsheim), Ford Motor Company, Dearborn (Ford-Werke AG Köln), IBM World Trade Corporation, New York (IBM Deutschland GmbH Stuttgart).[109] Auch in der Regionalverteilung amerikanischer Firmenniederlassungen sind Schwerpunktbildungen feststellbar, die einzelne regionale Wirtschaftsräume in der Bundesrepublik von den Dispositionen unkontrollierbarer Entscheidungszentren in den Direktionen amerikanischer Konzernstammsitze abhängig machen.[110] Die starke Stellung amerikanischer Firmen in einigen Schlüsselindustriebereichen hat auch in der Bundesrepublik seit den siebziger Jahren Diskussionen über die mit dem amerikanischen Kapitaleinfluß möglicherweise verbundenen nationalstaatlichen Souveränitätseinbußen ausgelöst. Als symptomatisch für das geschärfte Problembewußtsein können die Reaktionen, insbesondere von gewerkschaftlicher Seite, auf das Auftragsgutachten[111] der amerikanischen Handelskammer zur Mitbestimmungsfrage vom August 1974 gelten (,,Wir sind keine Bananenrepublik").[112] Auch die Bemühungen der Bundesregierung, in einem konstruktiven Gespräch mit Vertretern Multinationaler Unternehmen eine Art Wohlverhaltenskodex für diese quasi exterritorialen beziehungsweise transnationalen Machtgruppen zu entwickeln, zeigt, daß auch die politische Führung der Bundesrepublik mittlerweile der Rolle der (amerikanischen) Multis mehr kritische Beachtung schenkt.[113]

Ungeachtet vieler, sicher nicht unberechtigter Besorgnisse über die Machtpositionen amerikanischen Kapitals in der Bundesrepublik, können die US-Direktinvestitionen (im Sinne der hier zu-

grundliegenden Arbeitsdefinition) dennoch Interdependenzen begründen. Zu beachten ist nämlich, daß der Investor im Anlageland
nicht nur über ein ökonomisches Machtpotential verfügen kann,
und seine Investitions- und Produktionstätigkeit für das Anlageland
schwer verzichtbaren wirtschaftlichen Nutzen bringt, sondern auch
gewisse Schutzgarantien für seine Kapitalanlagen braucht und zur
Realisierung seiner Profitinteressen von der Gewährung bestimmter Entfaltungs- und Dispositionsfreiheiten durch das Gastland abhängig ist. Das sich daraus ergebende wechselseitige Abhängig-
keitsverhältnis kann allerdings nur unter der Voraussetzung zustan-
de kommen, daß das importierte Fremdkapital nicht die maßgebliche Kontrolle über die Wirtschaft im Anlagestaat erlangt. In der
Bundesrepublik sind jedoch, soweit zu sehen ist, bis jetzt Bedingungen gegeben, die beide Seiten aus der Verwertung amerikanischen
Kapitals großen Nutzen (wenn auch nicht unbedingt „gerecht"
aufgeteilten) ziehen lassen.

Eine Analyse der mit grenzüberschreitenden Direktinvestitionen
gegebenenfalls verbundenen ökonomischen Interdependenzen zwischen den beiden hochentwickelten kapitalistischen Industriestaaten muß natürlich auch Ausmaß und Entwicklungtrend der deutschen Investitionen im Ausland, speziell in den USA, in Betracht
ziehen. Bedingt durch die Wiederaufbauprozesse im eigenen Land
sowie durch die eingetretenen Vermögensverluste im Ausland nach
dem Zweiten Weltkrieg, waren die Auslandsinvestitionen der westdeutschen Wirtschaft zunächst noch gering (bis 1952 waren Auslandsinvestitionen für Deutsche verboten). Mit der Stärkung der
wirtschaftlichen Leistungsfähigkeit expandierten jedoch Teile der
westdeutschen Großindustrie zur Sicherung beziehungsweise Ver-
größerung ihrer Absatzmärkte seit Anfang der sechziger Jahre sehr
stark. Dabei stiegen die deutschen Direktinvestitionen im Ausland
im Zeitraum 1960–1975 von rund 3,2 auf rund 42 Mrd. DM und
wiesen unter den sieben größten Investitionsländern (USA, Großbritannien, Schweiz, BRD, Japan, Frankreich, Kanada) – nach Japan – die höchsten jährlichen Wachstumsraten auf.[114] Die deutschen
Direktinvestitionen konzentrierten sich auf drei regionale Zentren:
Auf Westeuropa, vor allem auf die EG (zwischen 1961 und 1972

verdoppelte sich der auf die EG-Länder entfallende Anteil der deutschen Direktinvestitionen[115]), auf Nordamerika und auf Lateinamerika (besonders auf Brasilien). Im Rahmen dieser Studie ist hervorzuheben, daß sich deutsche Firmen (und mit ihnen deutsche Banken[116]) nach anfänglichem Zögern in den letzten Jahren – nach der für den deutschen Kapitalexport günstigen Veränderung der Währungsparitäten – verstärkt auch in den USA engagierten. Die Entwicklung der deutschen Direktinvestitionen in den USA ist aus Tabelle 2 (Spalte 9) zu ersehen.

Aus Tabelle 2 sowie aus der Beobachtung einer stärker werdenden Position deutscher Unternehmen auf dem Felde der internationalen Direktinvestitionstätigkeit ist ein weiterer Beleg für die These vom Abbau der Asymmetrie in den ökonomischen Interdependenzen zwischen den USA und der Bundesrepublik zu gewinnen. Dieser Entwicklungstrend bestätigt sich in den Daten für das Jahr 1975. Nachdem deutsche Auslandsdirektinvestitionen lange Zeit vornehmlich in europäischen Nachbarländern getätigt wurden, haben 1975 (wie schon 1974) deutsche Unternehmen am meisten in den USA angelegt: Mit einem Zugang von 748 Mill. DM überflügelten die deutschen Investitionen in den USA erstmals den jährlichen Zuwachs der US-Direktinvestitionen in der BRD, der 1975 nur 623 Mill. DM ausmachte. Die USA sind danach (Jahresende 1975) mit einem Bestand von 4,228 Mrd. DM (= 10,1% der deutschen Direktinvestitionen im Ausland) als Anlageland für deutsche Investitionen von Platz 4, nach Frankreich (4,308 Mrd. DM) und der Schweiz (4,263 Mrd. DM), auf Platz 3 aufgerückt.[117]

Inzwischen hat sich der gegen die sogenannte ,,Défi Américain" laufende Gegentrend so stark entwickelt, daß einige Beobachter im Gegenzug schon eine ,,europäische Herausforderung" apostrophieren zu können meinten.[118] Aufgrund veränderter Bedingungen (u. a. Abwertung des Dollar) ist ein internationaler Investitionskonkurrenzkampf zwischen amerikanischen und europäischen Großfirmen in Gang gekommen. In diesem Wettbewerb belegen auch einige deutsche Konzerne (nach einigen vorausgegangenen ,,Gigantenhochzeiten") vordere Plätze: Während knapp die Hälfte der 50 größten Industrieunternehmen (nach der ,,Fortune"-Rangliste für 1975) erwartungsgemäß ihren Stammsitz in den USA haben, sind unter den 50 größten Konzernen auch sieben deutsche Unternehmen vertreten;[119] sie zeichnen sich, ähnlich wie die amerikanische Konkurrenz, durch einen erheblichen Anteil der Auslandsproduktion an ihren „Weltumsätzen" aus.[120]

Die intensivierten grenzüberschreitenden Kapitalbewegungen dokumentieren damit einmal mehr eine qualitative Veränderung der Beziehungen zwischen hochentwickelten westlichen Industriestaaten, wobei die Frage nach den eigentlichen Trägern beziehungsweise Bezugsgrößen für die transatlantischen ökonomischen Interdependenzen aufzuwerfen ist. Auf diese grundsätzliche Problematik ist im fünften Abschnitt dieser Abhandlung nochmals einzugehen.

4.3 Monetäre Beziehungen – Zahlungsbilanz – Devisenausgleich

Die Untersuchung der monetären Beziehungen im Verhältnis USA – BRD liefert ein besonders instruktives Lehrstück für das Vorhandensein strukturprägender Interdependenzen zwischen hochentwickelten Industriestaaten.[121] Darüber hinaus lassen sich bei der Analyse der zwischenstaatlichen Währungspolitik gute Belege für die These vom Abbau der Asymmetrie im Interdependenzgefüge zugunsten der Bundesrepublik finden. Bevor sich allerdings dieser Trend auch auf diesem Gebiet voll durchsetzte, mußte die Bundesrepublik während der internationalen Währungskrisen anfangs der siebziger Jahre zeitweilig zunächst noch einmal eine nahezu ohnmächtige Dependenz erfahren, als nämlich die von außen hereinflutenden Dollarwellen das Deichsystem der innerstaatlichen Währungspolitik zunichte zu machen drohten. Daß der Trend zur währungspolitischen Gewichtsverlagerung sich nur mühsam Weg bahnte und erst nach einem beachtlichen Zeitverzug durchschlug, lag zum Teil daran, daß gerade in das monetäre Feld übergeordnete politische Entscheidungen beziehungsweise Rücksichtnahmen hineinwirkten.

Zunächst einige Bemerkungen zum grundsätzlichen monetären

Interdependenzbezug: Bereits die gemeinsame Mitgliedschaft der beiden Staaten im Internationalen Währungsfonds (IWF), dem die Bundesrepublik ebenso wie der Internationalen Bank für Wiederaufbau und Entwicklung (Weltbank) 1952 beigetreten war, schuf während der Nachkriegsjahre Rahmenbedingungen für Interdependenz im monetären Bereich, zumal sich beide Staaten durch besonders hohe IWF-Quoten auszeichnen und die Bundesrepublik nach den USA der wichtigste Weltbankfinanzier ist. Freilich würde die formale IWF-Zugehörigkeit noch keine stringente Interdependenz begründen, wie die notorisch einseitigen Abhängigkeiten vieler IWF-Staaten von den USA beziehungsweise der Zehnergruppe in der Vergangenheit belegen. Im Falle der USA und der Bundesrepublik ergibt sich jedoch die Interdependenz aus dem Umstand, daß sich neben dem Dollar zunehmend die D-Mark zur wichtigsten „harten" Währung des Internationalen Währungssystems entwikkelte. Die Währungsbehörden in beiden Ländern waren in ihrer inneren und äußeren Währungspolitik im Verlauf der Erschütterungen des 1944 geschaffenen Bretton-Woods-Systems sowie bei der multilateralen Finanzierung von Zahlungsbilanzhilfen an Drittstaaten immer stärker aufeinander angewiesen.

Die besondere Stellung der D-Mark im Internationalen Währungssystem ist schon vor dem (offiziellen) Übergang zur uneingeschränkten Konvertibilität der D-Mark Ende 1958 zu erkennen gewesen. Die Bundesrepublik war in den fünfziger Jahren gleichsam zu einem Scharnier zwischen dem Dollarraum und dem EZU-Gebiet geworden, in dem sie die Rolle eines Gläubigerlandes einnahm. Das Jahr 1958 war überdies eine Wendemarke im internationalen Währungsgeschehen, nachdem die vordem bestehende Dollarknappheit langsam in ein Dollarüberangebot auf den europäischen Devisenmärkten überzugehen begann.[122] Dieser Umschwung war zum großen Teil von einer folgenschweren Verschlechterung der amerikanischen Zahlungsbilanz seit Ende der fünfziger Jahre verursacht. Den chronischen Zahlungsbilanzdefiziten der USA standen fortan auf seiten der Bundesrepublik anhaltende Zahlungsbilanzüberschüsse gegenüber, wobei sich bei der Deutschen Bundesbank mit der Zeit die weitaus größten Dollarguthaben

Tabelle 1a. Die deutsch-amerikanischen Handelsbeziehungen 1950–1975 im Vergleich mit der Regionalverteilung des BRD-Außenhandels nach Ländergruppen

Warenausfuhr aus der BRD (Verbrauchsländer)

Jahr	USA			EG-Länder, ab 1973 neuer Gebietsstand[b], in v. H.	EFTA-Länder, ab 1973 neuer Gebietsstand[b], in v. H.	Staatshandelsländer in v. H.	Außereuropäische Entwicklungsländer in v. H.
	Tatsächliche Werte in Mill. DM	in v. H. der Gesamtausfuhr BRD	in v. H. der US-Gesamteinfuhr				
Sp. 1	2	3	4	5	6	7	8
1950	433	5,2	1,2	37,1	26,5	4,3	14,9
1951	992	6,8	2,1	29,7	28,2	1,9	20,8
1952	1048	6,2	2,0	28,3	29,8	1,3	20,2
1953	1249	6,7	2,5	29,8	28,0	1,8	21,2
1954	1237	5,6	2,7	29,2	29,0	2,0	22,9
1955	1625	6,3	3,2	28,8	28,8	2,4	21,5
1956	2089	6,8	3,9	29,5	28,0	3,5	20,8
1957	2521	7,0	4,7	29,2	27,3	3,3	22,1
1958	2699	7,3	4,9	27,3	27,5	5,0	21,5
1959	3835	9,3	6,0	27,8	27,0	4,5	19,7
1960	3767	7,9	6,1	29,5	28,0	4,7	18,7
1961	3497	6,9	5,8	31,7	28,3	4,1	17,9
1962	3858	7,3	5,9	34,0	27,8	4,0	15,6
1963	4195	7,2	5,9	37,3	27,1	3,1	14,4

Sp. 1	2	3	4	5	6	7	8
1964	4785	7,4	6,3	36,4	27,2	3,6	14,2
1965	5741	8,0	6,3	35,2	27,0	3,7	14,4
1966	7178	8,9	7,0	36,3	25,2	4,1	13,9
1967	7859	9,0	7,3	36,8	23,7	5,0	13,4
1968	10835	10,9	8,2	37,5	22,7	4,5	13,0
1969	10633	9,4	7,2	39,8	22,5	4,5	12,4
1970	11437	9,1	7,8	40,1	22,6	4,3	11,9
1971	13140	9,7	8,0	40,1	22,4	4,3	12,0
1972	13798	9,3	7,6	39,9	23,0	5,1	11,4
1973	15089	8,5	7,7	47,1 (39,8) [c]	15,7 (22,7) [c]	6,1	11,5
1974	17343	7,5	6,4	44,9 (37,8)	14,9 (21,7)	6,9	13,9
1975	13146	5,9	5,6	43,6 (36,7)	14,5 (21,1)	7,9	16,5

a) Bis 5. 7. 1959 ohne Saarland

b) Am 1. 1. 1973 traten Irland und die EFTA-Länder Großbritannien und Dänemark der EWG bei

c) Die in Klammern angegebenen Zahlen beziehen sich auf die ursprüngliche EWG bzw. EFTA

Quellen: Eigene Berechnungen aufgrund von: Jahresgutachten 1976/77 des Sachverständigenrates zur Begutachtung der gesamtwirtschaftlichen Entwicklung, Deutscher Bundestag, 7. Wahlperiode, Drucksache 7/5902, 25. 11. 76, S. 288 f.; U. S. Bureau of the Census, Historical Statistics of the United States, Colonial Times to 1970, Bicentennial Edition, Part 2, Washington, D. C., 1975, S. 903, 905; U. S. Bureau of the Census, Statistical Abstract of the United States (Ausgaben der Jahre 1971–1976).

Tabelle 1b. Die deutsch-amerikanischen Handelsbeziehungen 1950–1975 im Vergleich mit der Regionalverteilung des BRD-Außenhandels nach Ländergruppen

Wareneinfuhr in die BRD (Herstellungsländer)

Jahr	USA Tatsächliche Werte in Mill. DM	USA in v.H. der Gesamteinfuhr BRD	in v.H. der US-Gesamtausfuhr	EG-Länder, ab 1973 neuer Gebietsstand[b], in v.H.	EFTA-Länder ab 1973 neuer Gebietsstand[b], in v.H.	Staatshandelsländer in v.H.	Außereuropäische Entwicklungsländer in v.H.
Sp. 1	2	3	4	5	6	7	8
1950	1811	15,9	4,3	26,6	21,0	3,1	23,5
1951	2722	18,5	3,5	20,3	18,0	2,9	27,3
1952	2507	15,5	3,0	22,7	19,3	1,9	25,2
1953	1658	10,4	2,3	25,2	20,0	2,6	26,6
1954	2237	11,6	3,3	24,4	20,2	2,6	28,6
1955 [a]	3209	13,1	3,9	25,8	19,2	3,0	27,0
1956	3997	14,3	4,9	23,6	19,8	4,0	26,3
1957	5671	17,9	6,4	23,4	19,0	3,9	24,1
1958	4219	13,6	5,0	25,6	20,8	4,6	23,8
1959	4595	12,8	5,0	28,8	20,7	4,6	22,9
1960	5977	14,0	6,2	29,7	19,6	4,7	22,2
1961	6100	13,8	6,4	31,1	19,4	4,6	21,1

Sp. 1	2	3	4	5	6	7	8
1962	7033	14,2	7,3	32,3	19,0	4,4	20,7
1963	7941	15,2	6,8	33,2	18,5	4,1	20,2
1964	8066	13,7	6,1	34,7	18,2	4,1	20,5
1965	9196	13,1	6,0	37,8	17,2	4,1	19,1
1966	9177	12,6	5,5	38,2	16,5	4,3	19,4
1967	8556	12,2	5,4	39,4	15,7	4,3	19,5
1968	8850	10,9	4,9	41,2	15,6	4,2	19,2
1969	10253	10,5	5,6	43,3	15,5	4,1	17,3
1970	12066	11,0	6,3	44,2	15,2	4,0	16,1
1971	12420	10,3	6,4	46,6	14,1	4,0	15,9
1972	10765	8,4	5,6	48,6	13,7	4,1	15,3
1973	12223	8,4	5,3	51,9 (46,7)	8,8 (13,8)	4,6	16,5
1974	13972	7,8	5,1	47,9 (42,8)	8,4 (13,2)	4,7	22,4
1975	14226	7,7	4,8	49,5 (43,9)	8,7 (13,9)	4,7	20,0

a) Bis 5. 7. 1959 ohne Saarland
b) Am 1. 1. 1973 traten Irland und die EFTA-Länder Großbritannien und Dänemark der EWG bei
c) Die in Klammern angegebenen Zahlen beziehen sich auf die ursprüngliche EWG bzw. EFTA
Quellen: Wie bei Tabelle 1 a.

Tabelle 2. Buchwerte der US-Direktinvestitionen in der Bundesrepublik Deutschland 1950–1975 und Vergleich mit anderen Ländern, in Mill. Dollar (Spalten 2–8) und Buchwerte der deutschen Direktinvestitionen in den USA 1962–1975, in Mill. Dollar (Spalte 9)

Jahr	BRD in Mill. Dollar	in v. H. des gesamten US-Auslands- bestandes	Frank- reich	Kern-EWG (6) insges.	Großbri- tannien	Kanada	Welt	Deutsche Direkt- investitionen in den USA in Mill. Dollar
1	2	3	4	5	6	7	8	9
1950	204	1,73	217	637	847	3579	11788	
1957	581	2,29	464	1680	1974	8769	25394	
1958	666	2,43	546	1908	2147	9470	27387	
1959	796	2,67	640	2208	2477	10310	29827	
1960	1006	3,07	741	2644	3234	11198	32778	
1961	1182	3,41	860	3104	3554	11602	34667	
1962	1476	3,96	1030	3722	3824	12133	37226	152
1963	1780	4,37	1240	4490	4172	13044	40686	149
1964	2082	4,69	1446	5426	4547	13796	44386	156
1965	2431	4,93	1609	6304	5123	15223	49328	209
1966	3077	5,62	1758	7584	5657	16999	54711	247
1967	3486	5,87	1904	8444	6113	18097	59426	318
1968	3785	5,82	1904	9012	6694	19535	64983	387

1	2	3	4	5	6	7	8	9
1969	4276	6,02	2122	10255	7190	21127	71033	617
1970	4597	5,88	2590	11774	7996	22790	78178	680
1971	5209	6,04	3020	13605	9007	24105	86198	771
1972	6260	6,64	3443	15720	9582	25771	94337	845
1973	7650	7,38	4295	19022	11040	25541	103675	795
1974	7998	6,74	4886	21741	12461	28378	118613	1137
1975	8756	6,58	5792	23870	13932	31155	133168	1286

Quellen: Rainer Hellmann, Weltunternehmen nur amerikanisch? Das Ungleichgewicht der Investitionen zwischen Amerika und Europa, Baden-Baden 1970, S. 277 und U. S. Department of Commerce, Survey of Current Business (verschiedene Ausgaben).

ansammelten. Im Rückblick sind schon 1960 Anhaltspunkte einer Entwicklung auszumachen, die in den folgenden Jahren zum Merkmal der Internationalen Währungsordnung werden sollte: Die D-Mark wurde zunehmend (bis Mitte 1973) in die Rolle des Gegenpols oder Gegengewichts zum US-Dollar gebracht; während der US-Dollar als überbewertete Währung in den Kreis abwertungsbedürftiger Währungen gelangte, wurde die damals unterbewertete D-Mark zum permanenten Aufwertungskandidaten.[123] In der Abfolge von teilweise dramatischen Währungskrisen ging das in Bretton-Woods geschaffene System fester Wechselkurse in die Brüche, wobei sich die Bundesrepublik zaghaft vom Dollar emanzipierte. Nachdem drei DM-Aufwertungen von 1961–1971[124] nicht ausreichten, das Dilemma zwischen dem äußeren und inneren Währungsgleichgewicht erträglich zu gestalten, gab die Bundesrepublik am 2. März 1973 definitiv ihre seitherige Politik zur Stützung der US-Währung auf und ging am 19. März 1973 im Verhältnis zum US-Dollar zum (Block-)Floaten über.[125] In diesem Entwicklungsprozeß im Zeitraum von 1961–1975, in dem die Stärkung der außenwirtschaftlichen Position der Bundesrepublik in der Höherbewertung der D-Mark gegenüber dem Dollar um fast 70% eine monetäre Entsprechung hatte,[126] findet die These vom Trend zum Abbau der Asymmetrie im deutsch-amerikanischen Interdependenzgefüge einen eindrücklichen Beleg. (Natürlich ist zu beachten, daß die krisenhaften Vorgänge und Veränderungen im Internationalen Währungssystem eine Vielzahl von Ursachen haben, für die keineswegs nur in den dyadischen deutsch-amerikanischen Sonderbeziehungen Erklärungsgründe zu finden sind.)

Die dramatische Verlaufsgeschichte der internationalen Währungskrise, die 1974/75 in eine große Weltwirtschaftskrise überging, ist bekannt und braucht hier nur stichwortartig rekapituliert zu werden: Als in den Monaten März bis Mai 1971 die Bundesbank hohe (spekulative) Dollar-Devisen aufnehmen mußte, entschlossen sich die deutschen Währungsbehörden erstmals zur Suspendierung der Devisenankaufspflicht und gaben ab 10. Mai 1971 den Wechselkurs der D-Mark frei. Die Frühjahrskrise setzte sich mit der Aufhebung der Goldkonvertibilität des Dollars durch die Nixon-Administration am 15. August 1971 fort und führte sodann nach schwierigen Verhandlungen auf der Basis einer von den USA erstmals zugestandenen Dollar-Abwertung zur multilateralen Wechselkurs-Neuordnung vom 18. Dezember 1971. Bekanntlich war dem „Re-alignment" des Washingtoner Wechselkursabkommens (Smithsonian Agreement) keine lange Lebensdauer beschieden. War die Bundesrepublik bereits bis Anfang Mai 1971 das „Epizentrum des amerikanischen Währungsbebens" gewesen,[127] so wurde sie im Frühjahr 1973 erneut von Währungswirren hart betroffen. Von Ende Januar bis Anfang März 1973 mußte die Bundesbank per Saldo Devisen im Gegenwert von insgesamt 24 Mrd. DM aufnehmen, wobei der Devisenankauf vom 1. März 1973 in Höhe von 2,7 Mrd. Dollar (Gegenwert: 7,5 Mrd. DM) eine in der internationalen Bankgeschichte einmalige Tagesintervention darstellte.[128] Nachdem ein letzter Versuch, durch eine neuerliche Paritätenanpassung und eine nochmalige Dollar-Abwertung (am 12. Februar 1973) nicht ausreichte, die Devisenströme befriedigend zu kanalisieren, bedeutete die abermalige Schließung der deutschen Devisenbörsen am 2. März 1973 (am 19. März 1973 wieder eröffnet) endgültig das Ende des Bretton-Woods-Systems der festen Währungsparitäten. Im Rückblick nannte Bundesbankpräsident Emminger den Entschluß vom März 1973 die große Wende zur Stabilitätspolitik, „als wir die Nabelschnur zur festen Dollarparität durchschnitten, den Zwang zum unbegrenzten Dollarankauf zu festen Kursen aufhoben und dadurch die Herrschaft über die eigene Geldversorgung zurückgewannen".[129]

Das währungspolitische Manövrieren der Bundesrepublik im internationalen System wird besser überschaubar und wirkt dadurch erhellend für die Struktur der deutsch-amerikanischen Beziehungen, wenn man beachtet, daß die deutsche Währungspolitik gleich vor drei Problemkomplexen stand, die sie zum Ausgleich zu bringen suchte: Erstens trachtete sie danach, die sich seit Anfang der sechziger Jahre verschärfenden Spannungen zwischen innerem und äußerem Gleichgewicht abzubauen, wobei sie im Konfliktfall meist der Geld- und Preisstabilität im Innern Priorität einzuräumen bestrebt war.[130] Zweitens bemühte sie sich, bei der seit Ende der fünfziger Jahre auf der internationalen Tagesordnung stehenden Aufgabe einer Wechselkursanpassung gemeinsame, nach Möglichkeit mit den EWG-Partnern abgestimmte Lösungsvorschläge zu erreichen; nach einer propagierten europäischen Maxime wurden feste Paritätsbeziehungen innerhalb der EWG geradezu als eine Vorbedingung für erwünschte weitere Integrationsfortschritte angesehen.[131] Drittens versuchte die Bundesrepublik in ihrer Währungspolitik nach außen aber auch, „eine realistische und konstruktive Position für die Verhandlungen mit den Vereinigten Staaten aufzubauen", das heißt, das gute Verhältnis zu den USA (unter Beachtung der asymmetrischen Interdependenzen im sicherheitspolitischen Bereich) nicht durch ihr währungspolitisches Vorgehen zu gefährden.[132] Mit der gleichzeitigen Verfolgung dieser – unter den gegebenen Umständen – häufig widerstreitenden Zielvorgaben stand die Bundesrepublik im Verlauf der internationalen Währungskrisen in einer permanenten Trilemmasituation.[133]

Was die prekäre Lage der Bundesrepublik in der internationalen Währungspolitik verschärfte, war die Tatsache, daß die USA seit Anfang der sechziger Jahre auf die Bundesrepublik mehr oder weniger Druck ausübten, indem sie Bonn aufforderten, durch stärkere deutsche Kapitalexporte und andere Kapitalleistungen das kontrastierende Ungleichgewicht in den Zahlungsbilanzen (amerikanische Defizite versus Überschüsse auf deutscher Seite) abzubauen. Als frühes einschlägiges Dokument ist hier – nach der grundsätzlichen Erklärung Präsident Eisenhowers vom 16. November 1960 über das "burden-sharing" – das Aide-Mémoire der Kennedy-Administration an die Bundesregierung zur „gerechten Verteilung der internationalen Lasten" vom 17. Februar 1961 zu nennen.[134] Die USA führten das Argument ins Feld, daß ihre Defizite in der Zahlungsbilanz zu einem erheblichen Teil durch die amerikanischen Verteidigungsausgaben für den Westen, für Europa und in Europa (sowie durch ihre Entwicklungshilfeleistungen) bedingt seien. Im Hinblick auf die Stationierung der US-Streitkräfte auf deutschem Boden verlangten sie einen Ausgleich für die in der Bundesrepublik verausgabten „Truppendollars". Bekanntlich ging die Bundesrepublik auf die amerikanischen Forderungen nach Devisenausgleich ein und schloß mit den USA im Zeitraum 1961–1975 insgesamt 8 Devisenausgleichsabkommen mit einem Gesamtvolumen von rund 11 Mrd. Dollar (40 Mrd. DM).[135] Trotz umfangreicher deutscher Rüstungskäufe in den USA im Rahmen dieser Abkommen und einiger anderer zahlungsbilanzwirksamer Gegenleistungen (u. a. Kauf amerikanischer Schatzanweisungen) erwies sich das Instrument des Devisenausgleichs als nicht geeignet, das fundamentale Ungleichgewicht im westlichen Währungssystem entscheidend abzumildern, einmal abgesehen davon, daß die Ausgleichsverfahren ohnedies auf fragwürdigen ökonomischen Prämissen und Wirkungen beruhten.[136] Dies war mit ein Grund dafür, daß beide Seiten übereinkamen, die Abkommen nach dem 30. Juni 1975 nicht mehr zu verlängern,[137] zumal sich seit 1973 aus einer Reihe von Gründen die amerikanische Leistungs- und Zahlungsbilanzsituation (vorübergehend) zum Besseren gewendet hatte.

Auch in den Ausgleichsabkommen legte die Bundesrepublik eine Politik an den Tag, die an der Aufrechterhaltung des alten Bretton-Woods-Systems festhielt, das die USA in vielfältiger Weise begünstigte.[138] Bezeichnend für diese Haltung ist das im Rahmen des vierten Devisenausgleichsabkommens 1967 gemachte Zugeständnis der Bundesrepublik, daß die Bundesbank im Zeitraum der Geltungsdauer des Abkommens (Juli 1967 bis Juni 1968) für umgerechnet 500 Mill. US-Dollar mittelfristige US-Staatspapiere kaufen und ihre Dollarguthaben den amerikanischen Währungsbehörden nicht zur Konvertierung in Gold präsentieren werde (siehe den sogenannten „Blessing-Brief" an den Vorsitzenden des Federal Reserve Board, Martin).[139] Die Bundesrepublik finanzierte als Überschußland durch ihre Dollarankäufe und Dollarguthaben lange Zeit einen nicht unerheblichen Teil des US-Zahlungsbilanzdefizits.[140] Sie sah sich dabei wiederholt heftiger Kritik seitens ihrer europäischen Partner (namentlich Frankreichs) ausgesetzt, mit denen sie gemäß den Beschlüssen auf der Haager Gipfelkonferenz von 1969 die Errichtung einer Wirtschafts- und Währungsunion anzustreben vereinbarte.

Zumindest führende Währungsexperten der Deutschen Bundesbank haben diese Politik der nahezu unbedingten Stützung des

Gold-Dollar-Systems durch die Bundesrepublik im nachhinein (selbst-)kritisch beurteilt. So bedauerte der ehemalige Bundesbankpräsident Blessing in einem im Frühjahr 1971 gegebenen Interview (damals war Blessing bereits im Ruhestand), daß man nicht einfach die Dollarbestände der Bundesbank „rigoros" in Gold umgetauscht, sondern 1967 unter dem Druck sehr schwieriger Verhandlungen über die künftige finanzielle Regelung der Stationierung amerikanischer Truppen in der Bundesrepublik die erwähnte unbefristete Stillhaltezusage gegeben hatte.[141] In seinem aufschlußreichen Aufsatz über die deutsche Geld- und Währungspolitik für die Festschrift der Bundesbank räumte deren damaliger Vizepräsident Emminger ein, daß ein Umtausch der der Bundesbank zugeflossenen Dollarbeträge „wahrscheinlich schon lange vor dem August 1971 zur Einstellung der Dollarkonvertierbarkeit und zum Ende des Bretton-Woods-Systems geführt (hätte); dafür aber wollte die deutsche Währungspolitik nicht die Verantwortung übernehmen."[142]

Waren es also auch und vor allem politische Gründe (nämlich eine durch antizipierte politische Abhängigkeit bestimmte Haltung), die die Bundesrepublik, bisweilen unter Hintanstellung europäischer Verpflichtungen und Zielsetzungen, zu einer amerikafreundlichen Währungspolitik gedrängt hatten, so konnte sie doch im Verlaufe der Währungskrise anfangs der siebziger Jahre mit der schließlichen Wechselkursfreigabe die Asymmetrie im monetären Interdependenzbereich abbauen.

Gleichwohl tritt die Bundesrepublik weiterhin bei den seither zu registrierenden Reformbemühungen im Internationalen Währungssystem als Vermittler zwischen den amerikanischen und europäischen Reformwünschen in Erscheinung. Ihre grundsätzliche Prädisposition und Bereitschaft zu vermittelnden währungspolitischen Kompromissen demonstrierte sie schon seinerzeit bei der Einführung der Sonderziehungsrechte.[143] Dadurch, daß die bislang diskutierten Reformansätze durch die Folgewirkungen der Ölpreiskrise sowie durch die Forderungen der Entwicklungsländer nach einer Verknüpfung einer großen internationalen Währungsreform mit einem Nord-Süd-Lastenausgleich verquickt sind, wird sich eine

befriedigende Neuregelung einer Internationalen Währungsordnung äußerst schwierig gestalten; immerhin wurde auf der Anfang
Januar 1976 in Jamaika tagenden Sitzung des Ministerausschusses
des IWF eine Einigung über eine Teilreform des Internationalen
Währungssystems erzielt. Erschwerend für die Reformbemühungen kommt hinzu, daß das währungspolitische Stabilitätsgefälle
zwischen den EG-Staaten durch den Verfall von Pfund, Lira und
auch des französischen Franc inzwischen so groß geworden ist, daß
die Bundesrepublik als Führungsland des nach dem erneuten Ausscheiden des französischen Franc[144] in seiner Bedeutung geschmä-
lerten europäischen Währungsblocks (der sogenannten „Schlange") sowohl mit diesen Divergenzen als auch zunehmend mit Spannungen innerhalb des Währungsverbundes zu ringen hatte (was sich
unter anderem in unerwünschten Liquiditätszuflüssen bemerkbar
machte, die die Stabilitäts- und Geldmengenpolitik der Bundesbank
zu stören geeignet sind). Zusammengenommen führten diese Ent-
wicklungen dazu, daß der Zusammenhalt der EG erneut gefährdet
war und ist.[145] In einem geänderten Bedingungsrahmen war deshalb die Bundesrepublik am Ende des Untersuchungszeitraums
(Ende 1975) bei der versuchten Aufrechterhaltung beziehungsweise
Rückgewinnung der internationalen Währungs- und Wirtschafts-
stabilität sowie bei der Steuerung der Weltkonjunktur um so mehr
mit den USA durch eine umfassende ökonomische Interdependenz
verbunden.

5. Interdependenz der Interdependenzen –
„Delta-Interdependenzen" – Zusammenfassung

Die vorstehenden Ausführungen haben gezeigt, daß sich in den
vergangenen 30 Jahren zwischen den USA und der Bundesrepublik
Deutschland ein sehr dichtes Beziehungsnetz entwickelte, dessen
Knotenpunkte durch eine Vielzahl politischer und ökonomischer
Interdependenzen gebildet werden. Herausragendes Merkmal in
der Entwicklung der deutsch-amerikanischen Nachkriegsbezie-

hungen ist der Abbau der grundsätzlich gegebenen Asymmetrie im Interdependenzgefüge zugunsten einer Stärkung der Stellung der Bundesrepublik.

Die Komplexität des Beziehungsgeflechts wird durch die Tatsache erhöht, daß zwischen den aufgezeigten Interdependenzen sowohl auf dem Felde der (im engeren Sinne verstandenen) Politik als auch im Bereich der Wirtschaft nochmals wechselseitige Abhängigkeiten aufgetreten sind. So wurde beispielsweise in der Vergangenheit die amerikanische Einstellung zur Bonner Europapolitik wiederholt von der Entwicklung der amerikanisch-sowjetischen Beziehungen beeinflußt; umgekehrt hatte die Ostpolitik der Bundesrepublik stets die deutsche Mitgliedschaft in der NATO zur Voraussetzung, und sie hatte die Belange westlicher Sicherheitspolitik zu respektieren. Daß auch im Bereich der internationalen Wirtschaftsbeziehungen wechselseitige Beeinflussungen zwischen Außenhandel, Direktinvestitionen und Veränderungen im Währungssystem stattfanden, wurde vielfach demonstriert.

Die Analyse der Beziehungsstrukturen zwischen den USA und der Bundesrepublik wird weiterhin erheblich durch den Umstand erschwert, daß nicht nur innerhalb der Hauptkategorien „Politik" und „Wirtschaft" Wechselverhältnisse zwischen den einzelnen interdependenten Sachgebieten zu beobachten sind, sondern daß gerade auch zwischen Politik und Wirtschaft das Phänomen „Interdependenz der Interdependenzen" in Erscheinung tritt. Ein eindrückliches Beispiel hierfür ist das vierte Devisenausgleichsabkommen vom April 1967 zwischen den USA und der Bundesrepublik, in dem sich letztere zur Aufrechterhaltung der amerikanischen Truppenpräsenz, also aus sicherheitspolitischen Erwägungen, verpflichtete, den US-Dollar durch Verzicht auf Dollarumtausch in Gold zu stützen. Wirft schon eine genaue Bestimmung der Interdependenzen in den internationalen Wirtschaftsbeziehungen erhebliche methodische Probleme auf, so gilt dies in noch höherem Maße bei der Erfassung der politischen Interdependenzen. Erst recht stößt eine genaue Ermittlung der kombinierten politisch-ökonomischen Interdependenzen auf große Schwierigkeiten. Während man sich bei der Untersuchung der ökonomischen Interdependenzen noch an die in Daten nachweisbaren Transaktionen, etwa der Waren- und Kapitalströme sowie der verrechneten Dienstleistungen, halten kann (wobei diese Erhebungen gegebenenfalls noch auf eine Analyse der Veränderungen der Faktorpreise der beiden Volkswirtschaften auszudehnen wären), schlagen sich die mehr qualitativen politischen Interdependenzen nicht in Positionen der Zahlungsbilanz oder in anderen vergleichbaren Maßzahlen nieder. Beide Bereiche sind prinzipiell inkommensurabel, es gibt keinen alle „issue-areas" umfassenden Bewertungsmaßstab. Politische und ökonomische Interdependenzen lassen sich deshalb nicht ohne weiteres ineinander überführen oder konvertieren.

Gleichwohl können aufgrund der durchgeführten Analyse noch einige weitere qualitative Aussagen gemacht werden. Bei näherem Zusehen zeigt sich nämlich, daß innerhalb der einzelnen Interdependenzrelationen durchaus unterschiedliche Gewichtsverteilungen und keineswegs immer homologe Interessenkonstellationen anzutreffen sind. Dies gilt in erster Linie beim Vergleich der beiden Hauptinterdependenzkategorien: Während im Verlaufe der letzten 30 Jahre insgesamt gesehen eine allgemeine Verringerung der Asymmetrie im deutsch-amerikanischen Interdependenzgefüge festzustellen ist, war diese Entwicklung in den beiden Hauptkategorien durchaus unterschiedlich ausgeprägt: Trotz aller Zunahme der Stärke der Bundesrepublik als konventioneller Militärmacht ist deren und West-Berlins sicherheitspolitische Abhängigkeit von den USA nach wie vor groß. Demgegenüber hat sich im wirtschaftspolitischen Bereich das relative Gewicht der Bundesrepublik als bedeutender westlicher Wirtschaftsmacht stärker erhöht. Auch wenn man beachtet, daß ein genauer quantifizierender Vergleich nicht möglich ist, wird man doch eine gewisse Diskrepanz zwischen der Entwicklung der politischen (vor allem sicherheitspolitischen) und der ökonomischen Interdependenzen feststellen können. Mit anderen Worten: Der Abbau der Asymmetrien im Beziehungskomplex USA-BRD scheint bei den wirtschaftlichen Interdependenzen ein Stück weitergekommen zu sein, als dies auf dem Gebiet der politischen (insbesondere militärpolitischen) Abhängigkeiten der Fall ist. Die dadurch tendenziell entstandene „Differenz-Interdependenz" möchte ich „DELTA-Interdependenz" nennen. Man kann sie durch eine Skizze veranschaulichen (s. Abb. Interdependenzskala).

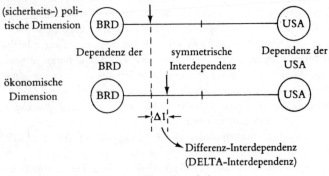

Interdependenzskala

Bei den Verhandlungen zwischen den Vereinigten Staaten und der Bundesrepublik war zu beobachten, daß sich die Repräsentanten der beiden Bündnispartner häufig mit dieser „Differenz-Interdependenz" auseinanderzusetzen hatten. In dem diplomatischen Wechselspiel des „do ut des" versuchten die USA des öfteren, das fundamentale Ungleichgewicht im Bereich militärischer Sicherheit als Hebel bei wirtschaftspolitischen Streitfragen einzusetzen, und die Bundesrepublik war bereit, wirtschaftliches Entgegenkommen gegen militärischen Schutz einzutauschen.[146] Darüber hinaus traten die USA in ihren Verhandlungen mit der Bundesrepublik (und den EG-Staaten) dafür ein, den Interdependenzkomplex als Gesamtheit zu betrachten (um gegebenenfalls daraus Positionsvorteile ziehen zu können), während der schwächere Partner dazu neigte, die unterschiedlichen Sachgebiete auseinanderzuhalten, um seinerseits auf den Gebieten seiner besonderen Stärke im Sinne seiner Interessenlage Konzessionen einzuhandeln.

Bei einer zusammenfassenden Gegenüberstellung der politischen und ökonomischen Interdependenzen im deutsch-amerikanischen Verhältnis ist noch eine weitere, wesentliche Differenzierung vorzunehmen. Denn offensichtlich gelten für beide Interdependenzbereiche jeweils andere Entscheidungs- und Bezugssysteme. Während beispielsweise die Allianz- oder Verteidigungspolitik weitgehend Domäne zentralstaatlicher Zuständigkeiten ist (wenngleich natürlich auch hier nicht die Einflüsse und Einwirkungen privater Interessengruppen, insbesondere der Rüstungswirtschaft zu übersehen sind), ist der Bereich der Wirtschaft entsprechend den Grundregeln einer pluralistischen Gesellschaft sehr stark von partikularen Interessen der ,,privaten" Wirtschaft bestimmt, wobei die Staatsorgane trotz des zunehmenden Staatsinterventionismus mehr auf eine subsidiäre Rolle beschränkt sind. Zieht man insbesondere die sozioökonomischen Träger und Bezugsgruppen der Interdependenzrelationen in Betracht, so wird deutlich, daß im Falle der wirtschaftlichen Interdependenzen stärker gesellschaftliche Interessengruppen in Erscheinung treten. Wie Werner Link jüngst in einer größeren Untersuchung nachgewiesen hat, spielten Industrielle und Unternehmer sowie (in merklich geringerem Maße) auch Gewerkschaftler und deren transnationale Interessenkoalitionen in den deutsch-amerikanischen Nachkriegsbeziehungen eine sehr beachtliche Rolle.[147]

Gesellschaftliche Interessengruppen werden von den Interdependenzen in der Regel unterschiedlich betroffen. Zum Beispiel wird ein transatlantischer ,,Hähnchen-Krieg" nur den relativ kleinen Kreis der Geflügelproduzenten und allenfalls noch die Konsumenten einer bestimmten Fleischsorte tangieren. Dagegen können bei amerikanischen Importrestriktionen für Stahl und Automobile in den entsprechenden Branchen und Zulieferindustrien sogleich Tausende von Arbeitsplätzen gefährdet sein. Durch die unterschiedliche Betroffenheit der zum Teil mächtigen gesellschaftlichen Interessengruppen und im Hinblick auf die zahlreichen Aktivitäten nichtgouvernementaler Akteure (z. B. exportorientierte Industriezweige, kapitalexportierende, expandierende Unternehmen, Auslandshandelskammern, Banken, Arbeitnehmerorganisationen) können in den transnationalen Beziehungen weitere Differenz-Interdependenzen auftreten. Aber auch beim Vergleich zwischen den nichtstaatlichen und den regierungsoffiziellen Beziehungen gibt es zusätzliche Differenz-Interdependenzen. Letztere lassen sich beispielsweise daran aufzeigen, daß im Bereich der politischen Interdependenzen zwischenstaatliche Kooperationen angestrebt werden (etwa bei der Aufrechterhaltung eines Verteidigungsbündnisses gegen die Sowjetunion), wohingegen die wirtschaftlichen Interdependenzen auf der zwischengesellschaftlichen Ebene sehr stark durch das Prinzip der ökonomischen Konkurrenz beherrscht sein können (etwa bei der Erschließung der Märkte im Ostblock).[148]

Bei einer genauen Analyse der deutsch-amerikanischen Beziehungen seit dem Zweiten Weltkrieg sind also im Hinblick auf die Unterschiede beim Vergleich der politischen und ökonomischen Interdependenzen sowie bei der Berücksichtigung der unterschiedlichen sozialen Träger der Interdependenzen jeweils Differenz-Interdependenzen beziehungsweise DELTA-Interdependenzen zu erkennen. DELTA-Interdependenzen können als Strukturmerkmale des zwischenstaatlichen und zwischengesellschaftlichen Beziehungsgeflechts zwischen hochentwickelten Industriestaaten gelten. Sie deuten auf das Vorhandensein von Differenzen, Spannungen und Widersprüchen hin. Deshalb sind sie als Indikatoren für die Qualität und Stabilität eines Beziehungssystems anzusehen.

Die empirischen Untersuchungen in den vorausgegangenen Abschnitten dieser Abhandlung lassen indessen den Schluß zu, daß sich die das zwischenstaatliche und zwischengesellschaftliche Beziehungsnetz charakterisierenden DELTA-Interdependenzen im Falle der deutsch-amerikanischen Beziehungen bislang in Größenordnungen gehalten haben, die die Stabilität des bilateralen Interdependenzgefüges nicht gefährdeten. Die vorliegende Strukturanalyse der Dyade USA-BRD weist jedoch auf den großen Wandel hin, der seit dem Zweiten Weltkrieg im internationalen System, insbesondere in den Beziehungen zwischen den entwickelten westlichen Industriestaaten, eingetreten ist. War einst das Nachkriegssystem maßgeblich vom amerikanischen Konzept einer liberalen Weltwirtschaftsordnung und einem dazu als komplementär verstandenen militärischen Sicherheitssystem bestimmt, so wurde inzwischen die Tragfähigkeit der überlieferten Ordnungsschemata zunehmend in Frage gestellt. Die Regierung der USA mußte Ende der sechziger/ Anfang der siebziger Jahre dem Umstand Rechnung tragen, daß die

216

Nachkriegsordnung von ehedem im Umbruch begriffen ist und mithin die Zeiten einer unangefochtenen amerikanischen Vormachtstellung vorüber sind. Inzwischen ist aber auch die zum wichtigsten Bündnispartner Amerikas herangewachsene Bundesrepublik an wirtschaftliche und politische Wachstumsgrenzen gestoßen. Es scheint, daß sich der zugunsten der Bundesrepublik verlaufende Trend zum Abbau der Asymmetrien im bilateralen deutsch-amerikanischen Interdependenzgefüge einem Sättigungswert genähert hat. Andererseits haben die Potentialdifferenzen zwischen den Mitgliedsländern der Europäischen Gemeinschaft beachtlich zugenommen; nach Vollzug der geplanten zweiten Erweiterungsrunde (Beitritt Griechenlands, Spaniens und Portugals) wird sich das ohnehin schon bestehende Gefälle innerhalb der EG verstärken und damit die Chancen einer gemeinsamen Fortentwicklung der westeuropäischen Integration vermindern, so daß der relative Vorsprung der Bundesrepublik um so mehr Probleme aufwirft. Diese können nach aller Voraussicht nur mit Hilfe einer (faktisch schon bestehenden) festverankerten deutsch-amerikanischen Stabilisierungstraverse bewältigt werden.

So gesehen, sind die deutsch-amerikanischen Beziehungen in der Perspektive längerfristiger Entwicklungsprozesse zu begreifen: Unter den Bedingungen der zweiten industriellen und permanenten technologischen Revolution, im Zusammenhang einer neuen Entwicklungsphase des internationalen Industriekapitalismus, im Zeichen des Antagonismus mit konkurrierenden Wirtschafts- und Gesellschaftssystemen, unter der weltpolitischen Relevanz der Entwicklungsprobleme der Dritten Welt. Die deutsch-amerikanischen Beziehungen haben während des dreißigjährigen Untersuchungszeitraums ein neues Niveau erreicht und eine neue Qualität angenommen. Sie weisen Eigenschaften auf, die recht gut dem von Keohane/Nye konzeptualisierten neuen weltpolitischen Strukturmodell einer ,,komplexen Interdependenz" entsprechen:[149] Daß im deutsch-amerikanischen Verhältnis bei der Regelung der zwischenstaatlichen und zwischengesellschaftlichen Beziehungen die Anwendung militärischer Gewalt ausgeschlossen ist, wird man nur dann selbstverständlich finden, wenn man vergißt, daß in diesem

Jahrhundert die Vereinigten Staaten und Deutschland zweimal verheerende Kriege gegeneinander geführt haben. Auch das zweite Kriterium für die Anwendung des neuen Strukturmodells ist in hohem Maße erfüllt: Die beiden Industriestaaten und die sie tragenden Industriegesellschaften sind durch eine Vielzahl staatlicher und gesellschaftlicher Informationskanäle sowie durch weit verzweigte, voluminöse Transaktions- und Kommunikationsströme verbunden; der Hinweis auf die seit 1962 durchgeführten transatlantischen live-Fernsehübertragungen illustriert den Tatbestand, daß auch die während der letzten 25 Jahre entwickelten Kommunikationstechnologien neue, tiefgreifende Beziehungszusammenhänge geschaffen haben, die natürlich auf die Gestaltung der politischen und wirtschaftlichen Beziehungen nicht ohne Einfluß bleiben. Drittens schließlich erstrecken sich im deutsch-amerikanischen Verhältnis die zwischenstaatlichen und zwischengesellschaftlichen Verhandlungen und Geschäfte auf alle Sach- und Lebensbereiche, wobei seit den Tagen des Marshallplans und den Debatten über einen westdeutschen Verteidigungsbeitrag wirtschaftliche und sicherheitspolitische Probleme gleichermaßen eine hervorgehobene Rolle spielten. Ungeachtet aller weiterbestehenden (wenngleich gegenüber früher abgeschwächten) Besorgnisse über die Aufrechterhaltung der militärischen Sicherheit, sind in den letzten Jahren unter dem Eindruck der Energie- und Weltwirtschaftskrise die Wirtschaftsfragen an die vordersten Stellen der Tagesordnungen internationaler Konferenzen gerückt. Dabei ist die Bundesrepublik als wichtigster europäischer Partner der USA aufgetreten. In diesen Verhandlungen zeigte sich einmal mehr, wie bei den Versuchen zur Lösung der Probleme der Weltwirtschaft und der internationalen Währungspolitik zunehmend nationalstaatliche Grenzen in Frage zu stellen sind; tradierte Trennlinien zwischen innen- oder gesellschaftspolitischen Belangen und außen-(wirtschafts-)politischen Zielsetzungen können nicht aufrechterhalten werden. Dies hinderte jedoch gesellschaftliche Interessengruppen auf beiden Seiten des Atlantiks nicht daran, von ihren Regierungen nachhaltig die Regulierung der Kapital-, Geld-, Absatz- und neuerdings verstärkt vor allem der Arbeitsmärkte zu verlangen, nicht selten ohne dabei den komplizierten

binnengesellschaftlichen, internationalen und transnationalen Interdependenzen Rechnung zu tragen.

In Anbetracht der skizzierten grenzüberschreitenden Umstruk-
turierungsprozesse, angesichts der Herausforderungen soziali-
stisch-kommunistischer Gegenmodelle und im Hinblick auf die
unabweislichen Forderungen der Länder der armen Welt, werden
die USA und die Bundesrepublik als führende westliche Industriestaaten sowie die in ihnen oder zwischen ihnen agierenden gesellschaftlichen Verbände und Interessengruppen auf die Entwicklung
und Praktizierung neuer Kooperationsstrategien angewiesen sein.
Für die Bundesrepublik bedeutet dies die Notwendigkeit einer kritischen Neubesinnung auf ihre veränderte Rolle in der Weltpolitik.
Insbesondere ist die Frage zu beantworten, ob und wie sie ihr
gestiegenes politisches Eigengewicht und den damit verbundenen
Verantwortungszuwachs zur Herstellung positiver weltpolitischer
Interdependenzen einzusetzen gewillt ist. Nachdem in den letzten
Jahren viel von internationaler Interdependenz die Rede war, ist nun
eine Politik solidarischer Interdependenz notwendig. Sie ist eine
Voraussetzung für die Erhaltung des Friedens.

Anmerkungen

Zu Klaus Schwabe: Die USA, Deutschland und der Ausgang des Ersten Weltkrieges

[1] Der folgende Beitrag beruht auf der Untersuchung des Verfassers: „Deutsche Revolution und Wilson-Frieden. Die amerikanische und deutsche Friedensstrategie zwischen Ideologie und Machtpolitik 1918/19", Droste Verlag, Düsseldorf 1971, und seinen unter Anmerkung 2 und 13 aufgeführten Arbeiten, auf die für alle Einzelbelege verwiesen wird, die hier auf ein Minimum, an erster Stelle auf wörtliche Zitate, beschränkt werden. Für eine Auseinandersetzung mit neuer Literatur vgl. den Forschungsbericht des Verf.'s: Versailles – ein vergessener Frieden? in: Neue Politische Literatur, voraussichtl. Jg. 1978. Zum Problem von Wilsons „Verrat": Ernst Fraenkel, Das deutsche Wilsonbild, in: Jahrb. f. Amerikastudien Jg. 5 (1960), S. 82; zum Thema Zusammenspiel: Arno J. Mayer, Politics and Diplomacy of Peacemaking, London 1968.

[2] Siehe Klaus Schwabe, Die amerikanische und die deutsche Geheimdiplomatie und das Problem eines Verständigungsfriedens im Jahre 1918, in Vierteljahrshefte für Zeitgeschichte, Jg. 19 (1971), S. 18f.

[3] So der Titel der neuesten Monographie zu diesem Thema: Arthur Walworth, America's Moment: 1918. American Diplomacy at the End of World War I, New York 1977.

[4] Wilson an House, 28. X. 1918, zit. b. Ray S. Baker, Woodrow Wilson, Life and Letters, vol. 8, London 1939, S. 523, dazu siehe Schwabe, Deutsche Revolution, S. 184f.

[5] Lansing an Oederlin, 23. X. 1918, in: Foreign Relations of the United States (künftig zit. als FRUS), 1918, supplement I: The World War, vol. 1, Washington 1933, S. 381f.

[6] Lansing an Bliss, 4. XI. 1918, ebd., S. 459.

[7] Solf, Aufzeichnung v. 31. X. 1918, in: Amtliche Urkunden zur Vorgeschichte des Waffenstillstandes 1918, hrsg. v. Auswärtigen Amt, 4. Aufl., Berlin 1927, Nr. 96.

[8] Lansing an Stovall, Bliss u. Grant Smith, 8. XI. 1918 (Nat. Archives, Washington, dipl. records 840.48/1918a).

[9] Lansing an House, in: FRUS, Paris Peace Conference 1919, vol. 2 (1942), S. 102.

[10] Phillips an Herter, 23. XI. 1918 (Nat. Archives, Washington, dipl. records 862.00/3539).

[11] Erich Matthias u. Susanne Miller, Die Regierung der Volksbeauftragten, Düsseldorf 1969, S. 304.

[12] Solf an Lansing, 10. XI. 1918, in: FRUS, Lansing Papers, vol. 2 (1940), S. 173.

[13] Klaus Schwabe, Woodrow Wilson and Germany's Membership in the League of Nations, 1918–19, in: Central European History, vol. 8 (March 1975), S. 12.

[14] Philip M. Burnett, Reparation at the Paris Peace Conference, vol. 1, New York 1965 (reprint), S. 16–28 u. 66–70.

[15] Paul Mantoux, Les délibérations du Conseil des Quatre, Bd. 1, Paris 1955, S. 28, auch 36.

[16] Mantoux, Bd. 1, S. 205.

[17] Fritz T. Epstein, Zwischen Compiègne und Versailles, in: Vierteljahrshefte für Zeitgeschichte, Jg. 3 (1955), S. 412–445.

[18] Mitchell P. Briggs, George Herron and the European Settlement, Stanford 1932, S. 162.

[19] Zit. nach Schwabe, Revolution, S. 580.

[20] Dresel, Memorandum v. 23. 4. 1919, Nachl. R. S. Baker, Univ. Princeton, N. J.

[21] Graf Ulrich Brockdorff-Rantzau, Dokumente und Gedanken um Versailles, 3. Aufl. Berlin 1925, S. 119; Alma Luckau, The German Delegation at the Paris Peace Conference, New York 1941, S. 127f.

[22] Gerhard W. Rakenius, Wilhelm Groener als erster Generalquartiermeister. Die Politik der Obersten Heeresleitung 1918/19, Boppard 1977, S. 207–10, 214–217.

[23] Gordon N. Levin, Woodrow Wilson and World Politics, New York 1968, S. 152f.

Zu Werner Link: Die Beziehungen zwischen der Weimarer Republik und den USA

[1] Eine detaillierte Analyse der in diesem Beitrag behandelten Zusammenhänge ist in meinem Buch ,,Die amerikanische Stabilisierungspolitik in Deutschland 1921–32", Droste Verlag, Düsseldorf 1970, zu finden, aus dem einzelne Abschnitte gekürzt übernommen bzw. neu zusammengefaßt wur-

den. Um den Anmerkungsteil nicht aufzublähen, werden die Quellen- und Literaturangaben auf das Notwendigste beschränkt; ausführliche Belege sind in dem genannten Buch enthalten.

[2] In seiner Rede vom 29. 12. 1923 betonte auch Außenminister Hughes ausdrücklich, daß die Open Door Policy weltweit gelten sollte: "It voices, whenever and whereever there may be occasion, the American principle of fair treatment and freedom from unjust and injurious discrimination." Charles E. Hughes, The Pathway to Peace, New York 1925, S. 53.

[3] Siehe u. a. Memorandum des Office of the Economic Adviser, Department of State, 11. 3. 1924 (National Archives, Washington, 611.6231/194): "We have [...] advanced to a position of great power and influence among the nations. We have developed unquestionable political strength [...]. We have extended our sovereignty to overseas possessions. We have developed and are increasingly intent upon a great overseas commerce. We have taken part in the political councils of other continents. Our cooperation has been sought and has been given on the side of law and justice in the greatest conflict in which the nations of the earth have ever engaged. We have become a mighty world power [...]."

[4] Memorandum des „Vaters" der neuen amerikanischen Handelspolitik, W. S. Culbertson, für Außenminister Hughes vom 30. 1. 1923 (National Archives, Washington, 611.0031/181).

[5] Das Zitat stammt aus einem Brief des amerikanischen Botschafters in London, George Harvey, an Präsident Harding vom 3. 10. 1921; siehe Melvyn P. Leffler, Political Isolationism, Economic Expansion, or Diplomatic Realism: American Policy Toward Western Europe 1921–1933, in: Perspectives in American History, vol. 3 (1974), S. 413–461 (hier S. 441).

[6] Zur hier verwendeten Krisen- und Vermittlungstheorie siehe Oran R. Young, The Intermediaries, Third Parties in International Crises, Princeton 1967.

[7] Norman Davis an Außenminister Hughes, 12. 3. 1921 (Davis Papers, cont. 27, Library of Congress).

[8] James Logan (Unofficial Observer to the Repko) an Governor Strong (Federal Reserve Bank of New York), 17. 3. 1922 (Logan Papers, Hoover Institution Stanford, Cal.).

[9] Ausführung gegenüber dem britischen Botschafter in Washington am 23. 2. 1923 (Foreign Relations of the United States, 1923 II, S. 56).

[10] Vgl. Werner Link, Die Ruhrbesetzung und die wirtschaftlichen Interessen der USA, in: Vierteljahrshefte für Zeitgeschichte, 17 (1969), S. 372–382.

[11] Genauer dazu in meinem Aufsatz: „Der amerikanische Einfluß auf die

Weimarer Republik in der Dawesplanphase, Elemente eines ‚penetrierten Systems'", in: H. Mommsen, D. Petzina, B. Weisbrod (Hrsg.), Industrielles System und politische Entwicklung in der Weimarer Republik, Düsseldorf 1974, S. 485–498.

[12] Whaley-Eaton Pamphlet, 7. 5. 1926.

[13] Außenminister Stresemann an Botschafter v. Maltzan (Washington), 7. 4. 1925 (Stresemann Nachlaß, Politisches Archiv des AA, Bonn).

[14] Min. Dir. Köpke an Botschafter v. Maltzan, 2. 2. 1926; Denkschrift von Oberst v. Stülpnagel, 6. 3. 1926 (Akten zur deutschen Auswärtigen Politik 1918–1945, B, Bd. I, 1, S. 325 f. und S. 344 ff.).

[15] Ministerbesprechung am 27. 4. 1928 (Bundesarchiv Koblenz, RK RMin 2 b).

[16] Public Record Office, F. O. 371/12812.

[17] Gemeinsames Schreiben von Mortimer L. Schiff (Kuhn, Loeb & Co.), Thomas W. Lamont (Morgan & Co.) und Howard F. Beebe an Charles H. Sabin (Vorsitzender des Foreign Securities Committee of the Investment Bankers Association) vom 6. 6. 1924 (National Archives, Washington, 800.51/488).

[18] Aufzeichnung für Hoover vom 12. 3. 1925 (Hoover Presidential Library, West Branch, Iowa, Cont. 1–I/380).

[19] Dieses Begriffspaar ist bezüglich des zwischenstaatlichen Verhaltens von Stanley H. Hoffmann (The State of War, New York [3]1966, S. 157) entwickelt worden.

[20] Nachlaß Haller, Siemens-Archiv München.

[21] Reichswirtschaftsministerium an das Auswärtige Amt, 21. 2. 1931 (Deutsches Zentralarchiv Potsdam, AA Nr. 43815).

[22] Strong Papers (Federal Reserve Bank of New York).

[23] Reichsbankpräsident Schacht hatte die koloniale Frage bereits im Herbst 1924 mit Owen D. Young besprochen. Im Oktober 1925 führte er die Diskussion in den USA fort und überreichte ein Memorandum, das die gemeinsame deutsch-amerikanische Ausbeutung der Rohstoffgebiete in Angola vorsah (Owen D. Young Papers). Auf der Pariser Sachverständigenkonferenz brachte er Anfang 1929 diese Vorschläge ein, stieß jedoch auf generelle Ablehnung.

[24] Aus Raumgründen kann dieser wichtige Wirkungszusammenhang der deutsch-amerikanischen Verbindungsgruppen (linkage groups) hier nicht erörtert werden; siehe dazu Kap. 2 im Schlußteil meines obengenannten Buches (Anm. 1).

[25] Zur Begriffsbildung siehe Inis L. Claude, Jr., Swords into Plowshares, New York [3]1964.

[26] Siehe Peter Krüger, Friedenssicherung und deutsche Revisionspolitik, Die deutsche Außenpolitik und die Verhandlungen über den Kellogg-Pakt, in: Vierteljahrshefte für Zeitgeschichte, 22 (1974), S. 227–257.

[27] Aufzeichnung von Außenminister Stimson vom 24. 10. 1931 (Stimson Diary).

[28] Aus Anlaß des japanischen Angriffs auf die Mandschurei im September 1931 wurde mit der Stimson-Doktrin die Nichtanerkennung gewaltsam (völkerrechtswidrig) erworbener Besitzstände proklamiert; vgl. dazu Knud Krakau, Missionsbewußtsein und Völkerrechtsdoktrin in den Vereinigten Staaten von Amerika, Frankfurt/Berlin 1967, S. 281 ff.

Zu Hans-Jürgen Schröder: Das Dritte Reich und die USA

[1] Die folgende Darstellung stützt sich in erster Linie auf meine Untersuchung ,,Deutschland und die Vereinigten Staaten 1933–1939. Wirtschaft und Politik in der Entwicklung des deutsch-amerikanischen Gegensatzes", Steiner Verlag, Wiesbaden 1970. Auf ausführliche Belege muß hier leider verzichtet werden.

[2] Vgl. hierzu den Beitrag von Werner Link.

[3] Vgl. Deutsche Botschaft (künftig DB) Washington (Prittwitz) an AA, 10. November 1932, in: Politisches Archiv des Auswärtigen Amtes in Bonn (künftig AA), Pol. Abt. III, Politische Beziehungen der Vereinigten Staaten von Amerika zu Deutschland, Bd. 19.

[4] Aufzeichnung Fuehr, 30. Mai 1933, ebenda, Bd. 22.

[5] Aktenvermerk Ritter, 22. März 1933, in: AA, Sonderreferat Wirtschaft (künftig SW) Internationale Weltwirtschaftskonferenz in London 1933, Bd. 5.

[6] Max Domarus (Hrsg.), Hitler, Reden und Proklamationen 1932–1945, München 1965, Bd. I, S. 236.

[7] Memo Hull, 15. April 1933, in: National Archives, Washington DC, Record Group 59 (künftig NA, RG 59), 550 S. 1 Washington/95.

[8] Hitler auf der Sitzung des Wirtschaftspolitischen Ausschusses der Reichsregierung vom 24. April 1933, Niederschrift in: Akten zur deutschen auswärtigen Politik, Serie C, Bd. I, Göttingen 1971 (künftig ADAP/C I), S. 334 f.

[9] Aufzeichnung für Außenminister, 21. April 1933, in: AA Handakten Wiehl, Weltwirtschaftskonferenz, Bd. 1.

[10] Neurath an Reichskanzlei, 4. Mai 1933, in: Bundesarchiv Koblenz

(künftig BA), R 43 II, 365; Niederschrift über die Sitzung des Reichsministeriums am 12. Mai 1933, in: ADAP/C I, S. 402 ff.; AA an DB Washington, 12. Mai 1933, in: AA, SW, Internationale Weltwirtschaftskonferenz in London 1933, Bd. 7; Bericht des Reichsbankpräsidenten über seine Amerikareise, Auszug aus der Niederschrift der Ministerbesprechung vom 26. Mai 1933, in: ADAP/C I, S. 481 ff.

[11] So Gerhard L. Weinberg, Schachts Besuch in den USA im Jahre 1933, in: Vierteljahrshefte für Zeitgeschichte 11 (1963), S. 170.

[12] Schacht an AA, 6. Mai 1933, in: ADAP/C I, S. 390.

[13] Memo Hull, 9. Mai 1933, und vom Präsidenten abgezeichneter Entwurf, in: NA, RG 59, 862.51/3988 1/2; Schacht an AA, 9. Mai 1933, in: ADAP/C I, S. 392.

[14] Domarus, Hitler (Anm. 6) I, S. 277.

[15] Völkischer Beobachter, 14. Juni 1933.

[16] Rundfunkansprache Neuraths an Amerika, zitiert nach Völkischer Beobachter, 22. Juni 1933.

[17] Vermerk Reichskanzlei, 1. Juni 1933, in: BA, R 43/II 365.

[18] Schacht an AA (für Reichsbank), 6. Juli 1933, in: AA, SW, Internationale Weltwirtschaftskonferenz in London 1933, Bd. 13.

[19] Völkischer Beobachter, 14. Juli 1933.

[20] Presseanweisungen v. 5. und 6. Juli 1933, in: BA, Sammlung Brammer, Bd. 1.

[21] Dies besonders im Gegensatz zu Joachim Remak, Germany and the United States, 1933–1939, Ph. D. Diss., Stanford University, Stanford/California 1954 (MS), S. 76 ff.; ders., Hitlers Amerikapolitik, in: Außenpolitik 6 (1955), S. 707; James V. Compton, The Swastika and the Eagle. Hitler, the United States, and the Origins of World War II, Boston 1967, S. 36 ff. (deutsch unter dem Titel: Hitler und die USA. Die Amerikapolitik des Dritten Reiches und die Ursprünge des Zweiten Weltkrieges, Oldenburg 1968).

[22] Adolf Morsbach, Die kulturellen Beziehungen zwischen den Vereinigten Staaten und Deutschland, in: Nationalsozialistische Monatshefte 4 (1933), S. 512.

[23] Völkischer Beobachter, 11. Mai 1933.

[24] Völkischer Beobachter, 11. Mai und 7. Juni 1933.

[25] Völkischer Beobachter, 23. März und 7. Juli 1934; Tassilo Tröscher, Roosevelt und die Farmer, in: Die Tat 25 (1933/34), S. 703; Völkischer Beobachter, 11. Mai 1933.

[26] Geheimerlaß Hitlers vom 22. März 1935, in: Staatliches Archivlager Göttingen, Nürnberger Dokument NI-550; Runderlaß AA, 19. Dezember

1937, in: AA, Handakten Wiehl, Vierjahresplan, Bd. 1; Domarus, Hitler (Anm. 6) II, S. 1053.

[27] DB Washington (Leitner) an AA, 7. August 1933, in: AA, SW, Internationale Weltwirtschaftskonferenz in London 1933, Bd. 13.

[28] Schacht an White, 23. Mai 1934, in: Deutsches Zentralarchiv Potsdam (künftig DZA), Bestand AA, 44429.

[29] AA an DB Washington, 6. Oktober 1934, ebenda, 44431.

[30] DB Washington (Luther) an AA, 18. Oktober 1934, ebenda 44430.

[31] Ritter an AA, 8. Oktober 1935, in: AA, Handakten Clodius, Vereinigte Staaten von Nordamerika, Bd. 5; Reichsgruppe Industrie an AA, 13. Dezember 1935, in: DZA 47178/5.

[32] Aufzeichnung AA ohne Unterschrift, 11. März 1938, in: AA, Handakten Wiehl, Amerika, Bd. 12.

[33] Ebenda.

[34] Raymond Leslie Buell, The Hull Trade Program and the American System, New York 1938, S. 40.

[35] George S. Messersmith, Some Aspects of the Functions and Organization of the Department of State, in: U. S. Department of State Press Releases 18 (1938), S. 187.

[36] Cordell Hull, Foreign Trade, Farm Prosperity and Peace, Washington 1938, S. 16.

[37] The Public Papers and Addresses of Franklin D. Roosevelt, vol. 1938, New York 1941, S. 248.

[38] DB Washington (Thomsen) an AA, 12. September 1938, in: ADAP/D I, S. 594f.

[39] Vgl. hierzu im einzelnen Bernd Jürgen Wendt, Economic Appeasement. Handel und Finanz in der britischen Deutschlandpolitik 1933–1939, Düsseldorf 1971.

[40] Vgl. Memo Darlington, 31. Dezember 1937, in: NA, RG 59, 611.6231/999 1/2.

[41] Memo Moffat, 31. Januar 1938, in: NA, RG 59, 611.6231/1002 1/2.

[42] Vgl. in diesem Zusammenhang etwa seine Aufzeichnungen vom 22. Januar 1938 und 29. September 1938, in: Messersmith Papers, Newark/Delaware.

[43] Vgl. Memo Messersmith, 31. Januar 1938, ebenda; außerdem Heinrich Brüning, Briefe und Gespräche 1934–1945, herausgegeben von Claire Nix unter Mitarbeit von Reginald Phelps und George Pettee, Stuttgart 1974, S. 170f.

[44] Aufzeichnung AA ohne Unterschrift, 11. März 1938, in: AA, Handakten Wiehl, Amerika, Bd. 12.

[45] Memo Hull, 3. September 1938, in: NA, RG 59, 760F.62/1037.

[46] Public Record Office, London CAB 23/94, Cabinet 36 (38).

[47] DB Washington (Thomsen) an AA, 12. September 1938, in: ADAP/D I, S. 594; Giselher Wirsing, Roosevelt als Nachahmer Wilsons, in: Die Tat 30 (1938/39), S. 362f.; Fritz Hirschel, Der englisch-amerikanische Handelsvertrag und seine weltwirtschaftlichen Auswirkungen, Staats- und Wirtschaftswiss. Diss., Heidelberg 1940 (abgeschlossen Juni 1939), S. 91; Otmar Emminger, Der britisch-amerikanische Handelsvertrag, in: Vierteljahrshefte zur Wirtschaftsforschung 13 (1938/39), S. 65.

[48] Presseanweisungen vom 19. November 1937, 18. November und 21. Juni 1938, in: BA, Sammlung Brammer, Bd. 10; Sammlung Traub, Bd. 10; Sammlung Brammer, Bd. 32.

[49] Vgl. hierzu vor allem die parallel entstandenen und sich ergänzenden Studien von Sander A. Diamond, The Nazi Movement in the United States 1924–1941, Ithaca/New York-London 1974, und Gernot Heinrich Willy Graessner, Deutschland und die Nationalsozialisten in den Vereinigten Staaten von Amerika 1933–1939, Phil. Diss., Bonn 1973 (MS); außerdem Hans-Adolf Jacobsen, Nationalsozialistische Außenpolitik 1933–1938, Frankfurt/Main 1968, bes. S. 528ff.; Klaus Kipphan, Deutsche Propaganda in den Vereinigten Staaten 1933–1941, Heidelberg 1971; Arthur L. Smith, The Deutschtum of Nazi Germany and the United States, The Hague 1965, mit jeweils weiteren Literaturangaben.

[50] Aufzeichnung Weizsäcker, 2. Oktober 1937, in: ADAP/D I, S. 517; Aufzeichnung Freytag, 24. Februar 1938, ebenda, S. 564.

[51] Statement by President Roosevelt, 15. November 1938, in: Peace and War. United States Foreign Policy 1931–1941, Washington 1943, S. 439.

[52] Josef Goebbels, Was will eigentlich Amerika? in: Völkischer Beobachter, 21. Januar 1939.

[53] Zitiert nach Saul Friedländer, Auftakt zum Untergang, Hitler und die Vereinigten Staaten von Amerika 1939–1941, Stuttgart 1965, S. 16.

[54] Domarus, Hitler (Anm. 6) II, S. 1173.

[55] Friedländer, Auftakt (Anm. 53), S. 18.

[56] Andreas Hillgruber, Der Faktor Amerika in Hitlers Strategie 1938–1941, in: Aus Politik und Zeitgeschichte. Beilage zur Wochenzeitung Das Parlament v. 11. Mai 1966, S. 8f.

[57] Ebenda, S. 7.

[58] Zitiert ebenda, S. 9 und 15.

[59] Vgl. hierzu Friedländer, Auftakt (Anm. 53), S. 60ff., 99ff.; Alton Frye, Nazi Germany and the American Hemisphere 1933–1941, New Ha-

ven-London 1967, S. 131 ff., 153 ff.; Kipphan, Propaganda (Anm. 49), S. 134 ff.

[60] Hillgruber, Amerika (Anm. 56), S. 5.

[61] Vgl. hierzu im einzelnen Hans-Jürgen Schröder, Die ,,neue deutsche Südamerikapolitik". Dokumente zur nationalsozialistischen Wirtschaftspolitik in Lateinamerika von 1934 bis 1936, in: Jahrbuch für Geschichte von Staat, Wirtschaft und Gesellschaft Lateinamerikas 6 (1969), S. 337–450; die folgenden Zahlenangaben und Zitate stammen aus den dort abgedruckten Dokumenten.

[62] F. B. Sayre, Our Problem of Foreign Trade, Washington 1936, S. 2.

[63] Deutsche Gesandtschaft (künftig DG) Montevideo an AA, 7. Dezember 1938, in: AA, Handakten Wiehl, Uruguay, Bd. 1; DG Mexiko an AA, 8. April 1938, in: ADAP/D V, S. 697; DG Montevideo an AA, 21. April 1938, ebenda, S. 699; DG Mexiko an AA, 8. April 1938, ebenda, S. 697 f.; DB Washington an AA, 10. März 1939, in: AA, Büro des Staatssekretärs, Brasilien, Bd. 1; Runderlaß AA, 17. Juli 1937, in: AA, Handakten Wiehl, Südamerika, Bd. 1.

[64] Domarus, Hitler (Anm. 6) II, S. 1066.

[65] Vgl. hierzu die neue Untersuchung von Reiner Pommerin, Das Dritte Reich und Lateinamerika. Die deutsche Politik gegenüber Süd- und Mittelamerika 1939–1942, Düsseldorf 1977.

[66] Erlaß des Reichswirtschaftsministers, 30. September 1939, in: AA, Ha Pol IXb, Handel 11/Südamerika, Bd. 1.

[67] Runderlaß des Reichsaußenministers, 2. Juli 1940, in: ADAP/D X, S. 85; Aufzeichnung Pamperrien, ebenda, S. 189; Friedländer, Auftakt (Anm. 53), S. 70.

[68] DB Rio de Janeiro an AA, 10. September 1940, in: AA, Handakten Clodius, Brasilien, Bd. 4.

[69] Niederschrift über die Ministerbesprechung vom 7. April 1933, in: ADAP/C I, S. 258.

[70] DB Washington (Luther) an AA, 6. Mai 1934, in: DZA 44429.

[71] Aufzeichnung Rüter, 20. Juni 1936, in: AA, Handakten Clodius, Vereinigte Staaten von Nordamerika, Bd. 6.

[72] Memo Messersmith, 18. Februar 1938, in: Foreign Relations of the United States, 1938, Vol. I, Washington 1955, S. 21 f.

[73] Wohlthat an Göring, 27. Februar 1939, in: ADAP/D V, S. 338; Aufzeichnung Freytag, 25. März 1939, in: AA, Pol. Abt. IX, Politische Beziehungen der Vereinigten Staaten von Amerika zu Deutschland, Bd. 11; Vermerk Davidsen, 27. März 1939, ebenda; Aufzeichnung Sallet, 31. März 1939, ebenda.

[74] Georg von Schnitzler, Germany and World Trade after the War, in: Atlantic Monthly 165 (1940), S. 817–821, die folgenden Zitate sind dem deutschen Manuskript entnommen.

[75] Arnold A. Offner, American Appeasement. United States Foreign Policy and Germany, 1933–1938, Cambridge/Mass. 1969, bes. S. 280; ders., The Origins of the Second World War. American Foreign Policy and World Politics, 1917–1941, New York 1975, bes. S. 104 ff.

Zu Manfred Knapp: Politische und wirtschaftliche Interdependenzen im Verhältnis USA – (Bundesrepublik) Deutschland 1945–1975

[1] Siehe dazu: Roger Morgan, The United States and West Germany 1945–1973. A Study in Alliance Politics, (Oxford University Press) London 1974 (dt.: Washington und Bonn. Deutsch-amerikanische Beziehungen seit dem Zweiten Weltkrieg, München 1975).

[2] Zum Stand der Forschung siehe: Manfred Knapp (Hrsg.), Die deutsch-amerikanischen Beziehungen nach 1945, Frankfurt-New York 1975, bes. meinen Einleitungsbeitrag, S. 7–85 sowie die Beiträge von Ernst-Otto Czempiel, Die Bundesrepublik und Amerika: Von der Okkupation zur Kooperation, ebenda, S. 132–169 und von Werner Link, Zum Problem der Kontinuität der amerikanischen Deutschlandpolitik im zwanzigsten Jahrhundert, ebenda, S. 86–131.

[3] Walther Leisler Kiep, Good-bye Amerika – was dann? Der deutsche Standpunkt im Wandel der Weltpolitik, Stuttgart 1972, S. 106.

[4] C. Fred Bergsten, The United States and Germany: The Imperative of Economic Bigemony, in: ders., Toward a New International Economic Order: Selected Papers of C. Fred Bergsten, 1972–1974, (D. C. Heath and Co.) Lexington, Mass., 1975, S. 333–344; ders., Die amerikanische Europa-Politik angesichts der Stagnation des Gemeinsamen Marktes. Ein Plädoyer für Konzentration auf die Bundesrepublik, in: Europa-Archiv, 29 (4/1974), S. 115–122.

[5] Waldemar Besson, Die Außenpolitik der Bundesrepublik. Erfahrungen und Maßstäbe, München 1970, S. 24, 30.

[6] Diesen Begriff in diesem Zusammenhang verwendet Hans-Peter Schwarz, Die Rollen der Bundesrepublik in der Staatengesellschaft, in: Karl Kaiser/Roger Morgan (Hrsg.), Strukturwandlungen der Außenpolitik in Großbritannien und der Bundesrepublik, München-Wien 1970, S. 225–256, hier S. 238–248.

[7] Dazu u. a.: Karl Kaiser, Die Auswirkungen der Energiekrise auf die westliche Allianz, in: Europa-Archiv, 29 (24/1974), S. 813–824; siehe dazu auch die vorzüglichen Beiträge in der Zeitschrift International Organization, 29, No. 1, 2 (1975), im letzteren Heft bes. den Einleitungsbeitrag des neuen Herausgebers von I. O., Robert O. Keohane, International Organization and the crisis of interdependence, ebenda, S. 357–365.

[8] Zu einer allgemeinen Typologie von Interdependenzbeziehungen siehe: Gerhard Mally, Interdependence. The European-American Connection in the Global Context, (Lexington Books, D. C. Heath and Comp.) Lexington, Mass., 1976, S. 9f.

[9] Trendanalysen liefern u. a.: Kenneth N. Waltz, The Myth of National Interdependence, in: Charles P. Kindleberger (Ed.), The International Corporation. A Symposium, (The M. I. T. Press) Cambridge, Mass., – London [2]1971, S. 205–223; Richard Rosecrance/Arthur Stein, Interdependence: Myth or Reality?, in: World Politics, 26, No. 1 (1973), S. 1–27; Peter J. Katzenstein, International interdependence: Some long-term trends and recent changes, in: International Organization, 29, No. 4 (1975), S. 1021–1034; Gregory Schmid, Interdependence has its Limits, in: Foreign Policy, No. 21 (Winter 1975/76), S. 188–197; R. Rosecrance/A. Alexandroff/W. Koehler/J. Kroll/S. Laqueur, and J. Stocker, Whither Interdependence?, in: International Organization, 31, No. 3 (1977), S. 425–471.

[10] Frieder Schlupp/Salua Nour/Gerd Junne, Zur Theorie und Ideologie internationaler Interdependenz, in: Klaus Jürgen Gantzel (Hrsg.), Internationale Beziehungen als System, Opladen 1973, S. 245–307, bes. S. 246–253 (= Sonderheft 5 der Politischen Vierteljahresschrift); auch Waltz (Anm. 9).

[11] Zu erwähnen sind, stellvertretend auch für einige andere, Ernest Mandel, Die EWG und die Konkurrenz Europa-Amerika, Frankfurt/M. ([1]1968) [7]1973 und Nicos Poulantzas, Die Internationalisierung der kapitalistischen Produktionsverhältnisse und der Nationalstaat, in: Otto Kreye (Hrsg.), Multinationale Konzerne. Entwicklungstendenzen im kapitalistischen System, München 1974, S. 81–129; ferner: Klaus Busch, Die Internationalisierung der kapitalistischen Produktionsverhältnisse – Ein Beitrag zur Debatte über die Widersprüche des Imperialismus, in: Leviathan, 2 (3/1974), S. 383–408 mit weiterführenden Literaturangaben.

[12] Karl W. Deutsch, Macht und Kommunikation in der internationalen Gesellschaft, in: Wolfgang Zapf (Hrsg.), Theorien des sozialen Wandels, Köln-Berlin [2]1970, S. 471–483, hier S. 471–474; Richard N. Cooper, The Economics of Interdependence. Economic Policy in the Atlantic Community, (McGraw-Hill) New York 1968; ders., Economic Interdependence and Foreign Policy in the Seventies, in: World Politics, 24, No. 2 (1972),

S. 159–181; Edward L. Morse, The Politics of Interdependence, in: International Organization, 23, No. 2 (1969), S. 311–326; ders., Transnational Economic Processes, in: Robert O. Keohane/Joseph S. Nye, Jr. (Eds.), Transnational Relations and World Politics, (Harvard University Press) Cambridge, Mass., 1972, S. 23–47; ders., Foreign Policy and Interdependence in Gaullist France, (Princeton University Press) Princeton, New Jersey, 1973, darin Teil I, S. 3–102; Oran R. Young, Interdependencies in World Politics, in: International Journal, 24 (Autumn 1969), S. 726–750; Rosecrance/Stein (Anm. 9); Waltz (Anm. 9); Robert O. Keohane/Joseph S. Nye, Power and Interdependence. World Politics in Transition, (Little, Brown and Comp.) Boston-Toronto 1977, bes. S. 8–19.

[13] Waltz (Anm. 9), S. 206f., 210.

[14] Eberhard Schmidt, Die verhinderte Neuordnung 1945–1952, Frankfurt/M. [2]1971; John Gimbel, Amerikanische Besatzungspolitik in Deutschland 1945–1949, (Aus dem Amerik.) Frankfurt/M. 1971, bes. S. 159–163, 207–210, 225f., 296f.; Ute Schmidt/Tilman Fichter, Der erzwungene Kapitalismus. Klassenkämpfe in den Westzonen 1945–48, Berlin (West) 1971; Hans-Hermann Hartwich, Sozialstaatspostulat und gesellschaftlicher status quo, Köln-Opladen 1970, bes. S. 64–95, 101–109; Horst Lademacher, Aufbruch oder Restauration – Einige Bemerkungen zur Interdependenz von Innen- und Außenpolitik in der Gründungsphase der Bundesrepublik Deutschland, in: Imanuel Geiss/Bernd Jürgen Wendt (Hrsg.), Deutschland in der Weltpolitik des 19. und 20. Jahrhunderts. Fritz Fischer zum 65. Geburtstag, Düsseldorf [2]1974, S. 563–584.

[15] Hans-Peter Schwarz, Vom Reich zur Bundesrepublik. Deutschland im Widerstreit der außenpolitischen Konzeptionen in den Jahren der Besatzungsherrschaft 1945–1949, Neuwied-Berlin 1966, bes. S. 63–72, 87, 97–104.

[16] Lademacher (Anm. 14), S. 566, 577, 584; vgl. auch Hartwich (Anm. 14), S. 101f., 112.

[17] So auch Werner Sörgel, Konsensus und Interessen. Eine Studie zur Entstehung des Grundgesetzes für die Bundesrepublik Deutschland, Stuttgart 1969, S. 215. Die wichtigsten Präjudizien vor Zusammentritt des Parlamentarischen Rats bzw. außerhalb der westdeutschen verfassunggebenden Versammlung werden analysiert von Hartwich (Anm. 14), S. 61–114.

[18] Schwarz, Vom Reich zur Bundesrepublik (Anm. 15), S. 81, 97f., 102, 104, 135–139. Es ist mit Schwarz darauf hinzuweisen, daß sich die West-Staat-Lösung gut in die von den USA seit 1947 propagierte Containment-Politik (Truman-Doktrin) einfügte (ebenda, S. 138). Siehe auch: Der Parlamentarische Rat 1948–1949. Akten und Protokolle. Bd. 1 Vorgeschichte,

bearbeitet von Johannes Volker Wagner, Boppard 1975, Einleitung, S. XVI, XLIIf., siehe auch Fußnote 9 zu Dokument Nr. 8, ebenda, S. 153.

[19] Die elf Ministerpräsidenten der westzonalen Länder waren offenbar bei ihren Beratungen der Frankfurter Dokumente während der Konferenz in Koblenz zunächst noch nicht bereit, diese Konsequenzen zu verantworten. Siehe Aufzeichnung (Kaisens) von einer Besprechung der Ministerpräsidenten der amerik. Besatzungszone mit Gen. Clay, 14. Juli 1948, in: Der Parlamentarische Rat 1948–1949. Akten und Protokolle. Bd. 1 (Anm. 18), S. 151–156, Zitat S. 155.

[20] Gordon A. Craig, Germany and NATO: The Rearmament Debate 1950–1958, in: Klaus Knorr (Ed.), NATO and American Security, (Princeton University Press) Princeton, N. J., 1959, S. 236–259; Laurence W. Martin, The American Decision to Rearm Germany, in: Harold Stein (Ed.), American Civil-Military Decisions. A Book of Case Studies, (University of Alabama Press) Birmingham, Alabama, 1963, S. 643–663; Gerhard Wettig, Entmilitarisierung und Wiederbewaffnung in Deutschland 1943–1955. Internationale Auseinandersetzungen um die Rolle der Deutschen in Europa, München 1967; Robert McGeehan, The German Rearmament Question. American Diplomacy and European Defense after World War II, (University of Illinois Press) Urbana 1971; Hans-Jürgen Rautenberg/Norbert Wiggershaus, Die ,,Himmeroder Denkschrift‟ vom Oktober 1950. Politische und militärische Überlegungen für einen Beitrag der Bundesrepublik Deutschland zur westeuropäischen Verteidigung, Karlsruhe 1977.

[21] Rosecrance/Stein (Anm. 9), S. 3.

[22] Hierzu insbesondere die Studie von Morgan (Anm. 1); ferner: Manfred Knapp, Zum Stand der Forschung über die deutsch-amerikanischen Nachkriegsbeziehungen, in: Knapp (Hrsg.), Die deutsch-amerikanischen Beziehungen nach 1945 (Anm. 2), S. 43–49; längere Zeitabschnitte der deutsch-amerikanischen Bündnisbeziehungen stellen dar: Bruno Bandulet, Adenauer zwischen West und Ost. Alternativen der deutschen Außenpolitik, München 1970; Besson (Anm. 5); Hans-Gert Pöttering, Adenauers Sicherheitspolitik 1955–1963. Ein Beitrag zum deutsch-amerikanischen Verhältnis, Düsseldorf 1975.

[23] Richard Löwenthal, Vom kalten Krieg zur Ostpolitik, in: Richard Löwenthal/Hans-Peter Schwarz (Hrsg.), Die zweite Republik. 25 Jahre Bundesrepublik Deutschland – eine Bilanz, Stuttgart 1974, S. 604–699, bes. S. 627, speziell zur Berlin-Krise, ebenda, S. 645–665. Ferner zur Berlin-Krise: Walther Stützle, Kennedy und Adenauer in der Berlin-Krise 1961–1962, Bonn-Bad Godesberg 1973; Manfred Knapp, Ein ,,Berliner‟ namens

John F. Kennedy. Zur Deutschland- und Europa-Politik der Kennedy-Administration, in: Frankfurter Hefte, 29 (Mai 1974), S. 326–336.

[24] Manfred Knapp, Zusammenhänge zwischen der Ostpolitik der BRD und den deutsch-amerikanischen Beziehungen, in: Egbert Jahn/Volker Rittberger (Hrsg.), Die Ostpolitik der Bundesrepublik. Triebkräfte, Widerstände, Konsequenzen, Opladen 1974, S. 157–179; Peter Christian Ludz, Deutschlands doppelte Zukunft, München ²1974, S. 15–53; Kenneth A. Myers, Ostpolitik and American Security Interests in Europe, Washington, D. C., 1972.

[25] Vgl. dazu Bundesminister der Verteidigung (Hrsg.), Weißbuch 1975/1976. Zur Sicherheit der Bundesrepublik Deutschland und zur Entwicklung der Bundeswehr, Bonn 1976, S. 6, 48–50, 56.

[26] Im Jahre 1975 leistete die Bundesrepublik nach den USA in absoluten Beiträgen und gemessen pro Kopf der Bevölkerung den größten Beitrag im Atlantischen Bündnis. (Ebenda, S. 211 f.).

[27] In Ansehung dieser Tatsache wurde eine Art „Arbeitsteilung" zwischen den USA und der BRD vorgeschlagen, wobei Bonn zur Stabilisierung des nichtkommunistischen Europa eine besondere Rolle übernehmen sollte. Siehe Robert Gerald Livingston, Germany steps up, in: Foreign Policy, No. 22 (Spring 1976), S. 114–128, 177–179; siehe dazu die Kommentare von Richard Löwenthal und Walther Leisler Kiep, ebenda, S. 180–182; ähnlich Peter J. Katzenstein, Die Stellung der Bundesrepublik Deutschland in der amerikanischen Außenpolitik. Drehscheibe, Anker oder Makler?, in: Europa-Archiv, 31 (11/1976), S. 347–356.

[28] Aufschlußreiche Hinweise auf den engen Zusammenhang zwischen der amerikanischen Deutschland- und Europapolitik in Verbindung mit dem European Recovery Program enthält ein internes zusammenfassendes Orientierungspapier des US-Außenministeriums vom 26. Aug. 1948, abgedr. in: Department of State (Ed.), Foreign Relations of the United States 1948, Vol. II, Germany and Austria, Washington 1973, S. 1297–1319, bes. S. 1297 f., 1308–1312, 1317–1319 (künftige Zitierweise dieser Dokumentenserie: FRUS). Ferner: Manfred Knapp, Deutschland und der Marshallplan: Zum Verhältnis zwischen politischer und ökonomischer Stabilisierung in der amerikanischen Deutschlandpolitik nach 1945, in: Claus Scharf/Hans-Jürgen Schröder (Hrsg.), Politische und ökonomische Stabilisierung Westdeutschlands 1945–1949. Fünf Beiträge zur Deutschlandpolitik der westlichen Alliierten, Wiesbaden 1977, S. 19–43 (Veröffentlichungen des Instituts für Europäische Geschichte Mainz, Abteilung Universalgeschichte, herausgegeb. v. Karl Otmar Freiherr von Aretin, Beiheft 4).

[29] Schwarz, Vom Reich zur Bundesrepublik (Anm. 15), S. 423–466;

ders., Das außenpolitische Konzept Konrad Adenauers, in: Klaus Gotto u. a., Konrad Adenauer. Seine Deutschland- und Außenpolitik 1945–1963. Mit einem Vorwort von Hans Maier, München 1975, S. 97–155, bes. S. 146–152 (ursprünglich publiziert in den „Adenauer Studien" I, 1971, hrsg. v. Rudolf Morsey und Konrad Repgen); Arnulf Baring, Außenpolitik in Adenauers Kanzlerdemokratie. Westdeutsche Innenpolitik im Zeichen der Europäischen Verteidigungsgemeinschaft, München (dtv-Ausgabe) 1971, Bd. 1, S. 108–117, Bd. 2, S. 273–281 und passim; Werner Weidenfeld, Konrad Adenauer und Europa. Die geistigen Grundlagen der westeuropäischen Integrationspolitik des ersten Bonner Bundeskanzlers, Bonn 1976. – Natürlich ist hier auch auf die zahlreichen einschlägigen Passagen in Adenauers vierbändigem Erinnerungswerk zu verweisen.

[30] Siehe dazu die Rede des damaligen US-Außenministers Marshall vom 5. Juni 1947 an der Harvard-Universität, mit der er amerikanische Hilfsleistungen für Europa in Aussicht gestellt hatte, in: Europa-Archiv, 2 (August 1947), S. 821. Siehe ferner die Kongreßbotschaft Präsident Trumans zum ERP vom 19. Dez. 1947, in: Europa-Archiv, 3 (April 1948), S. 1266–1272. Allgemein dazu: Werner Link, Die Rolle der USA im westeuropäischen Integrationsprozeß, in: Aus Politik und Zeitgeschichte, Beilage zur Wochenzeitung „Das Parlament", 1. April 1972, S. 3–13; Ernst H. van der Beugel, From Marshall Aid to Atlantic Partnership. European Integration as a Concern of American Foreign Policy. With a Foreword by Henry A. Kissinger, Amsterdam-London-New York 1966.

[31] Curt Gasteyger (Hrsg.), Einigung und Spaltung Europas 1942–1965, Frankfurt/M. 1966; Walter Lipgens, Europa-Föderationspläne der Widerstandsbewegungen 1940–1945, München 1968; ders., Die Anfänge der europäischen Einigungspolitik 1945–1950. Erster Teil: 1945–1947. Mit zwei Beiträgen v. Wilfried Loth, Stuttgart 1977.

[32] Dies war, trotz seiner großen Besorgnisse um den Zusammenhalt der westlichen Staaten in einem antisowjetischen Bündnis, auch die Hoffnung Adenauers. Dazu: Schwarz, Das außenpolitische Konzept Konrad Adenauers (Anm. 29), S. 110, 147.

[33] Henry A. Kissinger, The Troubled Partnership. A Re-appraisal of the Atlantic Alliance, (Doubleday & Comp., Inc., Anchor Book Ed.) Garden City, N. Y., 1966. Siehe dazu den Aufsatz von Theo Sommer: Kissingers Kunst der Konfrontation, in: DIE ZEIT, 26. April 1974.

[34] Gemeint ist hier insbesondere der Wortlaut des deutschen Ratifizierungsgesetzes (15. Juni 1963) zum deutsch-französischen Vertrag und zu der Gemeinsamen Erklärung des Bundeskanzlers und des französischen Staatspräsidenten vom 22. Jan. 1963. Das Gesetz ist abgedr. in: Auswärtiges Amt

(Hrsg.), Die Auswärtige Politik der Bundesrepublik Deutschland, Köln 1972, S. 499f. Näheres dazu bei Bandulet (Anm. 22), S. 205–212; Gilbert Ziebura, Die deutsch-französischen Beziehungen seit 1945. Mythen und Realitäten, Pfullingen 1970, S. 109–118.

[35] Siehe dazu Presseverlautbarungen, insbesondere in: DIE ZEIT, 26. April 1974, 22. März 1974, 15. März 1974, 2. Nov. 1973; Süddeutsche Zeitung, 16./17. März 1974; Frankfurter Rundschau, 21. März 1974. Hervorzuheben ist die scharfe Rede Präsident Nixons vor Geschäftsleuten in Chicago am 15. März 1974; dazu FAZ, 19. März 1974. Zahlreiche aufschlußreiche Äußerungen zur Krise der amerikanisch-europäischen Beziehungen enthalten auch die außenpolitischen Jahresberichte Präsident Nixons: Die amerikanische Außenpolitik für die siebziger Jahre. Eine neue Friedensstrategie. Ein Bericht des Präsidenten der Vereinigten Staaten an den Kongreß, 18. Febr. 1970, S. 18–28, 71–79; Die amerikanische Außenpolitik für die siebziger Jahre. Aufbau des Friedens, 25. Febr. 1971, S. 17–36, 115–130; Die amerikanische Außenpolitik für die siebziger Jahre. Das wachsende Gebäude des Friedens, 9. Febr. 1972, S. 40–55, 64–84; Die amerikanische Außenpolitik für die siebziger Jahre. Die Gestaltung eines dauerhaften Friedens, 3. Mai 1973, S. D 272–D 286, D 296–D 304. (Die Seitenangaben beziehen sich jeweils auf die vom U. S. Information Service, Bonn, herausgegebenen deutschen Übersetzungen der außenpolitischen Jahresberichte).

[36] Link, Zum Problem der Kontinuität der amerikanischen Deutschlandpolitik (Anm. 2), S. 95f., 111–114.

[37] In dieser Hinsicht ist die Bestandsaufnahme im Tindemans-Bericht über die Europäische Union vom 29. Dez. 1975 ernüchternd. Siehe: Europa-Archiv, 31 (3/1976), S. D 53–D 84.

[38] Dazu: Johan Jörgen Holst, Lehren der Nahost-Krise von 1973 für das Atlantische Bündnis, in: Europa-Archiv, 31 (7/1976), S. 205–214. Besonders erwähnenswert ist die zwischen den USA und der BRD entstandene Kontroverse, als zur Unterstützung der Versorgung Israels im Oktober 1973 in Bremerhaven amerikanisches Kriegsmaterial auf zwei israelische Frachter verschifft wurde. (Süddeutsche Zeitung, 27./28. Okt. 1973).

[39] Anm. 37, S. D 63. Der Tindemans-Bericht geht im übrigen auf die für die Zukunft einer ,,Europäischen Union" so bedeutsamen Beziehungen zwischen Europa und den Vereinigten Staaten nicht näher ein.

[40] So Morgan, Washington und Bonn (Anm. 1), S. 234.

[41] Ebenda, S. 191–195 und passim; Link, Zum Problem der Kontinuität der amerikanischen Deutschlandpolitik (Anm. 2), S. 111f.; ders., Die Rolle der USA im westeuropäischen Integrationsprozeß (Anm. 30), S. 7, 9f.

[42] Vgl. dazu die Ausführungen von Ralf Dahrendorf, der die Entscheidung zwischen einer Achse Bonn-Washington und einer nicht nach deutschem Muster geformten, amerikafernen Europäischen Gemeinschaft als unvermeidliche außenpolitische *Alternative* auf die Bundesrepublik zukommen sieht. (In: DIE ZEIT, 17. Sept. 1976).

[43] Hans-Peter Schwarz, Die westdeutsche Entwicklungshilfe, in: ders. (Hrsg.), Handbuch der deutschen Außenpolitik, München-Zürich 1975, S. 723–739, bes. S. 729, 733.

[44] Siehe dazu: Manfred Knapp, Vietnam als Belastung des Verhältnisses zwischen den Vereinigten Staaten und ihren Verbündeten, in: Karl Carstens u. a. (Hrsg.), Die Internationale Politik 1966–1967, München-Wien 1973, S. 68–74; vgl. dazu Winfried Scharlau, Vietnam in der deutschen Presse, als einleitendes Essay in: J. William Fulbright, Das Pentagon informiert oder Der Propaganda-Apparat einer Weltmacht, (Aus dem Amerik.) Reinbek bei Hamburg 1971, S. 7–27, 129 f.

[45] Siehe die Dokumentation im Europa-Archiv, 29 (13/1974), S. D 277–D 300 und 30 (21/1975), S. D 579–D 598.

[46] Europa-Archiv, 30 (21/1975), S. D 579–D 598.

[47] Süddeutsche Zeitung, 1. Juni 1976; FAZ, 1. und 3. Juni 1976; DIE ZEIT, 4. Juni 1976; Hans Friderichs, Nairobi und die Folgen, in: Europa-Archiv, 31 (16/1976), S. 517–526 und die Dokumentation, ebenda, S. D 401–D 424; Otto Matzke, UNCTAD IV und danach. Gefahr der Konfrontation nicht gebannt, in: Beilage zur Wochenzeitung „Das Parlament", B 37/76 (11. Sept. 1976), S. 3–37.

[48] Dazu: Peter Hermes, Deutsche Verantwortung in der Weltwirtschaft, in: Außenpolitik, 28 (1977), S. 243–255.

[49] So auch Livingston (Anm. 27), S. 178.

[50] Zu den problematischen Traditionen deutscher Südamerikapolitik in Konkurrenz zu den USA siehe: Hans-Jürgen Schröder, Hauptprobleme der deutschen Lateinamerikapolitik, 1933–1941, in: Richard Konetzke/Hermann Kellenbenz (Hrsg.), Jahrbuch für Geschichte von Staat, Wirtschaft und Gesellschaft Lateinamerikas, Bd. 12, Köln-Wien 1975, S. 408–433 und den Beitrag von Hans-Jürgen Schröder in diesem Band.

[51] Siehe dazu die Dokumentation über das Abkommen in: Europa-Archiv, 30 (18/1975), S. D 485–D 489. Die USA hatten es im Jahre 1974 abgelehnt, Brasilien mit den gewünschten kompletten Kernenergieanlagen (Leistungsreaktoren einschließlich Anreicherungs- und Wiederaufbereitungsanlagen) zu beliefern.

[52] International Economic Report of the President. Transmitted to the Congress January 1977, S. 138.

[53] Ebenda, S. 139; vgl. dazu: Hugo M. Kaufmann, Aspekte zur politischen Ökonomie der deutsch-amerikanischen Beziehungen (insbesondere monetäre Probleme), in: Knapp (Hrsg.), Die deutsch-amerikanischen Beziehungen (Anm. 2), S. 228–254, hier S. 232.

[54] Kaufmann, Aspekte zur politischen Ökonomie (Anm. 53), S. 232f., generell S. 232–240.

[55] In der Weltausfuhr steht die Bundesrepublik seit 1959 hinter den USA und vor Japan (bis 1970 vor Großbritannien) an zweiter Stelle; in der Welteinfuhr steht die BRD seit 1965 – mit Ausnahme des Jahres 1967 – hinter den USA und vor Japan (bis 1973 vor Großbritannien) ebenfalls an zweiter Stelle. (Bundesministerium für Wirtschaft [Hrsg.], Leistung in Zahlen '75, Bonn 1976, S. 72).

[56] Statistisches Bundesamt (Hrsg.), Statistisches Jahrbuch für die Bundesrepublik Deutschland 1974, Stuttgart-Mainz 1974, S. 72*.

[57] Wirtschaft und Statistik, hrsg. v. Stat. Bundesamt, (2/1975), S. 137–143.

[58] Wirtschaft und Statistik, hrsg. v. Stat. Bundesamt, (2/1976), S. 127 und (3/1976), S. 190.

[59] Statistisches Bundesamt (Hrsg.), Statistisches Jahrbuch 1975 für die Bundesrepublik Deutschland, Stuttgart-Mainz 1975, S. 673.

[60] Ebenda, S. 657.

[61] Zählt man Kredite und sonstige Forderungen an das Ausland in Höhe von insgesamt 11,804 Mrd. DM hinzu, so ergibt sich Ende 1975 für die Deutsche Bundesbank eine Netto-Auslandsposition von 84,548 Mrd. DM. (Monatsberichte der Deutschen Bundesbank, 29, Nr. 7 [Juli 1977], S. 74*).

[62] Hans-Eckart Scharrer, Die Bundesrepublik Deutschland im internationalen Währungssystem, in: Schwarz (Hrsg.), Handbuch der deutschen Außenpolitik (Anm. 43), S. 383–405, bes. S. 393.

[63] Dazu: Link, Zum Problem der Kontinuität der amerikanischen Deutschlandpolitik (Anm. 2) und den Beitrag von Werner Link in diesem Band.

[64] Bundesminister für den Marshallplan (Hrsg.), Wiederaufbau im Zeichen des Marshallplanes 1948–1952, Bonn 1953, S. 19, 24.

[65] Siehe hierzu insbesondere die Untersuchung von John Gimbel, The Origins of the Marshall Plan, (Stanford University Press) Stanford, California, 1976. Gimbel überzeichnet jedoch sehr stark die aus dem Deutschlandproblem abzuleitenden Bestimmungsfaktoren des ERP. Ich habe mich an anderer Stelle ausführlich mit den Thesen Gimbels auseinandergesetzt: Das Deutschlandproblem und die Ursprünge des Europäischen Wiederaufbauprogramms. Eine Auseinandersetzung mit John Gimbels Untersuchung

'The Origins of the Marshall Plan', Beitrag zu der wiss. Tagung ,,Marshall-Plan und Europäische Linke" an der Universität Essen, 8.–11. Juli 1977, 37 S. (vervielfältigt).

[66] FRUS, 1948, II, S. 1317.

[67] Näheres dazu in meinem Aufsatz ,,Deutschland und der Marshallplan" (Anm. 28).

[68] Der Marshallplan wurde von einer neu eingerichteten Behörde, der Economic Cooperation Administration (ECA), verwaltet. Noch vor Ablauf der ursprünglich geplanten Geltungsdauer des Marshallplans (3. April 1948–30. Juni 1952) trat anstelle der Economic Cooperation Act im Jahre 1951 die Mutual Security Act. Mit Wirkung vom 1. Jan. 1952 wurde die ECA in Mutual Security Agency (MSA) umbenannt. Das Amt für gegenseitige Sicherheit wickelte die noch laufende Marshallhilfe ab und war nunmehr für die Verwaltung der neuen Hilfsprogramme im Rahmen des Mutual Security Act zuständig.

[69] Bundesminister für den Marshallplan (Hrsg.), Wiederaufbau im Zeichen des Marshallplanes (Anm. 64), S. 23. In dem für das 2. Marshallplanjahr genannten Betrag sind auf die ECA übertragene, nicht ausgeschöpfte GARIOA-Mittel in Höhe von 172,407 Mill. Dollar enthalten.

[70] Ebenda, S. 23 f.

[71] Das ERP-Sondervermögen existiert als revolvierender Kapitalfonds noch heute. Zum Wiederaufbau und zur weiteren Förderung der westdeutschen und vor allem Westberliner Wirtschaft sowie zur Finanzierung von Entwicklungshilfeprojekten wurden daraus bis Ende 1975 rund 34,7 Mrd. DM zur Verfügung gestellt. (Bundesministerium für Wirtschaft [Hrsg.], Das ERP Programm '76 [Stand Juli 1976], S. 6–11).

[72] U. S. Department of State (Ed.), Occupation of Germany, Policy and Progress 1945–46, (Publ. 2783, U.S. G.P.O.) Washington 1947, S. 172.

[73] Siehe dazu: Friedrich-Wilhelm Henning, Das industrialisierte Deutschland 1914 bis 1972. (Wirtschafts- und Sozialgeschichte, Bd. 3), Paderborn ²1975, S. 185–244.

[74] Dazu: Gustav Stolper, Die deutsche Wirklichkeit. Ein Beitrag zum künftigen Frieden Europas, (Aus d. Amerikan. übers.) Hamburg 1949, S. 159–178; die beiden Industriepläne sind abgedr. ebenda, S. 330–335, 362–368. Vgl. demgegenüber Werner Abelshauser, Wirtschaft in Westdeutschland 1945–1948. Rekonstruktion und Wachstumsbedingungen in der amerikanischen und britischen Zone, Stuttgart 1975, passim, bes. S. 156–167.

[75] Gimbel, The Origins (Anm. 65), S. 143–175.

[76] Botschafter Dr. Frhr. v. Maltzan, Fünf Jahre deutscher Handelspolitik,

Bestandsaufnahme und Plädoyer für eine liberale Handelspolitik, 30. April 1955, auszugsweise abgedr. in: Auswärtiges Amt (Hrsg.), Die Auswärtige Politik der Bundesrepublik Deutschland (Anm. 34), S. 284–290, hier S. 284f.; Bericht über Deutschland des Amerikanischen Hochkommissars für Deutschland, 21. Sept. 1949–31. Juli 1952, S. 51.

[77] So trat Clayton, der damalige Leiter der Wirtschaftsabteilung des State Department, schon bei der Konferenz von Havanna (Nov. 1947–März 1948) dafür ein, die Meistbegünstigungsklausel auch für die besetzten Gebiete, also auch für Deutschland, anzuwenden; er setzte sich aber damals noch nicht durch. (Memorandum von Clayton an Douglas, US-Botschafter in London, "Most-favored-nation Treatment for Occupied Areas", 11. Febr. 1948, in: Records of Interdepartmental and Intradepartmental Committees – State Department, Record Group 353, Box No. 29, Dok. No. 30, National Archives); siehe auch FRUS, 1948, II, S. 1312.

[78] Bericht über Deutschland des Amerikanischen Hochkommissars für Deutschland, 21. Sept. 1949–31. Juli 1952, S. 50–57.

[79] Kommuniqué nach Abschluß der Besprechungen zwischen Bundeskanzler Dr. Konrad Adenauer und Präsident Eisenhower in Washington am 9. April 1953, abgedr. in: Auswärtiges Amt (Hrsg.), Die Auswärtige Politik der Bundesrepublik Deutschland (Anm. 34), S. 231–234, hier S. 233.

[80] Link, Zum Problem der Kontinuität der amerikanischen Deutschlandpolitik (Anm. 2), S. 110.

[81] Auswärtiges Amt (Hrsg.), Die Auswärtige Politik der Bundesrepublik Deutschland (Anm. 34), S. 25; Botschafter Dr. Frhr. v. Maltzan, Fünf Jahre deutscher Handelspolitik (Anm. 76), ebenda, S. 288.

[82] Generell zur Entwicklung des Außenhandels der BRD: Helmut Gröner, Die westdeutsche Außenhandelspolitik, in: Schwarz (Hrsg.), Handbuch der deutschen Außenpolitik (Anm. 43), S. 405–437.

[83] Bei den meisten anderen Handelspartnern der USA ist dies nicht der Fall. Siehe dazu Waltz (Anm. 9), S. 213.

[84] Wirtschaft und Statistik, (3/1976), S. 192.

[85] DIE ZEIT, 25. April 1975.

[86] DIE ZEIT, 18. April 1975.

[87] Hatte der VW-Konzern im Jahre 1970 insgesamt 571 441 Autos in den USA verkauft, so waren es 1975 nur noch 267 727, was für Wolfsburg einem Rückgang des US-Marktanteils von 6,6% auf 3,3% entsprach. (DIE ZEIT, 23. April 1976).

[88] Dazu u.a.: Frankfurter Rundschau, 21. Dez. 1974; Der Spiegel, 14. April 1975; DIE ZEIT, 18. April und 25. Juli 1975, 23. April 1976; Süddeutsche Zeitung, 24./25. April 1976.

[89] Gröner, Die westdeutsche Außenhandelspolitik, in: Schwarz (Hrsg.), Handbuch (Anm. 43), S. 409–413, 424–428.

[90] Statistisches Bundesamt (Hrsg.), Statistisches Jahrbuch 1975 für die Bundesrepublik Deutschland, Stuttgart-Mainz 1975, S. 317f.; Wirtschaft und Statistik, (2/1976), S. 128; U. S. Bureau of the Census, Statistical Abstract of the United States: 1975 (96th edition), Washington, D. C., 1975, S. 814–817.

[91] Gunnar Adler-Karlsson, Western Economic Warfare, 1947–67, (Almquist & Wiksell) Stockholm 1968; Kurt P. Tudyka, Gesellschaftliche Interessen und auswärtige Beziehungen. Das Röhrenembargo, in: Ernst-Otto Czempiel (Hrsg.), Die anachronistische Souveränität. Zum Verhältnis von Innen- und Außenpolitik, 1. Sonderheft der Politischen Vierteljahresschrift, Opladen 1969, S. 205–223; Morgan, Washington und Bonn (Anm. 1), S. 138, 154, auch S. 177f.

[92] Siehe beispielsweise FRUS, 1948, II, S. 1311.

[93] Siehe hierzu als eines der jüngeren Beispiele das inzwischen abgeschlossene Anti-Dumping-Verfahren, das von der amerikanischen Automobilarbeitergewerkschaft im Jahre 1975 gegen ausländische Autoexporteure, darunter VW, beantragt worden war. (Frankfurter Rundschau, 16. Aug. 1976).

[94] In den Jahren 1962/63 gab es zwischen den USA und der EWG, insbesondere der BRD, Kontroversen über europäische Zollaufschläge bei der Einfuhr von Geflügel aus den USA. Siehe: George M. Taber, John F. Kennedy and a Uniting Europe: The Politics of Partnership, (College of Europe, Studies in contemporary European issues, 2) Bruges 1969, S. 141–145; Morgan, Washington und Bonn (Anm. 1), S. 125.

[95] Friedrich von Krosigk, Die Bedeutung der multinationalen Unternehmen, in: Schwarz (Hrsg.), Handbuch (Anm. 43), S. 455–464; Dietrich Kebschull/Otto G. Mayer (Hrsg.), Multinationale Unternehmen. Anfang oder Ende der Weltwirtschaft?, Frankfurt/M. 1974.

[96] Henry Krägenau, Umfang der multinationalen Investitionen, in: Kebschull/Mayer (Hrsg.), Multinationale Unternehmen (Anm. 95), S. 15–35, hier S. 15; vgl. dazu Rainer Hellmann, Weltunternehmen nur amerikanisch? Das Ungleichgewicht der Investitionen zwischen Amerika und Europa, Baden-Baden 1970, S. 17.

[97] Statistisches Bundesamt (Hrsg.), Fachserie G: Außenhandel, Reihe 1, Zusammenfassende Übersichten 1973, Stuttgart-Mainz 1974, S. 44.

[98] Department of Commerce (Ed.), Survey of Current Business, 54, No. 8 (Aug. 1974), Part II, S. 38. Die Umsätze der US-Tochtergesellschaften in der BRD hatten 1972 die höchsten Zuwachsraten zu verzeichnen. (Ebenda, S. 27, 32).

[99] Presse- und Informationsamt der Bundesregierung (Hrsg.), Aktuelle Beiträge zur Wirtschafts- und Finanzpolitik, Nr. 40/1976, 12. April 1976, S. 1 und Bundesministerium für Wirtschaft (Hrsg.), Leistung in Zahlen '75, Bonn 1976, S. 90, 92.

[100] Link, Zum Problem der Kontinuität der amerikanischen Deutschlandpolitik (Anm. 2), S. 108f.

[101] Eigene Berechnungen aufgrund der Statistiken bei Hellmann, Weltunternehmen nur amerikanisch? (Anm. 96), S. 277 und Survey of Current Business, 54, No. 8 (Aug. 1974), Part II, S. 20. Vgl. dazu Hellmann, Weltunternehmen nur amerikanisch?, S. 41–51.

[102] Siehe die Resonanz, die der Bestseller von Jean-Jacques Servan-Schreiber, Le Défi Américain, Paris 1967 (dt.: Die amerikanische Herausforderung, Hamburg 1968) gefunden hatte.

[103] Hellmann, Weltunternehmen nur amerikanisch? (Anm. 96), S. 113–124.

[104] Im Zeitraum von 1966–1972 stiegen die Gesamtumsätze der US-Tochtergesellschaften in der EG von 20,2 auf 56,2 Mrd. US-Dollar, wobei sich die Umsätze der verarbeitenden Industrie sogar mehr als verdreifachten. (Survey of Current Business, 54, No. 8 [Aug. 1974], Part II, S. 26, 32, 38).

[105] Dazu: Erwin Häckel, Multinationale Konzerne – ein Motor der europäischen Integration?, in: Europa-Archiv, 30 (9/1975), S. 277–288 und ders., Multinationale Konzerne und Europäische Integration, Bonn 1975 (Arbeitspapiere zur Internationalen Politik, 5).

[106] Nach den wichtigsten Branchen aufgeschlüsselt, ergibt sich folgende Verteilung: Mineralölverarbeitungsindustrie rd. 3,3 Mrd. DM, Elektrotechnik einschließlich Elektronikfirmen rd. 2,2 Mrd., Maschinenbaufirmen rd. 1,9 Mrd., Automobilbaufirmen rd. 1,3 Mrd., chemische Industrie rd. 1,3 Mrd.; in Beteiligungsgesellschaften sind rd. 1,4 Mrd. DM angelegt worden. (Presse- und Informationsamt d. Bundesregierung [Hrsg.], Aktuelle Beiträge zur Wirtschafts- und Finanzpolitik, Nr. 41/1976, 12. April 1976, S. 6).

[107] Siehe dazu u. a.: DIVO-Institut, Amerikanische Tochtergesellschaften in der Bundesrepublik. Analyse und kritische Würdigung, Frankfurt/M. 1968; Ausländische Beteiligungen an Unternehmen in der Bundesrepublik, in: Monatsberichte der Deutschen Bundesbank, 26, Nr. 11 (Nov. 1974), S. 22–33.

[108] Ausländische Beteiligungen an Unternehmen in der Bundesrepublik (Anm. 107); Manfred Behrning/Gerhard Burger/Dieter Frantz/Thomas Jessen/Gerd Junne/Elisabeth Lins/Bernardo Winter, Die Regionalvertei-

lung ausländischer Investitionen in der Bundesrepublik Deutschland, Universität Konstanz, Fachbereich Politische Wissenschaft, Konstanz 1975 (Offsetdruck), passim, bes. S. 22–45.

[109] Commerzbank (Hrsg.), wer gehört zu wem. Mutter- und Tochtergesellschaften von A–Z. o. O. 11. und erw. Aufl. 1975, S. 934–938.

[110] Siehe dazu die Länderstudien in der hauptsächlich auf dem Commerzbank-Handbuch „wer gehört zu wem" (10. Aufl. 1973) beruhenden Konstanzer Untersuchung von Behrning u. a., Die Regionalverteilung ausländischer Investitionen in der Bundesrepublik (Anm. 108), S. 45 ff. (mit Analysen über das Auslandskapital in Baden-Württemberg, Bayern, Hamburg, Hessen, Rheinland-Pfalz, Schleswig-Holstein).

[111] Wilhelm Wengler, Gutachten über die völkerrechtliche Zulässigkeit der Anwendung des geplanten Mitbestimmungsgesetzes auf amerikanische Beteiligungen in der Bundesrepublik Deutschland, erstellt im Auftrage der Amerikanischen Handelskammer in Deutschland, Berlin, 19. Aug. 1974; publiziert in: ders., Die Mitbestimmung und das Völkerrecht. Ein Gutachten über die Vereinbarkeit der Mitbestimmungsgesetzgebung in der Bundesrepublik mit dem deutsch-amerikanischen Handelsvertrag, Baden-Baden 1975, S. 21 ff. Die Kernthese des Wenglerschen Gutachtens lautet, daß die Einführung der paritätischen Mitbestimmung eine aufgrund des deutsch-amerikanischen Handelsvertrags von 1954 nicht zulässige Beschränkung des Rechts der amerikanischen Aktionäre wäre. (Ebenda, S. 70). Siehe dazu auch: DIE ZEIT, 11. Okt. 1974.

[112] Frankfurter Rundschau, 16. Okt. 1974.

[113] Süddeutsche Zeitung, 26. Nov. 1974; Frankfurter Rundschau, 28. Nov. 1974.

[114] M. Holthus (Hrsg.)/R. Jungnickel/G. Koopmann/K. Matthies/R. Sutter, Die deutschen multinationalen Unternehmen. Der Internationalisierungsprozeß der deutschen Industrie, Frankfurt/M. 1974, Tabellen A 4, A 5, S. 182 f.; v. Krosigk, Die Bedeutung der multinationalen Unternehmen, in: Schwarz (Hrsg.), Handbuch (Anm. 43), S. 458; Krägenau, Umfang der multinationalen Investitionen, in: Kebschull/Mayer (Hrsg.), Multinationale Unternehmen (Anm. 95), S. 16–20.

[115] Krägenau, Umfang der multinationalen Investitionen, in: Kebschull/Mayer (Hrsg.), Multinationale Unternehmen (Anm. 95), S. 26 f.; Holthus (Hrsg.), Die deutschen multinationalen Unternehmen (Anm. 114), Tabelle A 7, S. 184.

[116] Mitte 1976 hatten folgende deutsche Banken Niederlassungen in den USA: Die Deutsche Bank, Dresdner Bank, Commerzbank, Bayerische Vereinsbank, Westdeutsche Landesbank Girozentrale und die Bank für Ge-

meinwirtschaft. Folgende US-Banken haben Niederlassungen in der Bundesrepublik: Bank of America, City Bank, Chase Manhattan Bank, Morgan Guaranty Trust Company, Manufacturers Hanover Trust, First National Bank of Chicago, Chemical Bank, Continental Illinois, Irving Trust Company, Security Pacific National Bank, First National Bank of Boston, Mellon Bank, National Bank of Detroit. (DIE ZEIT, 4. Juni 1976).

[117] Die größten deutschen Investitionen in den USA wurden in folgenden Bereichen getätigt (Stand Ende 1975): Beteiligungsgesellschaften 964 Mill. DM, Chemische Industrie 962, Elektrotechnik 435, Maschinenbau 349, Straßenfahrzeugbau 190, Eisen- und Stahlerzeugung 136, Versicherungsgewerbe 126, Grundstücks- und Wohnungswesen 121, Kreditinstitute 112, Papier- und Pappeverarbeitung 103. (Presse- und Informationsamt der Bundesregierung [Hrsg.]. Aktuelle Beiträge zur Wirtschafts- und Finanzpolitik, Nr. 41/1976, 12. April 1976, S. 1 f.).

[118] Otto G. Mayer, Die Multis – das multinationale Problem, in: Kebschull/Mayer (Hrsg.), Multinationale Unternehmen (Anm. 95), S. 53–64, hier S. 61; Karl Kaiser, Die europäische Herausforderung und die USA. Das atlantische Verhältnis im Zeitalter weltpolitischer Strukturveränderungen, München 1973; Robert Heller/Norris Willat, Die europäische Revanche. Wie die amerikanische Herausforderung zurückgewiesen wurde, München 1976.

[119] Fortune, August-Heft 1976; siehe auch FAZ, 23. Aug. 1976. Die sieben deutschen Konzerne sind: Thyssen, Hoechst, Daimler-Benz, BASF, Siemens, das Volkswagenwerk und Bayer.

[120] Siehe dazu: Holthus (Hrsg.), Die deutschen multinationalen Unternehmen (Anm. 114), Tabelle 34, S. 142 f. Siehe auch die Berichterstattung über die größten deutschen Unternehmen in der FAZ, 4. Sept. 1976 und in DIE ZEIT, 10. Sept. 1976.

[121] In diesem Abschnitt stütze ich mich besonders auf Otmar Emminger, Deutsche Geld- und Währungspolitik im Spannungsfeld zwischen innerem und äußerem Gleichgewicht 1948–1975, in: Deutsche Bundesbank (Hrsg.), Währung und Wirtschaft in Deutschland 1876–1975, Frankfurt/M. ²1976, S. 485–554 und Scharrer, Die Bundesrepublik Deutschland im internationalen Währungssystem (Anm. 62), S. 383–405. Vgl. dazu den mehr theoretischen Problemen gewidmeten Beitrag von Kaufmann, Aspekte zur politischen Ökonomie der deutsch-amerikanischen Beziehungen (Anm. 53), S. 228–254.

[122] Emminger, Deutsche Geld- und Währungspolitik (Anm. 121), S. 502 f.

[123] Ebenda, S. 487, 502 f., 523. Schon 1960 kamen kurzfristig Zweifel auf,

,,ob die Goldparität des Dollar auf die Dauer gehalten werden könne". (Ebenda, S. 503). Siehe auch Geschäftsbericht der Deutschen Bundesbank für das Jahr 1973, S. 47.

[124] Die erste DM-Aufwertung war im März 1961, die zweite im Oktober 1969, die dritte im Dezember 1971. Um den Übergang zum Gruppenfloaten im europäischen Währungsblock, zu dem sich ursprünglich sechs EG-Mitgliedsländer – Belgien, Luxemburg, Dänemark, BRD, Frankreich, Niederlande – sowie Norwegen und Schweden entschlossen hatten, zu erleichtern, wurde die D-Mark mit Wirkung vom 19. März 1973 erneut um 3% aufgewertet. Im Juni 1973 wurde die DM zum fünften Male aufgewertet, um Spannungen innerhalb der ,,Schlange" zu mildern. (Geschäftsbericht der Deutschen Bundesbank für das Jahr 1973, S. 20–22, 48).

[125] Geschäftsbericht der Deutschen Bundesbank für das Jahr 1973, S. 20–29, 46–52.

[126] Für 1975 wurde dabei ein Dollarkurs von DM 2,50 zugrunde gelegt. Die Paritäten zwischen US-Dollar und DM entwickelten sich wie folgt: 1948 (Währungsreform): 1 US-$ = 3,33 DM; Sept. 1949: 4,20 DM; seit März 1961: 4,00 DM; Okt. 1969: 3,66 DM; Dez. 1971: 3,2225 DM; März 1973: 2,8158 DM; Juni 1973: 2,6690 DM.

[127] So Emminger, Deutsche Geld- und Währungspolitik im Spannungsfeld (Anm. 121), S. 526.

[128] Geschäftsbericht der Deutschen Bundesbank für das Jahr 1972, S. 17, 30, 36; Emminger (Anm. 121), S. 531 f.; von 1968 bis zum März 1973, dem Zeitraum häufiger Währungskrisen, mußte die Bundesbank per Saldo Devisen im Gegenwert von rund 71 Mrd. DM aufnehmen. (Ebenda, S. 532, 516).

[129] Otmar Emminger, Die internationale Bedeutung der deutschen Stabilitätspolitik, Vortrag vor der Mitgliederversammlung der Deutschen Gesellschaft für Auswärtige Politik am 28. Juni 1977 in Bonn, abgedr. in: Europa-Archiv, 32 (15/1977), S. 509–514, Zitat S. 509.

[130] Emminger (Anm. 121), S. 486, 501, 507 und passim.

[131] Die Bundesregierung, insbesondere der damalige Bundeswirtschaftsminister Schiller, bemühte sich schon im Frühjahr 1971 (auf der Konferenz der zuständigen EWG-Minister für Währungsfragen im April und auf der Ratstagung im Mai 1971) um ein gemeinsames konzertiertes Floaten gegenüber dem Dollar, setzte sich aber nicht durch. Siehe dazu die Dokumentation im Europa-Archiv, 26 (18/1971), S. D 415–D 435. Siehe auch Emminger (Anm. 121), S. 513, 525; vgl. auch Scharrer (Anm. 62), S. 396.

[132] Rede des damaligen Bundeskanzlers Willy Brandt in der Haushaltsdebatte des Deutschen Bundestags am 20. Okt. 1971, auszugsweise abgedr. in:

Europa-Archiv, 27 (1/1972), S. D 16–D 18, Zitat S. D 17. Ähnlich äußerte sich auch der damalige deutsche Bundesminister für Wirtschaft und Finanzen, Helmut Schmidt, auf der Jahreshauptversammlung des Internationalen Währungsfonds und der Weltbank vom 25.–29. Sept. 1972 in Washington. (Siehe Europa-Archiv, 27 [23/1972], S. D 579).

[133] Siehe die Erklärung des damaligen Bundesfinanzministers Helmut Schmidt vor dem Bundestag am 14. Febr. 1973, in: Europa-Archiv, 28 (7/1973), S. D 168.

[134] Siehe dazu: Monika Medick, „Burden-sharing" und Devisenausgleich als Problem der deutsch-amerikanischen Beziehungen, in: Knapp (Hrsg.), Die deutsch-amerikanischen Beziehungen nach 1945 (Anm. 2), S. 188–227; ferner: Emminger (Anm. 121), S. 504; das Aide-Mémoire ist abgedr. in: „Auszüge aus Presseartikeln" der Deutschen Bundesbank, Nr. 15, 24. Febr. 1961; siehe auch die Dokumentation in: Europa-Archiv, 16 (6/1961), S. D 163–D 166.

[135] Medick (Anm. 134), S. 204 f.

[136] Dazu: Gernot Volger, Devisenausgleich als militär- und zahlungsbilanzpolitisches Instrument, in: Konjunkturpolitik, Zeitschrift für angewandte Konjunkturforschung, 20 (1974), S. 346–380.

[137] Siehe die Presseberichte über den USA-Besuch einer deutschen Delegation unter Leitung von Bundeskanzler Helmut Schmidt im Juli 1976 anläßlich der Feierlichkeiten zum 200. Geburtstag der USA, in: FAZ, 17. Juli 1976; Süddeutsche Zeitung, 17./18. und 19. Juli 1976 sowie DIE ZEIT, 23. Juli 1976. Schmidt und US-Präsident Ford vereinbarten bei ihrem Zusammentreffen in Washington, künftig für die Stationierung amerikanischer Truppen in Deutschland kein Devisenausgleichsabkommen herkömmlicher Art mehr abzuschließen. Die Bundesregierung verpflichtete sich jedoch, für die Stationierung einer neuen amerikanischen Kampfbrigade bei Bremen eine einmalige Zahlung von 171,2 Mill. DM zu leisten.

[138] Zu den Privilegien bzw. der Präponderanz der USA im Internationalen Währungssystem siehe Scharrer (Anm. 62), S. 395 f. und Susan Strange, Interdependence in the International Monetary System, in: Ernst-Otto Czempiel/Dankwart A. Rustow (Eds.), The Euro-American System. Economic and Political Relations between North America and Western Europe, Frankfurt/M. – Boulder, Colorado, 1976, S. 31–49, bes. S. 39.

[139] Emminger (Anm. 121), S. 550. Der Brief Blessings ist abgedr. in: „Auszüge aus Presseartikeln" der Deutschen Bundesbank, Nr. 34, 12. Mai 1967. Zum Verlauf und Ergebnis der mühsamen Dreierverhandlungen vom Aug. 1966 bis April 1967 zwischen den USA, Großbritannien und der BRD siehe die Darstellung des deutschen Delegationsleiters Georg Ferdinand

Duckwitz, Truppenstationierung und Devisenausgleich, in: Außenpolitik, 18 (1967), S. 471–475. Ferner: Lyndon Baines Johnson, The Vantage Point. Perspectives of the Presidency 1963–1969, (Popular Library PB Ed.) New York 1971, S. 306–311.

[140] Scharrer (Anm. 62), S. 396, 403.

[141] Leo Brawand, Wohin steuert die deutsche Wirtschaft? Mit Analysen und Prognosen von Berthold Beitz, Karl Blessing u. a., München-Wien-Basel 1971, S. 61, siehe auch S. 60–62. Den Hinweis auf das Blessing-Interview mit Brawand entnahm ich dem mehrfach zitierten Aufsatz von Emminger (Anm. 121), S. 550. Siehe auch Volger (Anm. 136), S. 354, 359f.

[142] Emminger (Anm. 121), S. 550.

[143] Scharrer (Anm. 62), S. 389f.

[144] Frankreich nahm vom 21. Jan. 1974 bis zum 9. Juli 1975 nicht am europäischen Gruppenfloaten teil. Am 15. März 1976 schied der französische Franc erneut aus dem festen europäischen Währungsverbund, der Schlange, aus.

[145] Geschäftsbericht der Deutschen Bundesbank für das Jahr 1973, S. 46, für das Jahr 1975, S. 53–58.

[146] Czempiel, Die Bundesrepublik und Amerika (Anm. 2), S. 160f.

[147] Werner Link, Deutsche und amerikanische Gewerkschaften und Geschäftsleute 1945–1975. Eine Studie über transnationale Beziehungen, Düsseldorf 1978. Ich bin Werner Link dankbar dafür, daß er mir Einblick in das Manuskript dieser Untersuchung gewährte.

[148] Vgl. dazu: Raymond Aron, Die imperiale Republik. Die Vereinigten Staaten von Amerika und die übrige Welt seit 1945 (aus d. Französischen übers.) Stuttgart-Zürich 1975, S. 222, 433.

[149] Keohane/Nye, Power and Interdependence (Anm. 12), S. 23–37, bes. S. 24–29.

Literaturhinweise

1. Zu Schwabe: Die USA, Deutschland und der Ausgang des Ersten Weltkrieges

Baumgart, Winfried: Vom europäischen Konzert zum Völkerbund, Darmstadt 1974.

Bosl, Karl (Hrsg.): Versailles – St. Germain – Trianon. Umbruch in Europa vor 50 Jahren, München 1971.

Elcock, Howard: Portrait of a Decision. The Council of Four and the Treaty of Versailles, London 1972.

Floto, Inga: Colonel House in Paris. A Study of American Policy at the Paris Peace Conference 1919, Aarhus 1973.

Haupts, Leo: Deutsche Friedenspolitik 1918–19. Eine Alternative zur Machtpolitik des Ersten Weltkrieges?, Düsseldorf 1976.

Headlam-Morley, Sir James: A Memoir of the Paris Peace Conference 1919, London 1972.

Kitsikis, Dimitri: Le rôle des experts à la conférence de la paix de 1919, Ottawa 1972.

Krüger, Peter: Deutschland und die Reparationen 1918/19, Stuttgart 1973.

Levin, N. Gordon: Woodrow Wilson and World Politics. America's Response to War and Revolution, New York 1968.

Link, Arthur S.: The Higher Realism of Woodrow Wilson and Other Essays, Nashville 1971.

Low, A. D.: The Anschluß Movement 1918–1919 and the Paris Peace Conference, Philadelphia 1974.

Mayer, Arno J.: Politics and Diplomacy of Peacemaking. Containment and Counterrevolution at Versailles, London 1968.

Nelson, Harold I.: Land and Power. British and Allied Policy on Germany's Frontiers, London 1963.

Rakenius, Gerhard W.: Wilhelm Groener als erster Generalquartiermeister. Die Politik der Obersten Heeresleitung 1918/19, Boppard 1977.

Schwabe, Klaus: Deutsche Revolution und Wilson-Frieden. Die amerikanische und deutsche Friedensstrategie zwischen Ideologie und Machtpolitik 1918/19, Düsseldorf 1971.

Walworth, Arthur: America's Moment: 1918, New York 1977.

Wengst, Udo: Graf Brockdorf-Rantzau und die außenpolitischen Anfänge der Weimarer Republik, Bern 1973.

2. Zu Link: Die Beziehungen zwischen der Weimarer Republik und den USA

Ambrosius, Lloyd E.: Wilson, the Republicans, and French Security after World War I, in: Journal of American History 59 (1972/73), S. 341–352.

Clarke, Stephen V. O.: Central Bank Cooperation, 1924–31, New York o. J. (1967).

Costigliola, Frank: The Politics of Financial Stabilization: American Reconstruction Policy in Europe, 1924–1930, Ph. D. diss., Cornell University 1972.

–: The Other Side of Isolationism: The Establishment of the First World Bank, 1929–1930, in: Journal of American History 59 (1972/73), S. 602–621.

–: The United States and the Reconstruction of Germany in the 1920s, in: Business History Review 50 (1977), S. 477–502.

Gottwald, Robert: Die deutsch-amerikanischen Beziehungen in der Ära Stresemann, Berlin-Dahlem 1965.

Huthmacher, J. Joseph/Sussmann, Warren I. (eds.): Herbert Hoover and the Crisis of American Capitalism, Cambridge/Mass. 1973.

Jacobsen, Jon: Locarno Diplomacy, Germany and the West 1925–1929, Princeton 1972.

Jaeger, Hans: Geschichte der amerikanischen Wirtschaft im 20. Jahrhundert, Wiesbaden 1973.

Krüger, Peter: Friedenssicherung und deutsche Revisionspolitik – Die deutsche Außenpolitik und die Verhandlungen über den Kellogg-Pakt, in: Vierteljahrshefte für Zeitgeschichte 22 (1974), S. 227–257.

Leffler, Melvyn P.: The Origins of Republican War Debt Policy, 1921–1923: A Case Study in the Applicability of the Open Door Interpretation, in: Journal of American History 59 (1972/73), S. 585–601.

–: Political Isolationism: Economic Expansion or Diplomatic Realism? American Policy toward Western Europe, in: Perspectives in American History 8 (1974), S. 413–461.

Link, Werner: Die amerikanische Stabilisierungspolitik in Deutschland 1921–32, Düsseldorf 1970.

Maxelon, Michael-Olaf: Stresemann und Frankreich 1914–1929, Düsseldorf 1972.

Meyer, Richard Hemmig: Bankers' Diplomacy, Monetary Stabilization in the Twenties, New York und London 1970.

Mommsen, Hans/Petzina, Dietmar/Weisbrod, Bernd (Hrsg.): Industrielles System und politische Entwicklung in der Weimarer Republik, Düsseldorf 1974 (2. Aufl. 1977).

Newman, William J.: The Balance of Power in the Interwar Years, 1919–1939, New York 1968.

Schwabe, Klaus: Der amerikanische Isolationismus im 20. Jahrhundert, Legende und Wirklichkeit, Wiesbaden 1975.

Weidenfeld, Werner J.: Die Englandpolitik Gustav Stresemanns, Mainz 1972.

Williams, William A.: Die Tragödie der amerikanischen Diplomatie, Frankfurt 1973.

Wilson, Joan Hoff: American Business and Foreign Policy, 1920–1933, Lexington/Ky. 1971.

3. Zu Schröder: Das Dritte Reich und die USA

Angermann, Erich: Die weltpolitische Lage 1933–1935: Die Vereinigten Staaten von Amerika, in: Oswald Hauser (Hrsg.), Weltpolitik 1933–1939, Göttingen 1973, S. 110–145.

Compton, James V.: Hitler und die USA. Die Amerikapolitik des Dritten Reiches und die Ursprünge des Zweiten Weltkrieges, Oldenburg 1967.

Diamond, Sander A.: The Nazi Movement in the United States 1924–1941, Ithaca/New York-London 1974.

Frye, Alton: Nazi Germany and the American Hemisphere 1933–1941, New Haven 1967.

Gardner, Lloyd C.: Economic Aspects of New Deal Diplomacy, Madison/Wisconsin 1964.

Garraty, John A.: The New Deal, National Socialism, and the Great Depression, in: American Historical Review 78 (1973), S. 907–944.

Hass, Gerhard: Von München bis Pearl Harbor. Zur Geschichte der deutsch-amerikanischen Beziehungen, Berlin 1965.

Helbich, Wolfgang J.: Franklin D. Roosevelt, Berlin 1971.

Hildebrand, Klaus: Deutsche Außenpolitik 1933–1945. Kalkül oder Dogma?, 3. Auflage Stuttgart 1976.

Hillgruber, Andreas: Der Faktor Amerika in Hitlers Strategie 1938–1941, in: Aus Politik und Zeitgeschichte. Beilage zur Wochenzeitung ,,Das Parlament'', 11. 5. 1966, S. 3–21 (jetzt auch abgedruckt bei Andreas Hillgruber: Deutsche Großmacht- und Weltpolitik im 19. und 20. Jahrhundert, Düsseldorf 1977, S. 197–222).

–: Der Zenit des Zweiten Weltkrieges. Juli 1941, Wiesbaden 1977.

Hilton Stanley: The Welles Mission to Europe, February–March 1940: Illusion or Realism?, in: Journal of American History 58 (1971/72), S. 93–120.

–: Brazil and the Great Powers, 1930–1939. The Politics of Trade Rivalry, Austin/Texas-London 1975.

Junker, Detlef: Der unteilbare Weltmarkt. Das ökonomische Interesse in der Außenpolitik der USA 1933–1941, Stuttgart 1975.

Kipphan, Klaus: Deutsche Propaganda in den Vereinigten Staaten 1933–1941, Heidelberg 1971.

Link, Werner: Das nationalsozialistische Deutschland und die USA 1933–1941 (Literaturbericht), in: Neue Politische Literatur 18 (1973), S. 225–233.

Martin, Bernd: Friedensinitiativen und Machtpolitik im Zweiten Weltkrieg 1939–1942, Düsseldorf 1974.

–: Friedens-Planungen der multinationalen Großindustrie (1932–1940) als politische Krisenstrategie, in: Geschichte und Gesellschaft 2 (1976), S. 66–88.

Moltmann, Günter: Franklin D. Roosevelts Friedensappell vom 14. April 1939. Ein fehlgeschlagener Versuch zur Friedenssicherung, in: Jahrbuch für Amerikastudien 9 (1964), S. 91–109.

Offner, Arnold A.: American Appeasement. United States Foreign Policy and Germany, 1933–1938, Cambridge/Mass. 1969.

Schröder, Hans-Jürgen: Deutschland und die Vereinigten Staaten. Wirtschaft und Politik in der Entwicklung des deutsch-amerikanischen Gegensatzes, Wiesbaden 1970.

–: Die Vereinigten Staaten und die nationalsozialistische Handelspolitik gegenüber Lateinamerika 1937/38, in: Jahrbuch für Geschichte von Staat, Wirtschaft und Gesellschaft Lateinamerikas 7 (1970), S. 309–371.

Schwabe, Klaus: Die entfernteren Staaten am Beispiel der Vereinigten Staaten von Amerika – Weltpolitische Verantwortung gegen nationale Isolation, in: Erhard Forndran u. a. (Hrsg.): Innen- und Außenpolitik unter nationalsozialistischer Bedrohung. Determinanten internationaler Beziehungen in historischen Fallstudien, Opladen 1977, S. 277–294.

4. Zu Knapp: Politische und wirtschaftliche Interdependenzen

Abelshauser, Werner: Wirtschaft in Westdeutschland 1945–1948. Rekonstruktion und Wachstumsbedingungen in der amerikanischen und britischen Zone, Stuttgart 1975.

Bandulet, Bruno: Adenauer zwischen West und Ost. Alternativen der deutschen Außenpolitik, München 1970.

Baring, Arnulf: Außenpolitik in Adenauers Kanzlerdemokratie. Westdeutsche Innenpolitik im Zeichen der Europäischen Verteidigungsgemeinschaft. Mit einem Vorwort von Gilbert Ziebura. 2 Bde. dtv-Ausgabe, 2. Auflage München 1971.

Besson, Waldemar: Die Außenpolitik der Bundesrepublik. Erfahrungen und Maßstäbe, München 1970.

Clay, Lucius D.: Decision in Germany, Garden City / New York 1950 (deutsch: Entscheidung in Deutschland, Frankfurt/M. o.J.).

Czempiel, Ernst-Otto: Das amerikanische Sicherheitssystem 1945–1949. Studie zur Außenpolitik der bürgerlichen Gesellschaft, Berlin 1966.

–: Die Bundesrepublik und Amerika: Von der Okkupation zur Kooperation, in: Löwenthal, Richard/Schwarz, Hans-Peter (Hrsg.): Die zweite Republik. 25 Jahre Bundesrepublik Deutschland – eine Bilanz, Stuttgart 1974, S. 554–579.

Gardner, Lloyd C.: America and the German ,,Problem", 1945–1949, in: Bernstein, Barton J. (Ed.): Politics and Policies of the Truman Administration, (Quadrangle Books) Chicago 1970, S. 113–148.

Gimbel, John: The American Occupation of Germany. Politics and the Military, 1945–1949, Stanford/Calif. 1968 (deutsch: Amerikanische Besatzungspolitik in Deutschland 1945–1949, Frankfurt/M. 1971).

–: The Origins of the Marshall Plan, Stanford/Calif. 1976.

Haftendorn, Helga: Abrüstungs- und Entspannungspolitik zwischen Sicherheitsbefriedigung und Friedenssicherung. Zur Außenpolitik der BRD 1955–1973, Düsseldorf 1974.

Hammond, Paul Y.: Directives for the Occupation of Germany: The Washington Controversy, in: Stein, Harold (Ed.): American Civil-Military Decisions. A Book of Case Studies, Birmingham/Alabama 1963, S. 311–460 (mit einem Kommentar des Herausgebers, ebenda, S. 461–464).

Hanrieder, Wolfram F.: West German Foreign Policy 1949–1963. International Pressure and Domestic Response, Stanford/Calif. 1967.

Kaiser, Karl: German Foreign Policy in Transition. Bonn Between East and West, London–Oxford–New York 1968.

–: Die europäische Herausforderung und die USA. Das atlantische Verhältnis im Zeitalter weltpolitischer Strukturveränderungen, München 1973.

Katzenstein, Peter J.: Die Stellung der Bundesrepublik Deutschland in der amerikanischen Außenpolitik. Drehscheibe, Anker oder Makler?, in: Europa-Archiv 31 (11/1976), S. 347–356.

Knapp, Manfred (Hrsg.): Die deutsch-amerikanischen Beziehungen nach 1945, Frankfurt–New York 1975 (mit Bibliographie).

–: Deutschland und der Marshallplan: Zum Verhältnis zwischen politischer und ökonomischer Stabilisierung in der amerikanischen Deutschlandpolitik nach 1945, in: Scharf, Claus/Schröder, Hans-Jürgen (Hrsg.): Politische und ökonomische Stabilisierung Westdeutschlands 1945–1949. Fünf Beiträge zur Deutschlandpolitik der westlichen Alliierten, Wiesbaden 1977, S. 19–43.

Kuklick, Bruce: American Policy and the Division of Germany. The Clash with Russia over Reparations, Ithaca/New York–London 1972.

Link, Werner: Die Rolle der USA im westeuropäischen Integrationsprozeß, in: Aus Politik und Zeitgeschichte, Beilage zum ,,Parlament“, 1. 4. 1972, S. 3–13.

–: Deutsche und amerikanische Gewerkschaften und Geschäftsleute 1945–1975. Eine Studie über transnationale Beziehungen, Düsseldorf 1978.

Ludz, Peter Christian: Amerikanische Haltungen zur deutschen Frage, in: Deutschland Archiv 5 (1972), S. 573–594.

Mahncke, Dieter: Nukleare Mitwirkung. Die Bundesrepublik Deutschland in der Atlantischen Allianz 1954–1970, Berlin 1972.

Moltmann, Günter: Zur Formulierung der amerikanischen Besatzungspolitik in Deutschland am Ende des Zweiten Weltkrieges, in: Vierteljahrshefte für Zeitgeschichte 15 (1967), S. 299–322.

Morgan, Roger: The United States and West Germany 1945–1973. A Study in Alliance Politics, London 1974 (deutsch: Washington und Bonn. Deutsch-amerikanische Beziehungen seit dem Zweiten Weltkrieg, München 1975).

Nerlich, Uwe: Washington und Bonn: Entwicklungsstrukturen im deutsch-amerikanischen Verhältnis, in: Kaiser, Karl/Schwarz, Hans-Peter (Hrsg.): Amerika und Westeuropa. Gegenwarts- und Zukunftsprobleme, Stuttgart–Zürich 1977, S. 330–357.

Niethammer, Lutz: Entnazifizierung in Bayern. Säuberung und Rehabilitierung unter amerikanischer Besatzung, Frankfurt/M. 1972.

Richardson, James L.: Deutschland und die NATO. Strategie und Politik im Spannungsfeld zwischen Ost und West, (Aus dem Engl. übers.) Köln-Opladen 1967.

Schwarz, Hans-Peter: Vom Reich zur Bundesrepublik. Deutschland im Widerstreit der außenpolitischen Konzeptionen in den Jahren der Besatzungsherrschaft 1945–1949, Neuwied-Berlin 1966.

Stützle, Walther: Kennedy und Adenauer in der Berlin-Krise 1961–1962, Bonn-Bad Godesberg 1973.

Zink, Harold: The United States in Germany 1944–1955, Princeton 1957.

Die Autoren

Manfred Knapp, geboren 1939, ist Dozent für Politikwissenschaft mit Schwerpunkt Internationale Beziehungen am Fachbereich Gesellschaftswissenschaften der Universität Frankfurt/M. Veröffentlichungen u. a.: Die Stimme Amerikas – Auslandspropaganda der USA unter der Regierung John F. Kennedys (1972); (Hrsg.) Die deutsch-amerikanischen Beziehungen nach 1945 (1975); mehrere Aufsätze in Zeitschriften und Sammelwerken über die Außenpolitik der USA und der Bundesrepublik Deutschland.

Werner Link, geboren 1934, ist ordentlicher Professor für Politikwissenschaft (Internationale Beziehungen/Außenpolitik) an der Universität Trier. Veröffentlichungen u. a.: Die Geschichte des Internationalen Jugend-Bundes (IJB) und des Internationalen Sozialistischen Kampf-Bundes (ISK) (1964); Die amerikanische Stabilisierungspolitik in Deutschland 1921–32 (1970); Das Konzept der friedlichen Kooperation und der Beginn des Kalten Krieges (1971); Procedures and Outcomes of Detente Policy (1974). Zahlreiche Aufsätze in Fachzeitschriften und Sammelbänden.

Hans-Jürgen Schröder, geboren 1938, Dr. phil., ist wissenschaftlicher Mitarbeiter am Institut für Europäische Geschichte, Abt. Universalgeschichte, in Mainz. Veröffentlichungen: Deutschland und die Vereinigten Staaten 1933–1939. Wirtschaft und Politik in der Entwicklung des deutsch-amerikanischen Gegensatzes (1970); außerdem zur amerikanischen und deutschen Zeitgeschichte zahlreiche Aufsätze in Fachzeitschriften und Sammelbänden.

Klaus Schwabe, geboren 1932, ist ordentlicher Professor für Mittlere u. Neuere Geschichte, mit besonderer Berücksichtigung der anglo-amerikanischen Geschichte, an der Universität Frankfurt. Wichtigste Veröffentlichungen: Wissenschaft und Kriegsmoral. Die deutschen Hochschullehrer und die politischen Grundfragen des Ersten Weltkrieges (1969); Deutsche Revolution und Wilson-Frieden (1971); Woodrow Wilson (1971); Der amerikanische Isolationismus im 20. Jahrhundert. Legende und Wirklichkeit (1975). Aufsätze in Fachzeitschriften und Sammelbänden. Mitherausgeber der „Frankfurter Historischen Abhandlungen“.

Beck'sche Schwarze Reihe

Eine Auswahl

Helmut Riege
Nordamerika
Vereinigte Staaten und Kanada.
Band 1: Geographie, Geschichte, Politisches System, Recht.
(Einführung in die Landeskunde. Herausgegeben von Günther Haensch)
1978. Etwa 260 Seiten mit 2 Abbildungen im Text.
Paperback (Band 174)

Günther Haensch/Alain Lory
Frankreich
Band 1: Staat und Verwaltung.
(Einführung in die Landeskunde. Herausgegeben von Günther Haensch)
1976. 245 Seiten mit 3 Karten. Paperback (Band 148)

Manfred Koch-Hillebrecht
Das Deutschenbild
Gegenwart, Geschichte, Psychologie.
1977. 315 Seiten mit 16 Abbildungen im Text. Paperback (Band 162)

Westdeutschlands Weg zur Bundesrepublik
Mit Beiträgen von Mitarbeitern des Instituts für Zeitgeschichte.
1976. 203 Seiten. Paperback (Band 137)

Peter Christian Ludz
Die DDR zwischen Ost und West
Politische Analysen 1961–1976. 3. Auflage. 1977. 367 Seiten.
Paperback (Band 154)

Politisches Lexikon Schwarzafrika
Herausgegeben von Jürgen M. Werobèl-La Rochelle.
1978. Etwa 450 Seiten.
Paperback (Band 166)

Verlag C. H. Beck München

Beck'sche Schwarze Reihe

Die zuletzt erschienenen Bände

112 W. Toman, *Familienkonstellationen*. Ihr Einfluß auf den Menschen und sein soziales Verhalten

113 *Arbeiterselbstverwaltung in Jugoslawien.* Ökonomische und wirtschaftspolitische Probleme. Hrsg. H. Hamel

114 W. Wesiack, *Grundzüge der psychosomatischen Medizin*

115 *Urbanistik*. Neue Aspekte der Stadtentwicklung. Hrsg. H. Glaser

116 R. König, *Die Familie der Gegenwart*. Ein interkultureller Vergleich

117 H. Klages, *Die unruhige Gesellschaft*

118 W. L. Bühl, *Einführung in die Wirtschaftssoziologie*

119 H. Arndt, *Wirtschaftliche Macht*. Tatsachen und Theorien

120 W. Röd, *Dialektische Philosophie der Neuzeit 1: Von Kant bis Hegel*

121 W. Röd, *Dialektische Philosophie der Neuzeit 2: Von Marx bis zur Gegenwart*

122 K. D. Opp, *Soziologie der Wirtschaftskriminalität*

123 R. Schmid, *Das Unbehagen an der Justiz*

124 *Sozialistische Marktwirtschaften*. Hrsg. H. Leipold

125 F. Pollock, *Stadien des Kapitalismus*

126 G. E. Moore, *Grundprobleme der Ethik*

127 H. Lefèbvre, *Der Marxismus*

128 H. Richtscheid, *Philosophische Exerzitien*

129 W. Büchel, *Gesellschaftliche Bedingungen der Naturwissenschaft*

130 R.-R. Grauhan, *Grenzen des Fortschritts?* Kosten und Nutzen der Rationalisierung

131 E. Meistermann-Seeger, *Gestörte Familien*

132 E. Wiehn, K. U. Mayer, *Soziale Schichtung und Mobilität*

133 W. von Simson, *Die Verteidigung des Friedens*. Beiträge zu einer Theorie der Staatengemeinschaft

134 H. L. Arnold, *Gespräche mit Schriftstellern*

135 T. Guldimann, *Lateinamerika*

136 Neumann, Rahlf, Savigny, *Juristische Dogmatik und Wissenschaftstheorie*

137 *Westdeutschlands Weg zur Bundesrepublik 1945–1949*

138 U. Andersen, *Vermögenspolitik*

139 Böckels, Scharf, Widmaier, *Machtverteilung im Sozialstaat*

140 H. L. Arnold, Th. Buck (Hrsg.), *Positionen des Erzählens*

141 R. Saage, *Faschismustheorien*

142 *Rechtswissenschaft und Nachbarwissenschaften* 1. Band

143 *Rechtswissenschaft und Nachbarwissenschaften* 2. Band

144 R. Carson, *Der stumme Frühling*

145 T. Guldimann, *Die Grenzen des Wohlfahrtsstaates*

146 R. Schenda, *Die Lesestoffe der Kleinen Leute*

147 C. B. Macpherson, *Demokratietheorie*

148 Haensch, Lory, *Frankreich*. Band 1

149 H. Seiffert, *Sprache heute*

150 P. Rilla, *Lessing*

151 St. Perowne, *Hadrian*

152 *Lexikon der Ethik*. Hrsg. O. Höffe

153 *BRD/DDR-Wirtschaftssysteme*. Hrsg. H. Hamel

154 P. C. Ludz, *DDR zwischen Ost und West*

155 M. Krüll, *Schizophrenie und Gesellschaft*

156 *Grundwerte in Staat und Gesellschaft*. Hrsg. G. Gorschenek

157 *Und ich bewege mich doch*. Gedichte vor und nach 1968. Hrsg. J. Theobaldy

158 Mitterauer/Sieder, *Vom Patriarchat zur Partnerschaft*

159 H. Seiffert, *Stil heute*

160 A. Birley, *Mark Aurel*

161 H. Nicolai, *Zeittafel zu Goethes Leben und Werk*

162 M. Koch-Hillebrecht, *Das Deutschenbild*

163 H. L. Arnold, Th. Buck (Hrsg.), *Positionen des Dramas*

164 P. Rilla, *Literatur als Geschichte*

166 J. M. Werobèl-La Rochelle (Hrsg.), *Politisches Lexikon Schwarzafrika*

167 C. Sening, *Bedrohte Erholungslandschaft*

168 M. Kriele, *Legitimitätsprobleme der Bundesrepublik*

169 R. Bianchi Bandinelli, *Klassische Archäologie*

170 *Deutsche Erzählungen des Mittelalters*. Hrsg. U. Pretzel

171 G. van Roon, *Europa und die Dritte Welt*

172 A. Hauser, *Im Gespräch mit Georg Lukács*

173 H. Glaser, *Literatur des 20. Jahrhunderts in Motiven*. Band I: 1870–1918

174 H. Riege, *Nordamerika* Band I

175 E. Kornemann, *Geschichte der Spätantike*

176 H. Wassmund, *Revolutionstheorien*

177 Knapp, Link, Schröder, Schwabe, *Die USA und Deutschland 1918–1975*

178 P. Wapnewski, *Richard Wagner. Die Szene und ihr Meister*

Verlag C. H. Beck München